W9-CXV-531

C'est de l'homme qu'il s'agit

Jean Bernard

DE L'ACADÉMIE FRANÇAISE

C'est de l'homme qu'il s'agit

Éditions Odile Jacob

EN COUVERTURE :
Vanité. Gravure du XVIIe siècle,
mise en couleurs par Michel Duchêne.

ISBN 2-02-012524-2
(ISBN 1re publication : 2-7381-0045-7)

© ÉDITIONS ODILE JACOB, OCTOBRE 1988

La loi du 11 mars 1957 interdit les copies ou reproductions destinées à une utilisation
collective. Toute représentation ou reproduction intégrale ou partielle, faite par quelque
procédé que ce soit, sans le consentement de l'auteur ou de ses ayants cause, est illicite
et constitue une contrefaçon sanctionnée par les articles 425 et suivants du Code pénal.

Je voudrais remercier tout particulièrement Antoine Hess sans qui ce livre n'aurait probablement pas vu le jour.

... Mais c'est de l'homme qu'il s'agit! Et de l'homme lui-même quand donc sera-t-il question? – Quelqu'un au monde élèvera-t-il la voix?

Car c'est de l'homme qu'il s'agit, dans sa présence humaine; et d'un agrandissement de l'œil aux plus hautes mers intérieures.

Se hâter! se hâter! témoignage pour l'homme!

Saint-John Perse
Vents

I

OUVERTURE

Grand âge, nous voici

Un enfant naît. Sa taille future est inscrite dans les chromosomes. Avec quelque latitude toutefois. Adulte, il se trouvera entre 1,65 m et 1,75 m. Jamais à 1,60 m ni à 1,85 m. Mais selon les circonstances, l'alimentation, les maladies, l'hygiène, il sera plus près de 1,65 m, plus près de 1,75 m.

Selon toute vraisemblance, bien que la preuve absolue n'ait pas été apportée, la longévité est également inscrite dans nos chromosomes. L'espérance de vie de cet enfant qui naît varie, par exemple, de 65 à 75 ans. Mais la durée réelle de sa vie sera, entre ces limites, fonction, elle aussi, des maladies, de la profession exercée. La vie des instituteurs est plus longue que la vie des médecins. Il s'agit de moyennes. Certains médecins ont une longue vie. On m'interroge parfois sur les raisons de ma longévité, de mon aptitude à être encore actif. Les réponses à de telles questions m'ont toujours paru dérisoires et, selon les femmes, les hommes interrogés, contradictoires.

Je n'ai jamais aimé l'alcool. J'ai cessé de fumer en 1951 dans les conditions suivantes. Mon ami le Père Avril se trouvait gravement malade dans un couvent du Midi de la France. Je suis appelé à son chevet. Je reste dix jours dans le couvent sans fumer. Je continue de m'abstenir depuis trente-sept ans.

J'ai, pendant ma jeunesse, pratiqué de nombreux sports. J'ai joué au tennis assez tard. Mais depuis longtemps je ne cours plus, je ne joue plus. Et je marche fort peu.

Je suis insomniaque depuis longtemps, peut-être depuis le temps des nuits de 1942 passées sur les terrains de parachutages. J'ai appris le bon usage des insomnies. Les méditations paraissent fécondes. Des relations s'établissent entre les faits. Je crois parfois avoir fait une grande découverte. Il n'en reste rien au réveil.

Albert Jacquart a écrit un très bel éloge de la différence, montrant qu'entre les hommes et, d'une façon plus générale, entre les êtres vivants, il n'y a pas inégalités, mais différences. Tel caractère désavantageux ici est avantageux là. Une sérieuse anomalie de l'hémoglobine assure la protection de celui qui la porte contre le paludisme. Mais il est entre les hommes de grandes inégalités, celles des quinze et vingt dernières années de la vie. Celui-ci, longtemps si brillant, perd peu à peu la tête, ne percevant pas son changement, et avance à petits pas parmi ses contemporains apitoyés ou plus souvent sarcastiques. Celui-là s'enfonce lentement dans l'insuffisance cardiaque. Cet autre a le bonheur d'être foudroyé sur un boulevard, en pleine santé apparente. Cet autre encore est torturé pendant deux ans par les douleurs atroces d'un cancer qui s'étend.

L'homme qui prend sa retraite songe, devrait songer à ces situations si diverses. Il devrait y avoir songé à l'avance. Ce n'est pas toujours le cas. D'où des conséquences très variées, tragiques ou honorables. Un de mes amis les plus chers, un des grands chirurgiens de ce temps, n'accepte pas l'arrêt de son travail et, le lendemain de sa mise à la retraite, se jette par la fenêtre et se tue. Un maître de la cancérologie se retire à la campagne et écrit *l'Histoire de Byzance*. Jean Delay abandonne la psychiatrie et se consacre tout entier aux recherches qui lui permettent d'écrire l'histoire de sa famille depuis le XVIe siècle : *les Avant-Mémoires*.

Il m'a semblé qu'il n'était pas impossible d'allier deux activités, des activités médicales et biologiques d'une part, des activités différentes d'autre part, ceci en percevant avec lucidité la précarité de la situation. Déjà Érasme : « Vis, comme si tu devais mourir demain, travaille comme si tu pouvais vivre à jamais. » Et, interrogé sur son programme, sur les échéances politiques, un ministre éminent déclarait l'an dernier : « Je travaille pour l'éternité, mais je sais que je peux être révoqué chaque soir. » La formule me convient fort bien. Je puis, au surplus, être interrompu non seulement chaque soir, mais à tout moment. J'ai donc gardé ma consultation du mardi à l'hôpital Saint-Louis, assurée depuis trente ans. J'ai le plaisir, chaque mardi, de retrouver mes anciens élèves devenus maîtres à leur tour et de suivre les progrès de leurs recherches.

Des liens très anciens m'unissent à l'Institut Pasteur. J'ai suivi le grand cours de microbiologie en 1930 avant de travailler sous la direction de Gaston Ramon à l'Institut Pasteur

11

de Garches. J'ai appartenu, trente ans plus tard, pendant quelques années, au conseil d'administration de l'Institut. J'ai donc été très heureux d'accepter, au moment de ma retraite, la proposition du directeur de l'Institut Pasteur, François Gros, qui me demandait de recevoir une fois par semaine à Pasteur les malades souffrant de désordres sanguins.

Et à l'hôpital Cochin, à l'hôpital Lariboisière, à l'hôpital de la Salpêtrière, je suis invité une ou deux fois par mois par les chefs des services d'hématologie, anciens membres des équipes de Saint-Louis.

Toute ma vie scientifique est dominée par une constante alliance entre la recherche clinique et la recherche biologique. Cette alliance continue dans le cadre du Centre d'écologie des cellules sanguines normales et leucémiques de l'hôpital de la Salpêtrière, inauguré l'an dernier et où nous travaillons, Marcel Bessis, Jacques-Louis Binet et moi-même, entourés de jeunes chercheurs. Le mot écologie n'est pas dans le *Littré*. Il a été proposé par des savants allemands à la fin du XIXe siècle avec le sens que l'on garde : « Étude des relations des êtres vivants avec le milieu dans lequel ils vivent. » Marcel Bessis a, depuis quarante ans, appliqué ce concept général aux cellules normales et pathologiques du sang dont nous avons la charge. L'écologie cellulaire examine les relations des cellules sanguines avec le milieu dans lequel elles vivent. Les recherches, longtemps très fondamentales, commencent à inspirer des applications thérapeutiques. En particulier dans les traitements de certaines leucémies. Longtemps le traitement des leucémies et plus généralement des cancers a été gouverné par un dogme, le dogme de la destruction totale de toutes les cellules cancéreuses ou leucémiques, de l'éradication, comme

12

dit le jargon de certains chercheurs. Cette destruction totale a de sérieux inconvénients. Nous ne possédons pas encore de méthodes de destruction sélective et nous sommes obligés, pour détruire les cellules de cancer, de détruire de nombreuses cellules saines. Nous nous sommes, Marcel Bessis et moi, opposés depuis quarante ans à ce dogme. Longtemps en vain, mais depuis quelques années avec bonheur. Si l'on connaît bien les relations de la cellule leucémique avec ce milieu dans lequel elle baigne, on peut espérer, non plus détruire, mais corriger la cellule leucémique, la redresser en quelque sorte, la remettre dans le droit chemin.

De très grands espoirs sont venus de l'étude de cultures de cellules leucémiques. On sait, depuis Alexis Carrel, cultiver au laboratoire les cellules humaines et animales. Les cellules normales mûrissent dans le tube de culture et meurent. Les cellules de cancer, de leucémie, ne mûrissent pas, ne meurent pas, sont immatures et immortelles. Rien de plus émouvant que la présence, dans de nombreux laboratoires, de cultures étiquetées K.B., L.A. Ces lettres sont les initiales de femmes mortes de cancer du sein il y a trente ans, quarante ans. Mais les cellules cancéreuses qui les ont tuées vivent dans nos laboratoires, immatures, immortelles. Immatures, immortelles? Plus toutes, plus tout à fait maintenant.

De très éminents chercheurs, et Robert Gallo le premier, sont parvenus à faire mûrir et mourir des cellules de leucémies humaines. En mûrissant et avant de mourir, ces cellules tantôt gardent certains caractères de cellules leucémiques, tantôt redeviennent tout à fait normales. Ce remarquable changement est provoqué par diverses substances, les unes proches de la vitamine A, les autres très

13

variées. De nombreuses recherches s'efforcent de bien comprendre le mécanisme du changement, le mode d'action des diverses substances qui le provoquent. Tel est le domaine fort important des recherches poursuivies au Centre d'écologie des cellules sanguines normales et leucémiques de la Salpêtrière. Et déjà on entrevoit la possibilité de passer des études *in vitro* au traitement de l'homme malade.

*\
* *

Les leucémies

Je combats les leucémies depuis près de soixante ans. Pour mesurer les progrès accomplis, il n'est peut-être pas inutile de rappeler l'apparence des leucémies en 1925, au temps où je commence mes études de médecine.

Dans les salles médiévales des hôpitaux d'adultes on nous montrait, une ou deux fois par an, un homme âgé au corps couvert de glandes dont le sang contenait cinquante fois, cent fois plus de globules blancs qu'un sang normal. On nous apprenait l'existence de deux leucémies, la lymphoïde à gros ganglions, la myéloïde à grosse rate. Soudain le ton montait. Une querelle de nomenclature naissait. Nous entendions, au chevet de ce mourant, de furieuses disputes de vocabulaire. Puis nous passions au malade suivant. Pourquoi nous attarder? Les leucémies, disait-on alors, comme la méningite tuberculeuse, comme l'endocardite maligne sont des maladies constamment fatales et qui demeureront incurables. Telle était la situation lorsque j'ai commencé à travailler aux côtés de Paul Chevallier.

Paul Chevallier, dans le laboratoire-cabane de l'hôpital Cochin, me donne mes premières leçons d'hématologie expérimentale. En m'appelant à écrire avec lui un livre sur la maladie de Hodgkin, il m'apprend à lire les textes scientifiques, à les comparer, à les critiquer. C'est l'année suivante, en 1933, que je commençai, dans le laboratoire de l'hôpital Claude Bernard, mes premières recherches personnelles sur les leucémies expérimentales. J'étais alors l'interne d'André Lemierre qui dirigeait la clinique des maladies infectieuses à l'hôpital Claude Bernard près de la porte d'Aubervilliers.

La rigueur la plus scrupuleuse pour lui-même, l'indulgence la plus étendue pour les autres, la conscience examinatrice la plus exigeante, la charité la plus tendre, ces alliances définissaient André Lemierre. Chaque territoire du corps du malade est regardé, palpé, écouté; la moindre tache, le nodule le plus petit, ce souffle si léger, rien n'échappe à cette attention jalouse. Et l'enquête n'est en aucune façon une cueillette botanique de symptômes; elle est conçue, dirigée, pour placer les anomalies constatées dans l'ordre qui convient et parvenir au diagnostic. Ceux d'entre nous que leur nature porte à la rêverie, qui se satisfont d'approximation, doivent beaucoup à cet exemple, à ce modèle de précision clinique. André Lemierre ne nous faisait jamais de reproche. Commettions-nous une faute, il n'était pas sévère, mais triste, si triste que nous nous efforcions de ne pas renouveler l'erreur.

L'hôpital Claude Bernard s'allongeait d'ouest en est, en bordure des anciennes fortifications. A chaque maladie son pavillon, un pour la rougeole, un pour la scarlatine, un pour la diphtérie, un pour l'érésipèle. Tout au bout, à l'est, se trouvait le laboratoire central dirigé par James Reilly.

Grand, maigre, célibataire, déjeunant en salle de garde avec les internes, refusant grades, fonctions, honneurs, Reilly était un savant de haut rang, au caractère à la fois difficile et généreux, au parler franc et rude.

Je lui fais part de mes projets de recherches. Il les accueille très favorablement. L'orientation de ses propres recherches, consacrées aux infections, au rôle du sympathique, était toute différente. Mais avec une grande bonté, il me donne les aides techniques, les animaux, les moyens de travail.

La nature des leucémies était alors mal connue. J'ai pu apporter une des toutes premières démonstrations expérimentales de leur nature cancéreuse. Deux données m'ont guidé. 1) Le goudron de houille appliqué sur la peau des animaux d'expérience provoque des cancers de la peau. 2) La moelle osseuse est l'usine du sang; elle fabrique la plupart des globules du sang. Si les leucémies sont des cancers, l'introduction de goudron de houille dans la moelle osseuse des rats devait provoquer une leucémie. Les expériences, poursuivies, entre 1933 et 1936, sur plusieurs centaines de rats, ont vérifié l'hypothèse initiale. Les injections de goudron de houille dans la moelle des os provoquent une maladie expérimentale, une leucémie proche des leucémies humaines. Ainsi se trouvait établie l'importance des liens qui unissent leucémies et cancers. La leucémie est bien un cancer du sang ou plus exactement un cancer des organes qui forment le sang.

Ainsi, pendant ces trois années, j'exerçais le matin mes fonctions d'interne, je passais presque tous mes après-midi au laboratoire. Reilly estimait que nous devions tout faire nous-mêmes. C'était une très bonne école. Je devais forger mes instruments, les aiguilles capables de pénétrer dans les os, compter et recompter plusieurs fois par semaine les globules des rats. Reilly marchait dans le laboratoire derrière nous, tantôt méditant, tantôt venant nous aider, tantôt mécontent, explosant, estimant à leur juste valeur nos maladresses, nos ignorances.

Les journées étaient rudes, parfois grises quand les difficultés s'accumulaient, parfois exaltantes. Je me rappelle mon bonheur lorsque après déceptions et incertitudes, furent recueillies les premières données positives confirmant l'hypothèse initiale.

Un autre bonheur fut, quelques années plus tard, apporté par la lecture des travaux d'une équipe italienne, dirigée par Edoardo Storti, qui, reprenant à Pavie les mêmes expériences, en avait pleinement confirmé les résultats. Le vrai est ce qui est vérifiable.

Vient la guerre. Vient le temps du mépris, des épreuves, du malheur. Toute recherche est abandonnée. En 1945, je suis nommé médecin des hôpitaux et affecté à l'hôpital Hérold. L'hôpital Hérold, tout au nord de Paris, tout en haut de Paris, borde la place du Danube, place qui, patriotiquement, deviendra, un peu plus tard, place de Rhin et Danube. Les sulfamides, les premiers antibiotiques transforment la médecine. De nombreux enfants atteints de méningites aiguës, de septicémies, naguère condamnés, guérissent. Cependant les leucémies aiguës de l'enfant évoluent constamment vers la mort. Ce contraste, qui ne fera que s'accentuer pendant les années suivantes, avec les succès de plus en plus nombreux des traitements des maladies infectieuses, ce contraste est poignant. Côte à côte, dans des lits voisins à l'hôpital Hérold, je voyais l'enfant atteint de méningite à pneumocoques qui guérissait, l'enfant leucémique qui mourait. Une sorte de résignation, de fatalisme inspirait alors les médecins. La leucémie est une maladie à tout jamais fatale. Nous sommes navrés, pensaient-ils, mais nous n'y pouvons rien.

Il me parut alors impossible d'accepter cette résignation. La mort d'un vieillard est un événement triste mais normal. La mort d'un enfant est un scandale. Le refus de ce scandale inspire depuis quarante ans notre combat. Il ne suffit pas de décider le combat. Il faut encore disposer d'armes pour combattre. C'est à ce moment, juste après la fin de la guerre, que se place ma rencontre avec Marcel Bessis. Marcel Bessis devait nous apporter nos premières armes.

Je l'ai connu dans une cave du vieil hôpital Saint-Antoine. Les caveaux-laboratoires remplaçaient, en 1946, les mansardes-laboratoires de Claude Bernard et de Pasteur. A 29 ans, Marcel Bessis avait déjà consacré la moitié de sa vie à des études microscopiques. Un illustre histologiste a joué, au début de nos deux vies scientifiques, un rôle assez différent. Jugeant mes connaissances insuffisantes, Branca m'ajourne deux fois, en juillet et octobre 1926, à l'examen de travaux pratiques d'histologie de première année. Je n'ai dû mon salut au printemps qu'à une maladie de Branca. Cependant, Branca, quelques années plus tard, fortifie et assure définitivement la vocation du jeune collégien Marcel Bessis, devenu, à 15 ans, l'heureux héritier de dix mille coupes d'embryons de chauves-souris.

Marcel Bessis, dans le même temps, observe la vie des infusoires cherchant leur nourriture, tuant leurs ennemis et étudie les préparations histologiques définitivement fixées de ces chauves-souris. Ainsi étaient déjà indiqués les deux grands courants de sa recherche : le mouvement et la structure. Recherche qui, au-delà des coopérations nécessaires, sera toujours celle d'un homme seul. « Je n'arrive pas à croire, écrira-t-il un jour, que les œuvres de l'esprit puissent naître autrement que d'une infinie solitude. »

Tout commence par le mouvement. Un fameux mouvement. *De la campagne d'Italie à la première rémission des leucémies aiguës,* tel pourrait être le titre de ce chapitre. C'est pendant la campagne d'Italie que le médecin-lieutenant Marcel Bessis, chef de l'unité de réanimation de l'hôpital de campagne 421, propose de traiter les blessés victimes de graves écrasements musculaires par le grand échange de sang, l'exsanguino-transfusion. C'est dans le caveau de l'hôpital Saint-Antoine qu'il propose de traiter et traite, à la maternité voisine, par exsanguino-transfusion, les nouveau-nés victimes de la maladie provoquée par le conflit Rhésus.

Nous avons remarqué, Marcel Bessis et moi-même, que des améliorations partielles passagères de leucémies aiguës succédaient à des transfusions faites pour corriger l'anémie. Nous avons émis l'hypothèse de la présence de substances ou de cellules antileucémiques dans le sang des personnes saines. Nous avons espéré exercer une action thérapeutique utile en apportant au malade leucémique de grandes quantités de sang provenant de plusieurs donneurs.

Je revois le doux visage du petit Michel, 6 ans, qui fut, en octobre 1947, le premier enfant traité par exsanguino-transfusion. Il est admis à l'hôpital Hérold dans un état extrêmement grave. La fièvre, la grande fatigue, les dou-

19

leurs osseuses, les hémorragies, les gros ganglions sont les principaux symptômes. Le sang et la moelle osseuse contiennent de nombreuses cellules leucémiques.

Je me rappelle nos hésitations, nos scrupules avant la tentative. Nous n'étions sûrs de rien. A tout le moins, on pouvait cependant espérer atténuer les cruelles douleurs qui tourmentaient l'enfant. Nous nous décidons. Pour la première fois dans l'histoire des leucémies de l'enfant, un traitement est tenté. Le sang de l'enfant est retiré et remplacé par le sang de plusieurs donneurs sains. Le grand échange de sang est bien toléré. Il est efficace. Quelques jours plus tard, l'enfant est transformé. Il est rose, vif, alerte. Tous les troubles sont corrigés. Les douleurs disparaissent. Les cellules leucémiques diminuent puis disparaissent. Pour la première fois dans l'histoire des leucémies aiguës, une rémission complète est obtenue. Rémission malheureusement éphémère. L'enfant reprend une vie normale pour deux mois seulement. A nouveau, les douleurs, les hémorragies. A nouveau les cellules leucémiques dans le sang et la moelle osseuse. Un nouvel essai du même traitement n'obtient qu'un répit très partiel, très court. La mort n'aura été que retardée.

Nous allons, Marcel Bessis et moi, présenter l'histoire de Michel à la Société médicale des hôpitaux de Paris, alors dans toute sa gloire. Des microscopes sont apportés avec les préparations de moelle osseuse de la période évolutive et de la période de rémission. Un des maîtres de l'hématologie reste longtemps au-dessus du microscope, paraît troublé, regarde à nouveau, puis se relève : « C'est vrai, ces cellules ressemblent beaucoup à des cellules leucémiques. Mais puisqu'il y a eu amélioration, rémission, il ne s'agissait certainement pas de leucémie. » Telle était la force du dogme qui tenait les leucémies pour des maladies à tout jamais incurables.

L'année suivante, en 1948 à Boston, Sydney Farber obtient la deuxième rémission dans l'histoire des leucémies de l'enfant, la première rémission provoquée par un médicament. Sydney Farber est un homme de haute science, de culture universelle, de grand cœur. Il nous rend visite à Paris en 1950. De courtes rémissions étaient obtenues. Rien de plus. Il me dit : « Je n'entreprends jamais le traitement d'un enfant leucémique sans me dire qu'il sera peut-être le premier enfant guéri. »

Ainsi s'ébauchait, ainsi commençait une coopération internationale appelée à se fortifier au cours des années. Des liens étroits nous unissent aux équipes de Joseph Burchenal à New York, de Conrad Gasser à Zurich, de Jim Holland à Buffalo. Cependant que les hommes politiques ne cessent de se quereller, les hommes de science échangent leurs informations, se portent mutuellement secours, se comprennent, deviennent amis.

Dès 1947 et 1948 étaient ouvertes les deux grandes voies de recherche qui allaient, pendant quarante ans, être inégalement suivies. La première voie, celle de l'exsanguino-transfusion, celle des traitements correcteurs, longtemps abandonnée, est à nouveau très active. La deuxième voie, celle des traitements destructeurs, va, pendant près de quarante ans, rester presque la seule.

Cependant, les mutations hospitalières me conduisent successivement à l'hôpital des Enfants malades, de nouveau à l'hôpital Hérold, puis à l'hôpital Saint-Louis pour près d'un quart de siècle.

21

J'ai aimé l'hôpital Saint-Louis. J'y venais parfois à pied. Je longe la berge du canal Saint-Martin, je contemple les pêcheurs qui, inlassablement, et en vain, jettent et rejettent leurs lignes. Je remonte sur le quai de Valmy. Je voudrais traverser le canal. A ce moment, le pont se lève, l'écluse fonctionne; un chaland passe, majestueux. Je peux attendre assez longtemps, ou, un peu plus loin, retrouver une de ces arches qui, en parabole gracieuse et presque florentine, enjambent le canal.

Passé de Valmy à Jemmapes, j'aperçois l'hôpital Saint-Louis. Les rues, les places qui le bordent sont médicales, portent des noms de médecins, portent l'histoire. Xavier Bichat. Il est à l'entrée du XIXe siècle un des héros de la science moderne. Il définit la vie comme l'ensemble des fonctions qui s'opposent à la mort; il découvre, décrit les tissus qui forment notre corps. Il meurt à 30 ans. Jean-Louis Alibert, premier chef de l'école dermatologique de l'hôpital Saint-Louis, médecin des rois, vainqueur de la gale. Stendhal a dit de lui : « *Il possédait l'esprit naturel, celui qui est inventé à chaque instant par un caractère aimable sur toutes les circonstances de la vie.* » Alfred Fournier; il montre que les grandes maladies nerveuses qui, si longtemps, accablèrent, tuèrent les hommes et plus particulièrement peut-être les hommes de lettres, les écrivains, les poètes, que la paralysie générale, le tabès, sont dus à la syphilis. Il ouvrait ainsi la voie à la prévention moderne de ces maladies.

J'entre dans l'hôpital. Je passe sous une première voûte, appartenant au bâtiment de la porte de style Louis XIII, avec ses pavements de pierre et de brique. Je traverse une allée, je passe sous une deuxième voûte, plus longue,

22

monacale, sombre, je quitte l'ombre pour la pleine lumière de la grande cour. Je suis maintenant au centre d'un des plus beaux quadrilatères monumentaux que nous ait laissé à Paris le XVIIe siècle; d'un quadrilatère commencé à l'époque même où se construisaient les belles demeures de la place des Vosges. L'administration des Beaux-Arts a entrepris, avec une sage lenteur, avec une lenteur budgétaire, de rafraîchir ces murs illustres. Ainsi, trois côtés du quadrilatère restent gris, un peu tristes; le quatrième côté, tout blanc, glorieux, est sans doute pareil à celui que connurent les premiers habitants de l'hôpital.

Traversant cette cour pour rejoindre mon service, je songeais souvent à ces premiers habitants de l'hôpital. Malades couchant dans ces chambres immenses dont les fenêtres ouvrent sur la cour, ou encore, aux heures permises, déambulant entre les murs, enveloppés dans une mauvaise capote, la tête dans leur bonnet de nuit, échangeant de tristes propos, comparant leurs misères. Médecins suffisants et insuffisants, parcourant à d'autres heures la même cour, discutant, disputant dans le latin de Diafoirus.

Tout près de mon bureau, j'ai chaque matin le bonheur de découvrir le pavillon de garde, dit parfois « pavillon du jardinier », datant du début du XVIIe siècle, alliant grandeur et modestie, pureté des lignes et beauté.

La recherche médicale, on l'a bien souvent dit, est parcourue par un double courant, un courant qui remonte des observations cliniques vers le fondamental, un courant qui descend du fondamental vers les applications thérapeutiques. Nous avions fait quelques pas sur la première voie. Très vite nous avons pris conscience et de la difficulté du problème et de son importance. Les leucémies sont devenues les maladies pilotes de la cancérologie. Les progrès faits du côté des leucémies permettront, un peu plus tard, de progresser dans la compréhension, dans le traitement des cancers.

C'est ainsi qu'au moment même de mon arrivée à l'hôpital Saint-Louis, s'imposèrent à moi deux nécessités, deux obligations. Nous devions disposer d'un Institut de Recherches permettant d'aborder les divers domaines expérimentaux concernés par les leucémies. Cet Institut devait être situé à l'hôpital Saint-Louis, près de nos malades, et non pas dans quelque campus agréable et rural comme c'est souvent le cas à l'étranger. Et le miracle se produit. En 1957, le ministre de l'Éducation nationale, dont je salue le nom avec gratitude, monsieur Billières, accorde les crédits nécessaires. Les très importants crédits permettent la construction d'un grand Institut de Recherches sur les leucémies et les maladies du sang.

Le plan de l'Institut est le suivant. Au rez-de-chaussée, un service d'hospitalisation réservé aux malades les plus complexes, posant les problèmes les plus difficiles. Au dernier étage, les souris, les rats, les hamsters, les cobayes, tout un peuple de rongeurs que dirige un vétérinaire, docteur ès sciences. Les laboratoires sont proches de la clinique en bas et de plus en plus fondamentaux cependant que l'on monte. Se succèdent ainsi les départements de chimiothérapie, d'épidémiologie, d'isotopes, d'hémostase, d'immuno-hématologie, d'immuno-chimie, d'hématologie expérimentale enfin. Nous bénéficierons bientôt du grand élan donné à la recherche scientifique française par le général de Gaulle. Des crédits importants sont accordés,

24

permettant l'achat des microscopes électroniques, des compteurs, de tout le matériel indispensable.

Bientôt, deux cents personnes travailleront dans l'Institut, les uns consacrant tout leur temps à la recherche fondamentale, les autres, cliniciens le matin auprès des malades, expérimentateurs l'après-midi. La haute qualité des chercheurs que j'ai eu le bonheur de pouvoir assembler vaut bientôt à l'Institut une haute réputation. Vers 1970, aux chercheurs français se joignent les chercheurs venus de dix-sept pays étrangers, des États-Unis au Japon, de la Pologne à l'Autriche ou au Brésil.

Cependant le dur combat continue au chevet des enfants leucémiques. Nous progressons, mais bien lentement. Des médicaments très divers sont préparés. On s'attend à voir au premier rang les produits de synthèse savants. Ce sont les substances naturelles qui nous rendent les plus grands services, substances extraites d'une éponge du golfe du Mexique, substances venant de la pervenche de Madagascar. Mais que les amateurs de médecine par les plantes, de tisanes, ne triomphent pas trop vite. Il faut à peu près un quintal de pervenches pour obtenir la dose de médicament utile pour un malade. Jacques Monod, à l'époque, me fait remarquer qu'il n'est pas indifférent de trouver dans la nature les médicaments qui viennent au secours de l'homme.

Deux progrès importants sont, pendant cette période de dur combat, dus aux équipes de l'hôpital Saint-Louis. Le premier concerne les associations, les combinaisons de médicaments. On croit d'abord, dans la plupart des centres spécialisés, qu'il vaut mieux utiliser un seul médicament, gardant les autres médicaments pour d'autres époques de la maladie. Nous montrons, par des études comparatives, l'intérêt des associations de médicaments employées ensuite partout dans le monde comme aussi l'importance des renforcements périodiques des traitements appelés « réinductions ».

Une deuxième contribution importante a pour objet l'emploi de certains antibiotiques dans le traitement des leucémies. Les antibiotiques connus agissent en troublant la croissance des microbes. Peut-être d'autres antibiotiques peuvent-ils agir en troublant électivement la croissance des cellules leucémiques.

Ainsi est préparé, d'abord à Paris, puis quelques jours plus tard à Milan, un remarquable antibiotique, la daunorubicine, qui devient un des premiers médicaments des leucémies.

Parfois, le présent et le passé se rejoignent. Un nouveau médicament des leucémies, l'asparaginase, est étudié aux États-Unis et au Canada. Relisant *La Peau de Chagrin,* je trouve la scène de la consultation des chimistes. Les consultants parlent de tout autre chose que de leur malade, la fameuse peau. « Que dit l'Académie? » demande l'un des chimistes à l'autre. « Rien de nouveau, la digitaline, la vauqueline, l'asparagine ne sont pas des nouveautés. »

Donc nous progressons lentement, très lentement. Les rémissions sont d'abord courtes et rares, courtes et fréquentes, puis longues et rares, puis longues et fréquentes. Toujours point de guérison. L'enfant vit trois ans, quatre ans après le début de la rémission, puis une rechute survient. Il meurt. « Nous les tuons deux fois » me dit, avec amertume, un ami américain, pensant à la révélation du diagnostic et du pronostic aux parents au début de la maladie et à l'issue finale.

Tous les matins pendant ces vingt et quelques années j'arrive à l'hôpital à sept heures et demie. Je reçois pendant la première heure les parents des enfants hospitalisés. Ces parents subissent une épreuve très rude, une des plus rudes qu'on puisse imaginer. Il m'a toujours semblé que je devais les comprendre, leur dire toute la vérité, leur expliquer notre action, les aimer. Cette relation n'est pas toujours facile. Un matin, la maladie de son fils s'étant aggravée, je suis obligé de dire mes craintes à la maman. Doucement mais nettement, mais en vain. La dame, après vingt minutes d'entretien, se lève et me remercie de l'avoir rassurée.

Les parents doivent être associés au combat. Ils sont des alliés parfois encombrants, souvent utiles, toujours dignes de notre sollicitude.

Vers neuf heures j'allais voir les malades. Il n'est plus question de ces présentations publiques telles qu'on les connaissait en 1925. Les principaux médecins de la salle concernée, les infirmières, les étudiants et moi, nous nous réunissons dans un bureau. Les dossiers sont longuement examinés. Les décisions sont prises. Puis nous passons rapidement dans les chambres vérifier un symptôme, nous nous entretenons quelques instants avec le malade. Rapidement. Parfois trop rapidement. C'est un inconvénient de ce système qui, d'un côté, respecte la dignité du patient, de l'autre limite le temps passé avec lui. Souvent je reviens seul, un peu plus tard. Je reste plus longtemps avec tel enfant dont l'état me préoccupe. Je le laisse parler. J'ai beaucoup appris pendant ces entretiens ou en écoutant les conversations des enfants entre eux. Un jour, passant l'après-midi dans le couloir, j'entends par une porte entrouverte le dialogue de deux enfants. L'externe, imprudemment, avait laissé épinglée au mur la courbe des variations du nombre des globules blancs. « Toi, tu es mal parti – dit l'un, 7 ans, à l'autre, 6 ans – avec ton lot de globules blancs. »

Une petite fille, 8 ans, pendant notre entretien, me dit un jour bien tranquillement : « Je dois être bien malade pour que mes parents soient si gentils avec moi. »

La nuit à l'hôpital est très cruelle pour les enfants. La création, en 1968 de l'hôpital de jour a permis de limiter la durée des hospitalisations. L'enfant vient subir un traitement une fois par semaine et après quelques heures revient chez lui. Un soir, comme avec Jacques Caen, créateur avec moi de l'hôpital de jour, nous arrivions, nous croisons un petit garçon qui partait. « A jeudi prochain », nous crie-t-il gaiement.

L'après-midi, j'allais dans les divers laboratoires de recherche. Je m'occupais directement de l'hématologie géographique (c'est-à-dire de l'épidémiologie) et de la chimiothérapie. Pour le reste, j'allais m'instruire. Chaque équipe était plus compétente, plus capable que moi. Je me tenais informé de leurs progrès, de leurs soucis, de leurs espoirs. La structure de l'Institut de Recherches est fédérale, laissant une grande autonomie à chaque groupe. Le rôle du directeur m'a toujours paru : 1) d'assumer les difficultés, spécialement les difficultés financières, pour laisser aux chercheurs pleine liberté d'expression, de réflexion ; 2) d'assurer une certaine coordination entre les laboratoires tant du côté des orientations générales que du côté des relations bilatérales. Tous les directeurs d'Instituts scientifiques connaissent la tendance des chercheurs à ignorer leurs voisins. Vers 1970, je déjeune à Sydney pendant un congrès avec deux des plus éminents chefs d'équipe de Saint-Louis. Ils engagent un dialogue très amical, se mettant mutuellement au courant des progrès de leurs travaux. Ils étaient à Paris voisins d'étage séparés par une cloison.

Ma fierté est d'avoir gagné la confiance des femmes, des hommes éminents engagés dans le combat. Le bon chercheur, comme tout créateur, comme le poète, comme le peintre, est psychiquement différent de l'homme moyen. Tel est hypocondriaque, il faut l'examiner très complètement puis le rassurer. Tel autre a des ennuis avec sa femme, avec ses maîtresses et vient me les conter. Lorsque l'hypocondriaque et le volage, pendant les mois qui suivent, font chacun une belle découverte, le temps passé à calmer l'un, à apaiser l'autre, est justifié.

Ainsi, la recherche est devenue œuvre commune. Nous voici à l'hôpital Saint-Louis, six ou huit réunis autour d'une table. Parfois la réunion est décevante, stérile. Morne énoncé de documents, fastidieuse bibliographie. Parfois elle est brillante, faussement brillante, les artifices oratoires n'ouvrant que des impasses. Mais parfois cette réunion est dense, chargée de faits; elle permet les réflexions fécondes ou encore elle a vu surgir une idée neuve qui nous habite longtemps après l'entretien.

Ceux qui cherchent sont très divers. Il y a ceux qui ne songent qu'aux récompenses, aux médailles et aux gloires, ceux qui veulent l'emporter sur leurs voisins, ceux qui accumulent les notes et les fiches, ceux qui, à 20 ans, avaient trouvé un fait et ils ont vécu autour de ce fait, coureurs d'une piste circulaire sans jamais avancer. Et ceux qui ont cru trouver et c'était presque vrai, et cette vérité qu'ils croyaient atteindre, chaque fois elle leur échappait.

J'ai eu la chance, pendant près de vingt-cinq ans à l'hôpital Saint-Louis d'être entouré par des jeunes femmes, des jeunes hommes d'une valeur exceptionnelle. Mon seul mérite est de les avoir assemblés.

Les rapides progrès de leurs travaux inquiètent certains chercheurs, préoccupés par les conséquences éventuellement fâcheuses de ces progrès. Ils ont peur d'envisager l'arrêt temporaire ou définitif de ces recherches.

Ailleurs, ce n'est pas le progrès, mais la stagnation qui inquiète. La première rémission de leucémie aiguë d'enfant est obtenue en 1947. Les premières guérisons sont observées entre 1970 et 1975. Depuis 1947 nous avons traité les enfants leucémiques avec courage, persévérance, mais aussi avec angoisse, tremblant à chaque examen de sang, bouleversés par la qualité de la rémission et la certitude de la rechute.

Ainsi, ces enfants leucémiques vont rester sous la menace de la rechute comme, à Syracuse, Damoclès sous l'épée du tyran. Mais l'angoisse de Damoclès dure le temps d'un banquet; l'angoisse des enfants leucémiques et de leurs parents les accable pendant cinq ans, six ans, sept ans. Plusieurs fois, pendant ce long combat, je me suis interrogé sur la légitimité de notre action. Peut-être venions-nous trop tôt? Peut-être ne possédions-nous pas encore les données conduisant au succès? Ne serait-il pas plus sage d'interrompre cette recherche, ce combat? Cependant nous nous sommes acharnés. L'acharnement thérapeutique, absurde quand il s'agit d'un vieillard, peut être justifié quand il s'agit d'enfants et, pendant que nous poursuivions notre lutte longtemps désespérée, nous refusant presque à croire aux longues survies que nous commencions d'obser-

30

ver, la leucémie subit ou paraît subir un nouvel avatar. Maladie de deux mois, elle était devenue une maladie de quinze mois, chaque nouveau médicament, chaque progrès thérapeutique entraînait un nouveau petit allongement de la durée de vie.

Et voici que sont décrites de très longues leucémies de l'enfant, des leucémies dont la durée atteint quatre ans, cinq ans, dépasse dix ans, douze ans. On constate alors qu'après dix ans le risque de rechute est très petit, presque nul. On commence alors à murmurer le mot de guérison. On le prononce plus tard avec une assurance accrue. Le moment où une maladie n'est plus constamment fatale est un grand moment en médecine, le moment où la mort n'est plus obligatoire, où quelque espoir de vie peut être conçu.

Myriam, petite fille d'Afrique du Nord, fut notre première enfant guérie, probablement la première enfant au monde guérie de leucémie aiguë. Myriam donc, à six ans, est gravement malade en 1964. Le début est très brutal, par des hémorragies des gencives et du nez, une angine ulcéreuse, de gros ganglions du cou. Le sang et la moelle sont leucémiques. La rémission complète est obtenue à l'hôpital Saint-Louis après cinq semaines de traitement. Le traitement ultérieur (entretien, renforcements) est conduit avec une grande rigueur (doses, chronologie, etc.). En octobre 1969, après cinq ans, le traitement est arrêté. Le sang et la moelle sont normaux. En 1971, Myriam alors âgée de 13 ans, sept ans après le début de la leucémie, bat un record de natation (100 mètres dos). En janvier 1972 elle gagne un concours hippique. En juillet 1974, elle se présente au baccalauréat. En mai 1975, près de onze ans après le début de la leucémie, elle se marie. En

31

septembre 1977 elle m'écrit et demande si elle peut envisager une grossesse. Je lui réponds en donnant mon accord de principe, mais en souhaitant sa venue à Paris pour un examen préalable. Deux mois plus tard, je reçois un faire-part de naissance. Elle m'avait demandé la permission d'avoir un enfant alors qu'elle était enceinte de sept mois. En janvier 1979, naissance d'un deuxième enfant. Les deux enfants sont et resteront normaux. Myriam est guérie.

Après Myriam, d'autres enfants ont été guéris, d'abord rares puis plus nombreux. Dès 1979, nous pouvions, à l'hôpital Saint-Louis, compter 100 enfants guéris. On admet actuellement 60 à 70 % de guérisons pour la forme commune, la plus fréquente des leucémies aiguës de l'enfant.

J'ai longtemps eu la tristesse d'apprendre les sentiments, les comportements des enfants condamnés, pour les aider de mon mieux. « Verrez-vous la guérison des leucémies de votre vivant ? » m'a demandé brusquement un grand journaliste pendant une émission de télévision en direct. Et la réponse raisonnable était : « Je ne sais pas quelle sera la durée de ma vie. »

Plus favorisé que l'illustre Sydney Farber dont je rapportais plus haut les propos, j'ai vécu assez pour connaître ces guérisons, pour apprécier non plus les sentiments des enfants perdus mais les sentiments des enfants guéris.

Celui-ci, lorsque la guérison est annoncée, conteste le diagnostic initial. « Si je suis guéri, c'est qu'il ne s'agissait pas de leucémie. Les médecins se sont trompés. »

Celui-là bombe le torse, se compare aux champions qu'il admire. Il a mis hors de combat la leucémie. Il est lui-même un champion victorieux.

Cet autre, plus émouvant encore, ne croit pas à la

guérison. Le jour où les médecins ont décidé d'arrêter le traitement, il n'a rien dit, il a feint d'accepter leur médecine, mais en cachette, pendant un an, il a continué à prendre un des médicaments prescrits contre la leucémie.

Nous sommes profondément heureux à l'hôpital Saint-Louis, de guérir les deux tiers des petits enfants leucémiques. Mais nous pensons surtout à ceux qui ne guérissent pas, aux grands adolescents, aux adultes dont la guérison est beaucoup moins fréquente que celle des petits enfants.

Du côté des chimiothérapies lourdes, celles qui détruisent les cellules leucémiques (et de nombreuses cellules normales) les périodes de stagnation alternent avec les périodes de progrès.

Du côté des méthodes de remplacement, des greffes de moelle osseuse, les progrès des connaisances fondamentales permettent des applications thérapeutiques souvent efficaces.

Les premières tentatives de greffe de moelle osseuse ont été faites à l'hôpital Saint-Louis en 1958, 1959, et, après des périodes d'espoir, se sont terminées par des échecs. Tout a changé avec la découverte par Jean Dausset du système de groupes sanguins, de groupes tissulaires dit HLA qui gouvernent la compatibilité de greffe, comme les systèmes ABO, Rhésus gouvernent les transfusions sanguines. Je me revois avec Jean Dausset, quittant en février 1957 la gare de Cracovie à cinq heures et demie du matin. L'ami polonais venu nous chercher nous conseille de gagner à pied sa maison, « toute proche » disait-il. Le thermomètre marquait vingt-huit degrés sous zéro. Une bise violente venue des steppes de l'Asie centrale ralentissait notre marche. Deux bons kilomètres nous séparaient de la maison amicale, tenue pour toute proche. J'ai admiré, en ce matin plus sibérien que polonais, le courage de Jean Dausset luttant contre le vent. J'ai compris souvent plus tard que le courage était une de ses vertus principales, le courage de résister au scepticisme, aux critiques des esprits forts, aux incertitudes personnelles quand se font attendre les preuves des hypothèses formulées.

De mon bureau du rez-de-chaussée de l'Institut de Recherches à l'hôpital Saint-Louis, je montais souvent au deuxième étage, j'allais rejoindre Jean Dausset. Son propre bureau était devenu à la fois salle d'opération et laboratoire. A gauche, en pleine lumière, un homme est allongé sur une civière. A son chevet, le chirurgien Félix Rappoport, fidèle entre les fidèles, et qui a, tout exprès, traversé l'Atlantique, greffe sur le bras plusieurs fragments de peau qui viennent d'être prélevés à plusieurs donneurs allongés dans les pièces voisines. Debout, anxieux, lucide, vigilant à la fois, Jean Dausset surveille l'opération. A droite, autour du bureau, les autres chercheurs de l'équipe rédigent le compte rendu de l'expérience. Entre les tables, les laborantines dansent l'habituel ballet des compresses et des instruments.

La découverte de Jean Dausset a été suscitée par l'observation de faits constatés chez les malades, des accidents de transfusion non expliqués par les groupes communs. De cette observation naît une hypothèse, celle de l'existence de groupes de globules blancs indépendants des groupes de globules rouges. Les expériences de corrélation, rejets de greffes de peau, groupes HLA confirment l'hypothèse.

La recherche remonte alors vers l'amont, vers le fondamental, frôle la métaphysique, permet la définition précise

34

de chaque être humain, reconnaît le minuscule fragment de chromosome où gît notre puissance, où se coordonne notre défense. Du fondamental, la recherche redescend vers les applications, application à l'anthropologie, à la géographie, application à la prévention avec la découverte des relations existant entre tel système HLA et telle maladie, avec l'espoir raisonnable de voir les prophylaxies du futur dominées par les méthodes issues du système HLA, applications thérapeutiques avec les greffes d'organes et pour nous les greffes de moelle osseuse qui sauvent aujourd'hui des hommes, des femmes, des enfants leucémiques.

Nous guérissons aujourd'hui certaines leucémies par la chimiothérapie lourde, d'autres leucémies par la greffe de moelle osseuse. Les deux méthodes ne sont probablement pas définitives. L'ordre cannibale, critiqué par un illustre philosophe, est un ordre temporaire.

Dès 1947, 1948, nous l'avons indiqué, s'opposaient deux grandes méthodes de traitement. Une méthode écologique, l'exsanguino-transfusion changeant le milieu dans lequel baignent les cellules leucémiques. Une méthode destructrice, la chimiothérapie.

Pendant quarante ans, la seconde méthode a prévalu. Elle a obtenu la guérison de nombreux enfants. Elle n'empêche pas la mort d'autres enfants, de très nombreux adultes.

Voici qu'après plusieurs dizaines d'années de silence, les méthodes écologiques, et plus généralement celles qui visent non plus à détruire mais à corriger les cellules leucémiques, connaissent une faveur renouvelée et forte. Nous les avons évoquées en décrivant le centre d'écologie des cellules sanguines normales et leucémiques de l'hôpital de la Salpêtrière. Ainsi sont renouvelés, fortifiés nos espoirs.

*
* *

La librairie d'Adrienne Monnier

J'ai lu, beaucoup lu, souvent lu depuis ma petite enfance. Très tôt, j'ai pris l'habitude (bonne ou mauvaise, je ne sais) de lire plusieurs livres simultanément, commençant l'un, commençant l'autre, revenant au premier, puis au deuxième, ouvrant un troisième.

Je regrette le temps des livres non coupés. Avec le coupe-papier, on découvrait involontairement ou un peu volontairement, les personnages, les aventures. Puis venait la vraie connaissance du livre.

Comme tous les grands amateurs de lecture, je suis parfois pris de panique à l'idée que les livres pourraient me manquer. Ceci surtout lorsque j'entreprends un voyage lointain. Mais, avec un manteau et un imperméable, vous disposez de huit poches. Huit poches pouvant recevoir huit volumes de la Pléiade. Vous pourrez dès lors faire le tour du monde en toute tranquillité. Que les compagnies d'aviation me pardonnent cette modeste fraude.

Après ma mère, mon maître de lecture a été Adrienne Monnier. En juin 1921, j'ai 14 ans. Je suis élève de troisième A 4 au lycée Louis-le-Grand. Je feuillette (déjà surveillé peut-être) quelques volumes exposés sur une planche extérieure. Je suis tenté par les titres nouveaux pour moi : *Barnabooth, Sous les Yeux de l'Occident*...

J'entre. Je m'inscris. Pendant dix-huit ans, jusqu'à la guerre, je viendrai changer mes livres au moins une fois, souvent deux fois par semaine, parfois tous les jours.

Trois parties, trois secteurs dans la librairie des Amis des livres que dirigeait Adrienne Monnier. Face à la rue, Adrienne Monnier siégeait au centre d'une sorte de chaire, d'enceinte fortifiée à l'intérieur de laquelle était ménagée une ruelle pour les amis intimes.

Toute proche, deuxième secteur, était la table des livres neufs, juste parus, offerts au choix des lecteurs. Plus loin, les bibliothèques où l'on trouvait les livres rangés par l'alphabet. Ainsi se définissaient trois classes de visiteurs, la classe des amis de la ruelle, conversant longuement, la classe éloignée des amateurs de livres déjà parus, la classe intermédiaire, souvent formée de très jeunes gens. Je tourne, je retourne, ou je feins de retourner les livres neufs. J'ai parfois le bonheur d'un entretien bref avec Adrienne Monnier, parfois la chance de surprendre la confidence ou un fragment de confidence d'un grand écrivain qui vient d'entrer dans la ruelle.

Pendant ces dix-huit années, de 1921 à 1939, Adrienne Monnier change peu. Elle reste ronde, rose, blonde, grise. Sa tête est toute ronde, ses joues, son sourire sont roses, ses cheveux sont blonds, coupés court. Sa robe, sa robe célèbre, est grise avec le corsage ajusté, l'ample jupe longue froncée à la taille. Dans un de ses premiers poèmes, elle a écrit que sa librairie était mi-ferme, mi-couvent. Elle est elle-même mi-aristocratique, mi-paysanne. Noble et savante, rustique et ménagère, spirituelle et gourmande. Elle est toujours avenante, enjouée. Partiale aussi. Heureusement et très souvent justement partiale, mais toujours mesurée.

La mesure est une de ses vertus principales. *Mesures* est le titre d'une des revues qu'elle conseille avec toute l'ambiguïté (que connaissent bien les biologistes aussi) du mot mesure, de son singulier, de son pluriel.

Elle aime les longues rangées des livres qui l'entourent. Elle aime le visiteur qui pénètre, incertain. Incertain, mais digne d'estime, d'attention puisqu'il a passé la porte, franchi le pas qui sépare la rue des livres. Bien plus tard, j'essayerai d'écrire une géographie du sang. De même Adrienne Monnier tente une géographie de ses lecteurs, une géographie des peuples lecteurs, comparant les Français et les autres, les peuples du Nord, les peuples du Sud.

Je feuilletais les livres nouveaux, offerts sur la table qui leur était réservée. Tantôt c'était le silence et je recevais seulement en partant le sourire de lumière d'Adrienne Monnier qui notait sur ma fiche le volume choisi. Tantôt elle parlait, m'interrogeait, racontait les autres, beaucoup plus rarement se racontait. Tantôt enfin la ruelle était occupée. Paul Valéry, Fargue étaient assis auprès d'Adrienne Monnier. J'avais 15 ans, 16 ans, 18 ans. J'étais chaque fois fier et ému. Involontairement ou parfois volontairement indiscret, je recueillais des fragments de l'entretien. Chacun de nous avait sa fiche. Chacun était une fiche, une fiche enregistrant les livres emportés et rapportés. Les mauvaises langues insinuaient qu'Adrienne Monnier organisait parfois des mariages sur fiches, rapprochant les lecteurs, les lectrices dont les goûts étaient non pas identiques, mais complémentaires. C'était là calomnie. Chaque fiche en fait exprimait non seulement les préférences personnelles du lecteur, mais aussi les orientations, les changements dus à l'influence d'Adrienne Monnier. Influence subtile, intelligente, discrète, dominée par le respect de la littérature, de cette littérature qu'elle cultivait avec passion et modération, comme certains jardiniers leurs serres ou leurs corbeilles. Elle m'a vraiment appris à lire, comme on peut apprendre à un adolescent, comme elle a appris à lire à ces jeunes filles, à ces jeunes hommes dont elle surveillait avec une extrême attention l'évolution dans la librairie, d'une pièce à l'autre, d'une rangée d'ouvrages à une autre rangée.

Les vingt années qui séparent les deux guerres mondiales sont, pour la littérature française, de riches, de glorieuses années. Ce fut un privilège exceptionnel, en effet, d'approcher les grands écrivains pendant cette période de grandeur. Et d'abord, et c'est une première classe, les écrivains à la fois grands et très proches d'Adrienne Monnier, Fargue, de tous le plus proche. Partout errant, il s'arrête rue de l'Odéon. Partout en retard, il est en retard aussi rue de l'Odéon, arrivant quand la séance se termine ou parfois quand se termine la séance de la semaine suivante. Jules Romains est lié à Adrienne Monnier par l'Unanimisme. Il inaugure les fameuses séances de lecture en lisant lui-même *Europe*. Paul Valéry a joué rue de l'Odéon un rôle important et, en retour, Adrienne Monnier est à plusieurs reprises intervenue pour faire connaître Valéry à quelques happy few. Elle édite *Album de Vers anciens,* elle organise la première lecture de *La Jeune Parque,* et beaucoup plus tard, la première lecture de *Faust,* et de *Lust.* Enfin, Valery Larbaud, de Samuel Butler à Joyce, apporte sa profonde connaissance des lettres étrangères et donne aux Amis des Livres une de leurs orientations.

La deuxième classe est formée par les écrivains tout aussi grands, moins proches, moins intimes, moins fréquents aussi. Gide d'abord, admiré et souhaitant être admiré, méfiant et jugé. Puis les grands poètes, Claudel, Saint-John Perse, qui ne viennent pas très souvent, mais dont les œuvres souvent ne seraient lues et connues que parce qu'Adrienne Monnier les a proposées, exposées. C'est pendant les premières années de la librairie que viennent les futurs surréalistes, Louis Aragon, Philippe Soupault, André Breton. Adrienne Monnier, qui a toujours aimé les classements, distinguait nettement les anges souriants et les archanges sérieux et range André Breton parmi les archanges. Plus tard viendront Henri Michaux, Jean Paulhan qui lit *les Fleurs de Tarbes* comme un charmeur de serpents.

La troisième classe est celle des écrivains sortis du rang. Ils se sont, comme moi, arrêtés devant les boîtes extérieures, ont remué livres et revues. Ils sont entrés timidement. Après quelques mois, parfois après un an, deux ans, Adrienne Monnier leur a parlé, les a apprivoisés, conseillés, aidés. Ils sont devenus écrivains, grands écrivains et sont restés reconnaissants. Telles furent les évolutions de ceux qu'elle embarqua dans son équipage comme « gabiers de hune et matelots de manœuvres ». Jean Prévost, Jacques Prévert, André Chamson surtout qui compare la voix d'Adrienne Monnier « à une belle toile séchée au soleil sur les herbes d'une montagne ». Cinquante ans plus tard, j'ai retrouvé André Chamson à l'Académie française. Il aimait évoquer avec moi ces souvenirs lointains de la rue de l'Odéon.

A côté de ces trois classes, deux autres classes peuvent être citées. Celle des écrivains de la rive droite qu'Adrienne Monnier rejette complètement. Elle ne cite jamais Proust, ni Mauriac ni Maurois. Celle des grands écrivains étrangers, ses amis, James Joyce que je voyais, presque aveugle, traverser la rue de l'Odéon entre la librairie de Sylvia Beach « Shakespeare and Co » et les Amis des Livres, cependant que se poursuivait la traduction d'*Ulysse;* Victoria Ocampo, traduisant, célébrant en Argentine les écrivains français; Hemingway, premier visiteur à la Libération.

Tout au long de ces dix-huit années, quand je venais rue de l'Odéon, j'entendais presque chaque fois parler des revues que créait, qu'inspirait, qu'administrait Adrienne Monnier. Telles furent *Littérature, Mesures, Commerce,* dont le titre venait de l'*Anabase* de Saint-John Perse (« ce pur commerce de mon âme »), et surtout les revues d'Adrienne Monnier elle-même, qu'elle dirigeait seule. *Le Navire d'Argent,* autre nef à jamais littéraire, vogua avec un numéro mensuel sur une mer hérissée de récifs financiers, mais éclairée par d'admirables textes français et étrangers, des chroniques, des notes bibliographiques. Il est vraiment l'œuvre d'Adrienne Monnier.

Comme furent l'œuvre d'Adrienne Monnier les modestes gazettes, faites en bulletin-monnier, disait Paul Valéry, qui succéderont au *Navire d'Argent,* et survivront jusqu'en 1940. Chaque abonné, chaque fidèle de la rue de l'Odéon rêvait d'écrire un jour dans les Gazettes. Je n'avais jamais rien osé montrer à Adrienne Monnier; c'est elle qui publia, dans les derniers numéros, certaines des lettres que je lui écrivais au début de la guerre.

II

LES ANNÉES DE FORMATION

Enfance, adolescence

J'ai toujours vécu autour du jardin du Luxembourg. Toujours? Pas tout à fait. Je dois signaler un défaut, une tare. Je suis né sur la rive droite. Exactement le 26 mai 1907, square Saint-Ferdinand. Le square Saint-Ferdinand s'appelle aujourd'hui rue du Lieutenant-Colonel-Moll. J'étais l'aîné. Mes frères sont nés respectivement en 1908 et en 1909, ma sœur en 1913. Mais en 1910 mes parents déménagent et viennent habiter rue de Bagneux. Cette rue, paisible et petite, va de la rue de Vaugirard à la rue du Cherche-Midi. Elle a aussi changé de nom et s'appelle aujourd'hui rue Jean-Ferrandi. Notre maison, seule demeure neuve de la rue, était entourée par les ateliers d'artistes, par les jardins des établissements religieux. Dans la cour même de notre immeuble se trouvait l'atelier du peintre Eugène Chigot. Son fils Paul Chigot sera mon compagnon d'études et de voyages. La maison voisine était habitée par une aimable vieille dame, Aurore Dupin, petite-fille de George Sand. Au coin de la rue de Bagneux et de la rue de Vaugirard, un centre catholique accueillait (et reçoit encore aujourd'hui) les étudiants provinciaux bien-pensants. Plusieurs d'entre eux sont devenus illustres, tel François Mitterrand.

Sous la fenêtre de ma chambre, les cours, les jardins du collège Saint-Nicolas. Pendant toute mon enfance, j'ai été éveillé à six heures moins le quart par la cloche appelant au travail les élèves du collège et, si je me rendormais, j'étais à nouveau éveillé un peu plus tard par les harmonies incertaines des membres de l'orchestre du collège, s'entraînant individuellement à la trompette ou au trombone.

Mon père était ingénieur. Son père était mort prématurément, laissant une veuve et six enfants. Mon père, qui n'avait alors que 9 ans, avait été, tout au long de ses études secondaires, interne au lycée Lakanal, avant d'être reçu à l'École centrale. Il était très laborieux, très droit, peu expansif. Ma mère était une jeune femme d'une intelligence, d'une sensibilité exceptionnelles. J'étais, depuis ma petite enfance, tout près d'elle. Elle m'a d'abord appris à lire, puis n'a cessé d'être mon modèle et mon amie, alliant générosité, refus du conformisme, haute culture. Elle est morte en 1920. Je n'avais pas encore 13 ans. De ce malheur je ne me suis jamais remis. La plaie, ouverte en 1920, persiste.

Tous mes moments de liberté étaient consacrés à la lecture. Je me revois à 6 ans, allongé à plat ventre sur le sol ou sur un divan, lisant *Robinson Crusoé,* Jules Verne, Alexandre Dumas, comme tous les enfants de ce temps, *le Comte de Monte-Cristo* plutôt que *les Trois Mousque-*

taires, lisant peu la Comtesse de Ségur qui m'ennuyait, lisant et relisant le *Sapeur Camembert, La Famille Fenouillard, Le Savant Cosinus* et abordant très tôt Victor Hugo pour des raisons familiales. Une sœur de ma grand-mère maternelle, une de mes grand-tantes, avait épousé Gustave Simon qui était un des exécuteurs testamentaires de Victor Hugo. Nous recevions, plusieurs fois par an, les éditions populaires, fréquentes à l'époque, des poésies, des drames, des romans de Hugo. Gustave Simon, né et mort à 80 ans dans la même maison, Place de la Madeleine, avait longuement étudié les relations d'Alexandre Dumas et d'Auguste Maquet, attribuant, ou tentant d'attribuer, à Auguste Maquet la paternité de plusieurs romans majeurs d'Alexandre Dumas. Le père de Gustave Simon, Jules Simon, avait animé la résistance républicaine à l'Empire finissant. Il avait été l'un des premiers présidents du Conseil de la Troisième République et fut membre de l'Académie française. Parfois, lorsque je me trouvais chez ma grand-mère, venait Jeanne Hugo, petite-fille de Victor Hugo. Elle avait épousé successivement Léon Daudet, Charcot le navigateur et un armateur grec. J'ai gardé le souvenir d'une grosse dame brune, assez agitée, fort différente de la « Jeanne était au pain sec... » que j'apprenais en classe. Mon grand-père maternel était ingénieur, ancien élève de l'École polytechnique. Il avait eu pour maître au lycée de Strasbourg Fustel de Coulanges. Plus tard, jeune officier, il avait combattu à Belfort, sous Denfert-Rochereau et contribué à permettre à Belfort de demeurer français. Aîné de ses neuf petits-enfants, j'étais le favori de ma grand-mère maternelle. Elle est morte très âgée, au début de la dernière guerre. J'ai connu sa mère, mon arrière-grand-mère maternelle, qui s'appelait Sourdis, était bordelaise et était née vers 1830.

Mes grands-parents habitaient rue des Mathurins, près de l'Opéra. Dans ma petite enfance, un omnibus tiré par des chevaux descendait le boulevard Raspail, traversait la Seine, remontait l'avenue de l'Opéra. Je nous vois encore, nous enfants, descendant de l'omnibus dans les côtes pour ne pas fatiguer les chevaux. A cette époque lointaine, les automobiles étaient réservées aux millionnaires. Nous prenions un taxi une fois par an pour rejoindre la gare d'où partait le train qui nous conduisait au lieu choisi pour les vacances. Ce lieu était souvent peu éloigné. Sceaux en 1912, Bourg-la-Reine en 1913, Brunoy en 1919. Point de Côte d'Azur l'été, mais un séjour d'hiver était organisé à Beaulieu ou dans le Var, à Pardigon. Point de sports d'hiver. Ma première rencontre avec le ski est littéraire et se fit avec les héros scandinaves d'un étrange roman de Balzac, *Seraphita,* héros glissant sur les lattes de bois.

L'Allemagne déclare la guerre à la France le 2 août 1914. J'avais 7 ans. Ma grand-mère maternelle avait gardé un cruel souvenir du siège de Paris en 1870-1871. Souvenez-vous. Les Parisiens mangeaient des rats. Ainsi ma mère, mes frères et sœur et moi (nous étions quatre) furent aussitôt envoyés loin de Paris.

Le voyage Paris-Couëron reste un de mes souvenirs d'enfance les plus forts. Entassés dans une Renault pourvue d'un moteur que l'on aurait du mal à imaginer aujourd'hui, nous fîmes la route en deux étapes, Paris-Le Mans puis Le Mans-Couëron.

Couëron est un gros bourg situé entre Nantes et Saint-

Nazaire. Nous nous installons dans une maison appartenant à la société où travaillent mon grand-père et mon père, tous deux ingénieurs. Cette société possédait une usine à Couëron, une usine consacrée à la métallurgie du plomb et du cuivre. Une grande tour, dominant les autres bâtiments, servait à la fusion du plomb. Les habitants de Couëron étaient ouvriers ou paysans ou souvent à la fois ouvriers et paysans.

La maison où nous habitions me semblait alors un château entouré d'un parc immense. Je suis retourné à Couëron en 1935. Les dimensions de la maison et de son jardin étaient plus modestes. Mais j'ai retrouvé les palmiers dont les lattes nous servaient, à mes frères et à moi, d'armes de guerre. Et surtout j'ai retrouvé la Loire avec les navires montant et descendant, avec les fameuses abeilles, équivalents nantais de nos bateaux-mouches parisiens.

En octobre 1914, j'entre à l'école communale de Couëron. Pour la première fois, je vais en classe. Les scolarités précoces de notre temps étaient alors à peu près inconnues. Nos mères, les premières, nous enseignaient. En entrant à l'école, je savais lire et écrire depuis longtemps. Je pense avec émotion à mes maîtres de l'école communale et en particulier au directeur de l'école, M. Joubert. Il était à la fois rigoureux et doux. Rigueur du côté de la morale et du côté des méthodes d'instruction, douceur dans ses rapports avec les enfants. Sa tâche n'était pas facile. Dans la même classe coexistaient des enfants d'âges différents, les grands, les moyens de 8 à 10 ans, les petits de 7 ans. Le mérite (c'est-à-dire les notes obtenues) déterminait la place occupée. Ainsi les trois premiers de la catégorie des moyens avaient le droit de s'asseoir sur le banc des grands. C'était un déshonneur si l'on tombait à la quatrième place, de quitter ce rang. On nous apprenait une orthographe impeccable, une langue claire, le calcul, et aussi la morale et l'instruction civique. « Ne sabotez donc pas, les gamins », nous criait parfois M. Joubert qui n'aimait pas le bruit, pas toujours innocent, sous les tables, des sabots des enfants de la campagne. Je devais plus tard lisant le *Grand Meaulnes* trouver la même formule dans la bouche de l'instituteur d'Alain-Fournier.

Une nuit, l'instituteur nous conduisit en Vendée au bord de l'océan et je garde en mémoire l'éclat de la mer verte et phosphorescente.

Je partage ces souvenirs, ces images avec quelques survivants, mes anciens camarades de l'école communale de Couëron. L'un d'entre eux est venu récemment me voir. Il avait fait carrière dans l'armée et avait pris sa retraite comme adjudant-chef. Nous avions gardé la même admiration, la même gratitude pour nos instituteurs, pour les hautes vertus qu'ils transmettaient à leurs enfants. De nombreuses études ont été consacrées aux instituteurs français. Les fils d'instituteurs n'ont pas été l'objet de la même attention. Pourtant de Jules Romains à Marcel Pagnol et à Georges Pompidou, ils ont joué un rôle important, assumé de hautes responsabilités. Ils sont certes très divers, mais certains traits leur sont communs, le sens profond du bien public, la confiance accordée aux vertus de l'homme, une confiance plus grande encore accordée à la science, le respect des valeurs de culture, le respect des humbles et le respect des hiérarchies, le respect du père instituteur.

Pendant les vacances, nous quittions Couëron et nous apprenions à connaître la Bretagne. Tour à tour nous allions à La Baule, avec son immense plage, alors déserte, au Riz Huella au bord de la baie de Douarnenez, à Malestroit où j'écrivis en 1916 mon premier poème qui commençait ainsi :

« La maison petite
Que j'habite
Dans les fleurs. »

à Mauves entre Nantes et Ancenis.

Le bonheur et l'inquiétude peuvent se succéder, alterner dans la vie d'un enfant sans qu'il y ait contradiction. Tantôt j'étais heureux, profondément heureux auprès d'une mère généreuse, intelligente, fine, indulgente, tantôt la guerre nous rejoignait. Deux de mes cousins germains, un oncle sont tués. Il en était ainsi dans presque toutes les familles françaises. Chaque lettre, chaque message pouvait annoncer une nouvelle mort.

En octobre 1917, après avoir pris quelques leçons de latin l'année précédente, j'entre en Cinquième au lycée de Nantes. Nous quittons Couëron; nous habitons boulevard Saint-Aignan. Mais bientôt nous revenons à Paris. Pendant l'été de 1918, la victoire paraît proche. Je suis, en octobre 1918, élève de Quatrième au lycée Louis-le-Grand. J'étais en avance, mais à cette époque les maîtres acceptaient cette présence d'enfants jeunes. Ainsi étaient limités les inconvénients des incidents divers (maladies, etc.) de la vie de l'enfant, responsables ultérieurement de retards. Le 11 novembre 1918, vers onze heures moins vingt, toutes les cloches de Paris annoncent la signature de l'armistice. Notre professeur de mathématiques avait commencé au tableau une démonstration. Comme s'il n'avait pas entendu les cloches, comme s'il ne percevait pas l'agitation à peine contenue des lycéens, il poursuit, imperturbable, sa démonstration jusqu'à onze heures, heure de la fin du cours. Nous explosons. Une foule joyeuse occupe les rues et les boulevards. Je rejoins un monôme d'étudiants. Nous parcourons Paris. Notre marche se termine devant la Chambre des Députés. Sous la petite terrasse proche de la statue de Coligny, voici Clemenceau qui nous harangue. Il est difficile, soixante-dix ans après l'événement, de se représenter les sentiments de ceux qui l'ont vécu. Avant tout un immense soulagement!

Nous étions, mes deux frères et moi, très unis et très indépendants. Nous allions au même lycée, mais séparément, chacun retrouvant sur le trajet ses propres amis. Mais souvent nous nous rencontrions dans l'une des nombreuses boulangeries de la rue de Vaugirard. Selon l'état de nos modestes finances, nous achetions un petit pain, quinze centimes, un pain au chocolat, trente-cinq centimes, un éclair ou une tarte, soixante centimes.

Donc, je lisais, un peu plus tard j'écrivais, heureux de lire et d'écrire. En revanche, la situation était désastreuse du côté du dessin et de la musique. Mes traits, les images que je tentais de reproduire, sont toujours restés informes. Quand viendra, au début des études de médecine, le temps de l'anatomie, mes croquis figurant – ou supposés figurer – artères, veines ou muscles, suscitent l'ironie de mes conférenciers.

Dans les bonnes familles, une maîtresse de piano venait chaque semaine instruire les enfants. Notre demoiselle de piano était toute petite, d'âge incertain. Nous l'appelions Moutcha. Mon frère cadet était très doué. Il jouera plus tard dans des orchestres amateurs. Interminablement j'ânonnais en répétant le Frölicher Landmann. Mon apogée fut de tenir la basse dans la Marche turque à quatre mains. J'en suis resté là. Fort heureusement, ces fâcheuses insuffisances d'exécution ne m'ont pas empêché d'aimer, d'admirer, la bonne peinture, la bonne musique.

Il est un âge pour les tragédies. J'ai écrit, pendant mon enfance, deux tragédies. La première, composée très tôt, quand j'avais 9 ans, chante les amours malheureuses d'un prince chrétien prisonnier des Maures dans le sud de l'Espagne et d'une jeune fille arabe. La seconde, trois ans plus tard, appelée *Hasdrubal,* a pour thème les conflits entre Romains et Carthaginois pendant les guerres puniques. Les manuscrits de ces deux tragédies ont disparu, peut-être emportés par la police allemande lors des perquisitions qui accompagnèrent mon arrestation en 1943. Je les ai relus vers 1930. *Hasdrubal,* écrit en alexandrins irréprochables, est un très médiocre plagiat des tragédies de Corneille, de Racine qui étaient alors mes nourritures scolaires quotidiennes. La tragédie maure, dont presque tous les vers sont faux, est sincère, émouvante. Je n'ai plus rien écrit pour le théâtre depuis 1919.

Mais, bien plus tard, en 1924, j'ai joué une pièce quelque peu oubliée du théâtre en liberté de Victor Hugo : *Mangeront-ils?* Mes compagnons de scène étaient Claude Lévi-Strauss et Pierre Dreyfus qui fut plus tard patron de haut rang de la Régie Renault, puis ministre de l'Industrie. Nous avions appris, sans effort apparent, les centaines et centaines de vers d'un drame assez obscur.

Aux études poursuivies au lycée, aux leçons de piano, à la lecture s'ajoutaient les sports. L'été, le tennis, l'athlétisme. L'hiver, le football. Je commandais une des équipes de Louis-

51

le-Grand. Le gardien de but était Jean-Louis Tixier, devenu plus tard célèbre sous le nom de Tixier Vignancour. Il était mon voisin de classe en Troisième A 4. Son père, Léon Tixier, était un médecin renommé des hôpitaux, chef de service successivement à l'hôpital de la Charité puis à l'hôpital des Enfants malades. Je me rappelle, bien plus tard, étudiant en médecine, avoir parfois suivi sa visite. Il ne cachait pas ses opinions politiques. Les malades se plaignaient : « Monsieur le Docteur, ma femme m'a abandonné, mon patron m'a licencié... » Léon Tixier se tournait vers les étudiants : « Voilà, messieurs, le résultat de cinquante ans de régime abject. » Il désignait ainsi la Troisième République. Madame Léon Tixier, belle, très blonde, venait chaque jour chercher Jean-Louis sortant de classe. Ceci en Troisième, en Seconde. Les temps ont changé.

Jean-Louis Tixier était très intelligent, très agité, troublant constamment par son agitation le déroulement normal de la classe. Un matin de 1921, nous sommes tous deux agenouillés au pied de l'escalier qui monte vers les salles de dessin. Il me montre une boîte contenant l'arsenal complet du parfait chahuteur, boules odorantes, pétards, sifflets, etc. A ce moment, deux mains s'abattent, l'une sur l'épaule gauche de Jean-Louis Tixier, l'autre sur mon épaule droite. Ce sont les mains du Surveillant Général. Mes antécédents étaient honorables; je suis l'objet d'une sanction bénigne. Mais Jean-Louis Tixier, dont le casier judiciaire (lycéen) était lourdement chargé, est fortement puni. Renvoi du lycée pendant deux semaines. Il subtilisa l'avis de punition adressé à son père, imita sa signature. Pendant deux semaines, il arrivera discrètement rue Saint-Jacques dix minutes avant l'heure normale de la sortie, se mêlera à nous qui sortions réellement de classe, trouvera sa mère qui, ignorant la punition dissimulée, vient le chercher comme de coutume, lui donnera tous les détails souhaités sur son activité scolaire. Cet exploit, répété tous les jours pendant deux semaines, suscita l'admiration de tous ses condisciples.

Pendant le demi-siècle qui suit, je n'ai jamais rencontré Jean-Louis Tixier. Nos activités, surtout entre 1940 et 1945, ont été assez différentes. Voici une dizaine d'années, il m'appelle au téléphone. Après un moment d'hésitation, le tutoiement de 1921 revient. Le docteur Léon Tixier, presque centenaire, vivant en banlieue, souffre d'une anémie grave. Jean-Louis Tixier Vignancour me demande d'aller avec lui voir son père. Étrange consultation. Nous ne nous sommes pas revus depuis lors.

Pendant cinq ans, de 1918 à 1923, tous les matins, tous les après-midi, je suis allé de la rue de Bagneux au lycée Louis-le-Grand rue Saint-Jacques. Trois itinéraires étaient possibles. Le chemin le plus court suivait la rue de Vaugirard tout du long, traversait la place de la Sorbonne, puis la Sorbonne elle-même grâce à la galerie Gerson qui s'ouvre juste en face du lycée. Une variante septentrionale glissait rue de l'Odéon, permettait un échange de livres à la librairie d'Adrienne Monnier, rejoignait la rue Saint-Jacques par la rue Racine et la rue des Écoles. Une variante méridionale, favorable aux jeux, aux courses, passait par le Luxembourg. Elle était surtout utilisée au retour du lycée. Les trois variantes avaient en commun le tronçon initial et, de toute façon, je rencontrais Pierre Lecène, qu'accompagnait son père, au coin de la rue de Vaugirard et de la rue d'Assas. Le professeur Paul Lecène, père de Pierre, était un homme triplement remarquable. Il était à la fois le plus grand chirurgien de son temps, le secrétaire général de la Société des études grecques et un sportif de haut rang, capable de mettre hors de combat le champion de France de boxe poids lourds qui, à l'époque, s'appelait Nilles. Je garde encore, après soixante-cinq ans, le souvenir presque musculaire, sur mon épaule, de la poigne affectueuse et athlétique qui la broyait, le souvenir aussi des versions latines que nous allions lui montrer. Il appréciait notre paresse et notre ignorance à leur juste valeur ou même un peu au-dessous, puis domptait d'un trait le Tacite rebelle. Il ne nous restait plus qu'à abîmer un peu sa traduction pour que notre maître la crût de nous.

Après M. Joubert à l'école communale de Couëron, un autre maître, Jean Pêcher, professeur de Lettres en Première, a fortement contribué à ma formation. Je fus son élève pendant l'année scolaire 1922-1923. Jean Pêcher, gravement blessé pendant la guerre, était amputé du bras gauche. Il m'a permis de comprendre, d'aimer Phèdre et Andromaque et Virgile. Il nous montrait des héroïnes, des héros proches des êtres humains que nous fréquentions tous les jours et la transformation que le poète leur faisait subir. Il nous apprenait la simplicité et la beauté. J'aimais beaucoup M. Pêcher. Je crois qu'il m'aimait bien. Il me fit obtenir ma première distinction, le prix La Chatinière décerné au meilleur élève en français du lycée Louis-le-Grand. Il aimait ses élèves mais les jugeait. J'ai retrouvé sur mon livret scolaire ses appréciations. Après d'indulgents compliments, il terminait : « On souhaiterait seulement un peu plus d'abondance. » Tout au long de ma vie, ma concision a tantôt été critiquée, et tantôt louée.

Dans cette classe de Première (de Rhétorique, comme on disait alors) de Jean Pêcher, entre un jour le ministre de l'Instruction publique, Léon Bérard, venu en inspection. M. Pêcher nous commentait un des plus célèbres textes de Cicéron, le *Pro Milone* qui raconte une histoire de concussion. Léon Bérard, après avoir d'un regard fait le tour de la classe se tourne vers mon voisin qui s'appelait Lasne Desvareilles : « Dites-moi mon jeune ami, que trouvez-vous de remarquable dans ce texte? » Lasne Desvareilles se lève et d'une voix forte lance : « Qu'en politique il n'y a pas de morale. » Sourire jaune du ministre. Scandale dans la classe. Bruits de chaises. Remous.

A cette époque, nous apprenions par cœur des dizaines, parfois des centaines de vers. Aujourd'hui, la mémoire est à tort considérée par les pédagogues comme une fonction mineure. Les enfants n'apprennent plus rien par cœur. Fâcheuse erreur des pédagogues. La mémoire est une des grandes fonctions de l'esprit. Nos cellules, on le sait, ne cessent de se renouveler, mais la mémoire reste et maintient notre unité. Et souvent c'est en laissant chanter en nous un poème pour la quatrième, pour la cinquième fois, que nous découvrons telle beauté, telle interprétation qui nous avait jusque-là échappé.

La mémoire poétique vient aussi nous aider dans le temps du malheur. Lorsque en 1943 les Allemands m'ont enfermé à Fresnes, je trouvais un grand secours, un grand réconfort dans tel poème de Baudelaire ou d'Apollinaire, tel aveu d'une héroïne de Racine.

Récemment, j'appartenais à un jury qui décerne un prix important à la Comédie-Française. Pour nous remercier, les comédiens viennent jouer devant nous le premier acte du *Misanthrope*. Je m'aperçois, assez satisfait que je savais encore par cœur la moitié de ce premier acte. Mais mon voisin, Maurice Schuman, le savait en entier.

La révolution étudiante de 1968 a fait quelques victimes dont on ne parle guère. Une de ces victimes est la leçon inaugurale. Avant 1968, le nouveau professeur, en robe rouge, faisait son propre éloge, ce qui est la façon la plus sûre d'être loué et compris, et expliquait l'origine de sa vocation, en général au berceau.

Je ne suivrai pas ces exemples glorieux. Je peux au long des chemins parcourus, reconnaître trois étapes. Première étape, le choix d'une profession. Toute ma famille me conseillait d'être ingénieur. Mon père était centralien, mon grand-père et deux oncles étaient polytechniciens. Je résistais de mon mieux, mais ma résistance devint malaisée lorsque (par hasard) je fus premier à la première composition de mathématiques en classe de mathématiques élémentaires. J'avais antérieurement été bon élève en français, en latin, en histoire, à peine moyen en mathématiques, mais ce jour-là, le problème était si difficile qu'aucun de mes condisciples ne trouva la solution. Le classement se fit sur la question de cours.

Cette place de premier injustifiée eut une conséquence inattendue. Je fus, un peu plus tard, désigné comme représentant du lycée au Concours général de mathématiques. J'avais déjà, en Première, concouru en français, en version latine, en histoire, mais pas en mathématiques. Un matin de juin, j'arrive à la Sorbonne, lieu des épreuves. Les problèmes sont distribués. Leur difficulté est telle que c'est à peine si je comprends les questions. Le concours dure six heures. Il n'est pas permis de quitter la Sorbonne. J'ai connu une matinée très mélancolique, en avalant les sandwiches et les cerises apportées avec moi, et en regardant travailler avec acharnement mes compagnons, vrais mathématiciens.

En dépit de cette place de premier, je parviens à éviter les Grandes Écoles et la carrière d'ingénieur. Je reste indécis. J'aimais les lettres et les sciences physiques, chimiques, naturelles. La vie d'écrivain me tentait, mais je redoutais d'être un écrivain moyen. La médecine me parut allier l'humanisme et mon goût pour les sciences. Un médecin moyen pouvait rendre des services. C'est ainsi qu'à 16 ans, je fis mon premier choix. Un de mes oncles était médecin, éminent phtisiologue. Je ne crois pas qu'il ait influencé mon choix. Ma deuxième orientation, l'orientation vers l'hématologie, vers la médecine du sang ne fut pas délibérée mais fortuite, conséquence d'un hasard. Hasard numérique. A mon premier concours d'internat j'échoue de justesse, de trois quarts de point. Je suis interne provisoire, je dois assumer les fonctions d'interne mais concourir à nouveau pour être nommé interne titulaire et chacun me souligne les dangers de la situation. Double danger, le travail, les responsabilités d'interne d'un service hospitalier peu compatibles avec la préparation du concours, la vie en salle de garde, les soirées amicales peu compatibles avec l'acharnement laborieux nécessaire. Et l'on me conseille de demander non pas un service mais une consultation dont l'activité se termine à midi. C'est ainsi, pour trois quarts de point, que je suis devenu l'interne provisoire de Paul Chevallier, chef de la consultation de médecine du vieil hôpital Beaujon, faubourg Saint-Honoré. Paul Chevallier était un de ces très rares médecins qui se consacraient alors au sang et à ses maladies. C'est ainsi que je suis devenu hématologue. Une longue hésitation me conduit à la médecine. Le hasard, le seul hasard, m'oriente vers l'hématologie. Ma troisième orientation vers le traitement des leucémies de l'enfant fut, elle, tout à fait volontaire. En 1947, grâce à la révolution thérapeutique, grâce aux sulfamides, aux antibiotiques, la plupart des grandes maladies de l'enfant cessaient d'être fatales. Seule ou presque seule, la leucémie tuait. La mort d'un vieillard est un événement triste, mais naturel. La mort d'un enfant reste un scandale.

Quand, en 1929, j'ai commencé à travailler auprès de Paul Chevallier, l'hématologie était une discipline ésotérique. Quand un peu plus tard se confirme mon orientation hématologique, mes amis furent surpris et sévères : « La discipline, disaient-ils, n'avait pas d'avenir. » Soixante ans plus tard l'évolution de l'hématologie a démenti ces pronostics pessimistes. L'hématologie gouverne plusieurs des grandes voies de la médecine contemporaine.

Elle a inspiré les premières guérisons des cancers, les premières préventions des thromboses, elle a fourni à la génétique ses principaux modèles.

Paul Chevallier était un anticonformiste. Certains ont pu lui reprocher une sorte de conformisme de l'anticonformisme. Ceux-là n'ont pas été ses élèves, n'ont pas connu les tohu-bohus triomphants de ces matinées où chaque parole du patron démolit un système erroné, lance une hypothèse originale, ouvre une voie neuve. Pour le jeune interne que j'étais, il n'est pas de bienfait plus grand que d'être ainsi, chaque matin, bousculé, tiré de son confort intellectuel.

Un soir de 1929, Paul Chevallier m'appelle vers minuit en me demandant de venir sur-le-champ. Déjà je savais ne m'étonner de rien. Il venait d'apprendre l'ouverture presque cachée et, tout à la fois, la fermeture imminente d'un concours d'agrégation. Il fallait composer pour le lendemain l'exposé de ses titres, de ses travaux. Toute la nuit nous avons découpé, collé. C'est ainsi que j'ai connu l'étendue de ses travaux, leur diversité. Il avait commencé au Collège de France sous la direction de l'illustre Justin Jolly et consacré à la rate et à ses fonctions une très belle thèse, mais il avait étudié aussi les mathématiques, l'étymologie, la grammaire, l'archéologie, l'anthropologie et plus tard, au cours d'un voyage que nous ferons ensemble au Mexique, il surprendra les spécialistes de l'art maya par une compétence supérieure à la leur. Quelques mois plus tard, j'étais nommé interne. Aussi différents qu'on peut l'imaginer, nous nous entendions très bien. Paul Chevallier me proposa d'écrire avec lui un livre sur la maladie de Hodgkin. Celle-ci, sorte de cancer des ganglions des adultes jeunes, avait été décrite en 1832 mais était encore très mal connue en 1929. Ce fut, à 22 ans, un curieux exercice que la rédaction de ce livre. Nous nous partagions les chapitres et nous nous corrigions mutuellement. Paul Chevallier, grand savant, était naïf ou indifférent en matière de finances. L'éditeur lui fit signer un contrat léonin. Tous les frais seraient à la charge de l'auteur en cas de vente insuffisante, tous les bénéfices pour l'éditeur en cas de succès. Balzac a conté dans *Illusions perdues* des histoires d'éditeurs comparables.

L'ouvrage, écrit entre 1929 et 1932, parut en 1932. La maladie de Hodgkin est restée constamment fatale jusqu'à 1960. Pendant vingt-huit ans, chaque fois qu'un article sur la maladie de Hodgkin m'était demandé, je copiais quelques pages du livre de 1932. Depuis 1960, de gros progrès sont survenus. La guérison est obtenue dans 80 % des cas.

Vient en 1930 le temps du service militaire. Dix-huit mois à l'époque. Comme je préparais l'internat des hôpitaux de Paris, je n'avais pas eu le loisir de fréquenter les cours de préparation militaire. Je suis donc incorporé comme infirmier de deuxième classe. J'arrive à Verdun avec six jours de retard (j'avais dû passer un examen de Faculté à Paris). Nous sommes peu nombreux dans une caserne assez sinistre. « Avez-vous été reçu au certificat d'études? » me demande-t-on. La réponse est négative. J'avais quitté l'école communale pour le lycée de Nantes avant le certificat. En conséquence, je passe avec succès un examen comprenant une narration (« que pensez-vous du régiment? »), une dictée, une addition, une soustraction, une multiplication. La division, tenue pour trop difficile, ne figure pas au programme. Un peu plus tard, je reçois un uniforme, des écussons, des boutons, avec ordre de coudre les uns et les autres. Je n'ai jamais été très adroit. Je fais de mon mieux. Le lendemain, je suis autorisé à sortir en ville. En passant devant le poste de garde, je suis arrêté par un sergent qui tire mes boutons. Ils lui viennent tous dans la main. « Tu sortiras, me dit-il obligeamment, quand ils tiendront. » Triste retour à la chambrée. Un caporal-chef, modestement subventionné, m'explique que les boutons doivent être attachés avec un fil de fer, le sergent craindra de se blesser, il n'insistera pas.

Après quelques jours nous partons pour Strasbourg. Les Parisiens, étudiants en droit ou en médecine, espéraient pouvoir se mettre plus tard en civil et avaient emporté de lourdes valises contenant leurs effets. Très mécontent en constatant l'apparence peu militaire de ces bagages, le sous-officier responsable nous impose de courir au pas de gymnastique en portant nos valises. Ceux qui auront réussi à garder leurs valises, jusqu'au bout des trois tours de cour, pourront les emporter à Strasbourg. Nul n'y parvint. A Strasbourg, nous fréquentons les hôpitaux militaires, nous nous instruisons. Après quelques semaines, nouvel examen, plus sérieux, permettant d'être nommé médecin auxiliaire. Les épreuves sont variées, médecine générale, médecine militaire (quelles sont les diverses façons de sortir d'une infirmerie? Dans la réponse il ne faut oublier ni la mort ni l'évasion), stratégie avec de petits rectangles, technique enfin : démonter et remonter un fusil-mitrailleur. Démonter n'est pas trop difficile, mais remonter est rude. Grâce au secours de camarades bricoleurs, j'y parviens. Je suis même reçu en bon rang.

Seize ans plus tôt en 1914, Guillaume Apollinaire et Marcel Brion avaient été moins heureux. L'histoire m'a été contée un jour à l'Académie par Marcel Brion. Tous deux à Arles suivaient les cours d'élèves officiers. Après trois mois, examen. Tous deux échouent. Le colonel les convoque pour leur expliquer les raisons de leur échec. Toutes les épreuves étaient bonnes, sauf les épreuves de Français, responsables de l'échec. Le colonel s'appelait de Beauvoir et était le père de Simone de Beauvoir.

Après Strasbourg, je suis affecté à l'hôpital militaire Dominique-Larrey à Versailles. J'y resterai plus d'un an, détaché dans les environs, de-ci, de-là, selon les nécessités.

Je gravis les premiers échelons de la hiérarchie, tour à

tour infirmier de deuxième classe, médecin auxiliaire, médecin sous-lieutenant. Je prenais régulièrement des gardes à l'hôpital de Versailles. La quantité de nourriture augmente avec les promotions. Deux plats pour le deuxième classe, trois pour le médecin auxiliaire, quatre pour le médecin sous-lieutenant. Je frémis en pensant à la ration d'un médecin-colonel.

Un de ces « détachements » me conduit au fort de Saint-Cyr. Tout près cantonnait une unité de tirailleurs dont j'assurais la surveillance médicale. Un tirailleur se présente un matin, le cou gonflé par les oreillons. Je l'envoie à Dominique-Larrey. Trois semaines d'hôpital, trois semaines de convalescence. Le lendemain, trois soldats, le cou gonflé par les oreillons. Le surlendemain, cinq avec le même gonflement. Tout jeune, tout naïf que je suis, cette explosion d'oreillons me paraît bizarre. J'entreprends le caporal-infirmier. Très vite, il s'effondre, il avoue.

Il introduisait très adroitement une petite sonde, trouvée dans le matériel de l'infirmerie, dans le canal de la glande salivaire parotide, ajustait une poire à la sonde et gonflait d'air la glande salivaire. La consistance au palper rappelle tout à fait celle des oreillons. La fraude me parut si habile que je me bornai à une réprimande sans prendre de sanction.

Un peu plus tard, je suis, pendant plusieurs mois, détaché à l'aérodrome de Villacoublay. Pour la première fois je vole. Baptême de l'air assez rude. Les sous-officiers pilotes aiment secouer gentiment leur toubib et je me rappelle au cours d'un vol sur Paris, avoir vu la tour Eiffel au-dessus de moi. Plusieurs sous-officiers d'aviation de Villacoublay étaient des héros. Tel l'adjudant Rossi, plusieurs fois compagnon de Coste.

*
* *

Le Luxembourg

Comme je l'ai écrit dans un autre ouvrage, j'entre dans mon enfance et dans le jardin du Luxembourg par la même porte, par la porte de Fleurus. J'allais jouer au Luxembourg déjà avant la Première Guerre mondiale. Élève du lycée Louis-le-Grand, je traversais souvent le Luxembourg et m'y attardais au retour après les classes. (J'ai continué quand j'étais étudiant.) Mes souvenirs d'enfance et d'adolescence sont au Luxembourg, souvenirs divers selon les âges, les époques. Avant d'entrer par la porte de Fleurus, j'ai laissé sur ma droite les Délices de l'âge d'or. La boutique était sombre. Une vieille dame très menue, très vieille, très ridée, toute vêtue de noir, nous vendait ses trésors, dragées d'anis très blanches, jujubes, réglisses variées, en rubans, en bâtons, en rondelles, et même parfois un verre de la boisson tiède, douce, écœurante, appréciée, appelée coco. Un peu plus loin dans le jardin, les chevaux de bois tournent lentement. Les victorias, les daumonts accueillent les tout-petits enchantés et terrifiés. Sur le cercle extérieur, les chevaux alternent avec les autres animaux, le lion, le tigre, la girafe très recherchée. Les cavaliers empoignent de leur main gauche leur monture ou plus exactement la tige verticale qui la traverse, leur main droite tient une dague horizontale destinée à enfiler les anneaux qu'à chaque tour

63

offre ou devrait offrir une machine avare. Autrefois, trois anneaux valaient un sucre d'orge assez friable et, pour tout dire, peu comestible. La récompense a disparu. Les anneaux de notre temps apportent l'honneur.

Vers 1913, nous retrouvions généralement nos amis autour du verger, près de l'allée qui borde la rue Auguste-Comte, face au lycée Montaigne. Nos jeux préférés étaient les barres, aujourd'hui abandonnées et les billes, billes communes roses ou grises, et magnifiques agates, obtenues après de rudes combats.

Ce fut toujours pour moi, c'est encore aujourd'hui un grand bonheur de marcher dans le Luxembourg. Le Luxembourg est à Paris un des rares jardins fermés où les automobiles ne pénètrent pas. C'est pour moi souvent un lieu secret, surtout aux premières heures du matin quand on est seul ou presque seul.

On dit que Le Nôtre, qui dessina le jardin, accordait ses jardins aux saisons et tenait Saint-Germain pour un jardin de printemps et de matin, Versailles pour un parc d'automne et de soir, le Luxembourg pour un jardin d'été et de midi. Souvent j'ai traversé sous la chaleur de juin le grand désert qui s'étend devant le Sénat. Les terrasses voisines sont très belles. L'ardente lyre du soleil me grille. Les fleurs, constamment arrosées par mille jets d'eau, résistent et brillent. Le quadrilatère de la civilisation est limité au nord par la Seine, au sud par la ligne des boulevards Montparnasse, Invalides, Port-Royal, à l'ouest par la rue de Constantine et l'Esplanade, à l'est par la rue Mouffetard. Le Luxembourg est au centre du quadrilatère.

Dans le quadrilatère, non loin du Luxembourg, la grande

allée, devenue rue Saint-Jacques, que descendaient, dit-on, dans un passé lointain, les mammouths pour aller boire à la Seine, d'où partaient plus tard les pèlerins pour un long voyage. Plus près sont les arbres du Petit Luxembourg et la région où naquit le jardin, tour à tour camp romain, château de Vauvert où Robert le Pieux, tout juste excommunié, se réfugia, repaire des brigands du Diable Vert ou du Diable Vauvert, puis enclos des Chartreux avant d'être réuni au grand jardin des reines de Médicis.

J'ai souvent, longtemps, marché dans le Luxembourg, mais parfois aussi couru, vers 1921, et non pas en flânant, mais pour vaincre, pour tenter de vaincre. La distance réglementaire est de trois tours. Le départ est devant le Sénat. Les concurrents sont assemblés sur une place de terre nue, brûlante l'été, glaciale l'hiver. Ils courent dans le sens des aiguilles d'une montre. Ils passent au bord de la fontaine Médicis, virent à angle aigu devant l'Odéon, remontent une pente apparemment modérée mais traîtresse, rude et raide au troisième tour. C'est souvent de cette pente que s'envolait le futur vainqueur. Séparés ou groupés, les coureurs s'approchent de la place Edmond-Rostand et du seul secteur vulgaire et bruyant du jardin. Vêtus tour à tour de pantalons éléphants, de culottes bouffantes, de robes qui volent ou des cylindres étroits de notre temps, ce sont, à travers les années, les mêmes garçons, les mêmes filles qui parlent, crient sans écouter, vont vers le Panthéon, le boulevard Saint-Michel, ou courent dans l'allée en bousculant quelques enfants égarés. Les marchands de marrons d'hiver ont disparu mais les marchands de glaces d'été sont toujours présents. J'entends encore l'interrogation « mélangée? » de l'un d'entre eux, avec le doublement napolitain de l'n et du g.

Les bâtiments consternants de l'École des Mines altèrent tout un côté du jardin, mieux vaut ne pas les voir et regarder à droite la terrasse des étudiants. Au pied des hêtres, les couples se font, se défont; les doigts s'entrelacent, se laissent. Les coureurs quittent maintenant les arbres. Ils traversent la grande voie qui va du Sénat aux coupoles de l'Observatoire. Ils passent au large des lions, fauves de pierre, paisibles, très paisibles, qui gardent l'entrée des terrasses. Entre les lions et les grilles, la terre dure de mon enfance est devenue pelouse. Plus loin le jardin s'est assombri. C'était autrefois des pruniers rouges, des cytises, des mirabelliers. Ce sont aujourd'hui les buis, les houx, les aucubas, les lierres, les fusains toujours verts, souvent noirs. Voici maintenant les coureurs au milieu des oiseaux. Les oiseaux aiment les bosquets, les arbres qui sont proches de la rue d'Assas, de la rue du Luxembourg devenue rue Guynemer. Les ramiers, disent les légendes et les histoires, ont vaincu au début du siècle les choucas de Saint-Sulpice, puis, plus tard, ont dû accepter les pigeons bisets. Dès le matin les merles sifflent, les grives chantent. Un peu plus tard, les moineaux se querellent. Les pinsons, les rouges-gorges, les mésanges, nombreux jadis, sont devenus rares. Les coureurs cependant croisent de grandes ombres, Laure de Berny qui a quitté la rue d'Enfer-Saint-Michel et qui traverse le Luxembourg pour retrouver rue de Tournon Honoré de Balzac, un peu plus loin les jeunes filles nervaliennes glissant au long des allées, le petit Pierre Nozière courant vers le lycée Montaigne, Bernard Profitendieu et ses compagnons tourmentés par leur fausse monnaie et

William Faulkner qui, en 1925, habitait rue Servandoni et venait jouer au croquet au Luxembourg. Tout près du jeu de croquet était le terrain du Jeu de Paume, avec le bruit mat des balles et les jugements sans appel de l'arbitre, « quarante à la chasse, quinze au tiré... » Le jeu de paume est très ancien. Dans le premier volume de ses remarquables *Avant-Mémoires,* mon ami Jean Delay a rappelé le changement survenu au XVIᵉ siècle et la raquette remplaçant la paulme, c'est-à-dire la main. Il a décrit la vie de son lointain aïeul, Edme Bourrillon, maître esteuffier, c'est-à-dire maître paulmier, ouvrant un jeu de paume tout près du Luxembourg, rue de la Harpe. La noble dame qui loua l'établissement à Edme Bourrillon précisa dans le bail que l'esteuffier ne devra souffrir pendant le jeu « aucun blasphème, jurement, ne autre gouvernement, ne scandale » et veillera à interdire qu'on ne jouât pendant le service divin et aux jours de fêtes chômées. Après quatre siècles, les joueurs de paume sont restés très courtois. Ils ne jurent pas quand ils manquent une balle. Leur président me fait chaque année l'honneur de m'inviter à assister au Luxembourg à la finale de leur championnat national.

Laissons là les joueurs, les coureurs et leurs périphéries. Nous allons vers le cœur du jardin, les terrasses, le bassin. Sur les terrasses, je marche au pied des reines, de Bathilde qui fut esclave saxonne, à Laure de Noves qui aima Pétrarque et que tua la peste. Voici le bassin. Nous méprisions également les torpilleurs mécaniques et les voiliers de location, anonymes ou numérotés : nous portions avec précaution notre navire personnel. Il était petit ou grand selon la générosité du donateur, oncle ou parrain, plus souvent petit que grand, mais toujours aimé. Il est mis à l'eau. Parfois une brise amicale venue de l'Observatoire l'emporte doucement, parfois les vents furieux qui descendent de la place du Panthéon, tendent les toiles et soufflent la terreur. Parfois c'est le calme plat, l'immobilité d'une mer des Sargasses, sans Sargasses, le déshonneur du secours apporté par quelque bateau à moteur ou par un adulte magnanime.

Tantôt je marche au long des allées du Luxembourg, tantôt je regarde de ma fenêtre le jardin, un jardin qui tout à la fois change avec les mois, les saisons, les années, et reste le même. Le grand orme qui prenait en automne sa couleur orangée est mort et a été abattu. Sainte-Beuve proche, très grave, est entouré de fleurs très gaies. Tout près sont les poiriers auprès desquels s'organisaient les premiers jeux de notre enfance. Les fruits fameux destinés aux sénateurs mûrissent dans des sacs. Les pigeons en mai grignotent les fleurs blanches des marronniers. Sauf ces fleurs blanches, sauf un jeune érable panaché, tout est vert, vert sombre des cyprès et des pins, vert clair des trembles et des platanes.

*
* *

Les études de médecine

Le PCN

Entre la fin des études secondaires et le début des études de médecine était placée, en 1924, une année paisible et plaisante, définie par trois initiales : PCN, physique, chimie, sciences naturelles. Un bâtiment 1900, rue Cuvier, à l'ombre, si je puis dire, du Jardin des Plantes et du Muséum, abritait les filles et les garçons pour la première fois réunis (les collèges et les lycées n'étaient pas encore mixtes). Le Surveillant Général s'appelait Vezinaud; il portait une ample redingote et ressemblait ainsi doublement à un personnage de Labiche. Nous assistions courtoisement aux cours magistraux. Nous nous brûlions un peu les mains aux travaux pratiques de chimie. Parfois nous rendions visite aux fauves assoupis dans le jardin voisin, ou rêvions sous les cèdres. Les deux activités majeures étaient l'étude de l'escargot et la promenade botanique. L'escargot, animal heureusement hermaphrodite, nous occupait largement. Nous le disséquions, nous apprenions son anatomie. Nous établissions des relations entre cette anatomie et son comportement.

Les promenades botaniques avaient lieu au printemps. Nos moniteurs nous conduisaient dans la vallée de Chevreuse, peu habitée alors. Certains végétaux, tel *Plantago medicinalis* étaient l'objet d'une grande sollicitude. En juin, les étudiants montaient et jouaient une revue au bénéfice des enfants du personnel. Le titre de la revue utilisait les initiales qui nous définissaient. « Pour Chahuter Naturellement. » « Pourquoi Cherchons Nous? » J'écrivis une partie de la revue. Je jouais la première scène. J'étais un conférencier fort ennuyeux, consacrant son exposé à l'étymologie des initiales PCN. Après quelques minutes, des commandos, placés dans la salle, proclamaient très haut leur lassitude, demandaient au conférencier de s'arrêter, montaient sur la scène, le chassaient et la revue commençait. Le scénario, pourtant bien réglé, que nous avions soigneusement répété, faillit échouer. Certains auditeurs, intéressés par la conférence étymologique et ne comprenant pas le scénario, s'opposèrent à l'action des commandos. Ils furent heureusement débordés et le spectacle continua.

L'Angleterre à 18 ans

« Rien devant nous jusqu'au pôle. » Ainsi se définissait le petit village de West Runton dans le Norfolk, dont la plage orientée de l'ouest à l'est rompait la ligne nord-sud suivie par la côte orientale de l'Angleterre. Je passe, de juillet à septembre 1925, mes premières vacances anglaises. Je suis accueilli par deux vieilles filles, miss Schofield et miss Fell. Elles me paraissent vieilles : elles devaient tourner autour de 55 ans. De cet été 1925 date mon amitié profonde pour l'Angleterre. Miss Schofield et miss Fell sont à la fois généreuses et rigoureuses. Elles comptent parmi les têtes du Parti libéral, le parti de Gladstone et de Lloyd George, qui, en 1925, tient encore de fortes positions. Elles ont adopté une petite fille française, Marcelline, dont les parents ont été tués pendant la guerre. Autour d'elles, des écrivains, des philosophes, des marins, des hommes de sport. Mon professeur d'anglais, un petit homme tout courbé, est le traducteur de l'*Histoire du Peuple anglais au XIXᵉ siècle*

70

d'Elie Halevy. Autour de miss Schofield et de miss Fell, le soir, les discussions sont libres et vives. J'entends louer telle traduction de Platon, mais je comprends que l'harmonie des mouvements des huit rameurs de l'équipe de Cambridge est tout aussi importante que Platon. Les adolescents qui nous entourent, les amis anglais auxquels on m'a présenté et moi sommes traités avec douceur, fermeté, esprit. Quelques années plus tard, travaillant à Cambridge, habitant une chambre de Downing College, je retrouvais les mêmes méthodes exprimées par les petites affiches posées devant la loge du concierge : « Messieurs les étudiants sont priés de ne pas garder les jeunes filles dans leur chambre à une heure où ils ne les garderaient pas s'ils habitaient chez leurs parents. » Et encore : « Messieurs les étudiants sont informés qu'en cas de contestation sur l'heure de fermeture des portes, la seule horloge valable est celle de la loge du concierge. » Je nageais, je jouais au tennis, j'acceptais le pain coupé très fin, le thé très fort. Je croisais dans la campagne les chars à bancs et les clergymen. Lors d'une fête de village, je fus chargé d'un monologue, celui du « rat catcher », du preneur de rats. J'obtins un vif succès dû assurément à mon accent français bien plus qu'à mon modeste talent. Parfois une Ford surélevée, datant du début des transports automobiles nous conduisait aux châteaux des environs. Je découvrais la vieille Angleterre, celle des Tudor et des Stuart. Puis nous revenions aux jeux. Ainsi s'écoulèrent deux mois heureux, deux mois pendant lesquels se nouèrent des liens très forts d'amitié et de confiance avec les deux grandes dames qui me recevaient. En 1940, pendant les désastres de la France, elles écriront à ma femme en lui offrant pour elle et pour nos enfants une généreuse hospitalité en Grande-Bretagne. En 1960, se succèdent pour moi un Congrès international à Tokyo, une importante réunion scientifique à Santiago du Chili. Entre deux avions, je m'arrête quelques heures à Vancouver. Miss Schofield y vit depuis plusieurs années; sa fille adoptive Marcelline a épousé un ingénieur canadien. J'ai le bonheur de passer ces quelques heures près d'elle. Miss Schofield est alors âgée de 90 ans. Elle est vive, alerte, pleine d'esprit, comme en 1925, analyse les situations politiques, juge avec sévérité les puissants, avec indulgence les petits et, comme en 1925, défend la cause de la liberté.

La première année de médecine

L'étudiant en médecine de première année avance en 1925 sur trois chemins parallèles. Le matin il suit les stages cliniques, l'après-midi ce sont les travaux pratiques à la faculté, le soir les conférences préparant aux concours hospitaliers.

C'est ainsi qu'un matin d'octobre 1925, je commence mon stage à l'hôpital Cochin dans le service de l'illustre professeur Fernand Widal. Je suis affecté à la salle Delpech. Je serai plus tard, en d'autres lieux, proche de Bertrand Poirot-Delpech, petit-fils du professeur Delpech. J'entre donc salle Delpech. Je m'évanouis aussitôt. Je tombe. Est-ce la chaleur très forte? La vue des malheureux malades? L'odeur de l'éther largement utilisé à l'époque? Ou ces trois causes associées? Je ne sais. On me ranime. L'incident est de courte durée. Il ne se reproduira pas. Je suis ensuite la visite. Le lendemain tout se passe bien.

Tout se passe bien. Je veux dire qu'il n'y a plus d'évanouissement, mais l'émotion demeure, plus précisément les sentiments suscités par deux découvertes : la découverte de la médecine, la découverte du malheur des hommes. Après l'année du PCN, consacrée pour une bonne part aux escargots hermaphrodites et aux promenades botaniques, nous arrivons ignorants à l'hôpital. Complètement ignorants. Ignorant même le vocabulaire. Sur un cahier de notes de ce stage, le mot dyspnée, qui veut dire gêne respiratoire, est écrit de façon extrêmement fantaisiste. En quelques jours, nous apprenons les quatre temps de l'examen : inspection, palpation, percussion, auscultation; les trois ordres de signes : signes généraux comme la fièvre, signes fonctionnels, les souffrances éprouvées par le malade, les douleurs, l'oppression, enfin signes physiques, ceux que constate le médecin.

On compte quarante ou cinquante lits dans les grandes salles d'hôpital. Avec souvent des brancards intercalés. Les hommes, les femmes couchés dans les lits sont très malheureux. La médecine de l'époque ne les guérit presque jamais, ne les soulage qu'inconstamment. Le jeune stagiaire est plus disponible que ses aînés. Il n'est pas encore médecin. Le malade le sent plus proche. Il se confie volontiers à lui. En quelques semaines, je découvre le malheur, les diverses formes de malheur, la souffrance, l'abandon, les trahisons, les inquiétudes financières, la mort qui s'approche. Chaque stagiaire, étant responsable de quatre lits, apprend à examiner ses malades, à leur donner les premiers soins. Un de mes quatre malades était parvenu aux périodes ultimes de l'insuffisance du cœur. Son corps était gonflé par l'hydropisie, l'oppression s'accentuait. Je m'efforçais de l'aider, de l'encourager. Soudain il ne répond plus. Il est mort. Ce fut mon premier mort hospitalier, dont l'image, après tant d'années, me revient parfois.

L'enseignement était remarquablement organisé. Tous les matins, de 9 heures à 10 heures, un cours était donné par un chef de clinique. Puis nous allions travailler dans les salles. Une fois par semaine, à 11 heures, leçon magistrale du professeur Widal. Le cours de 9 heures était donné par de jeunes maîtres excellents. Excellents et exacts, généralement tout au moins. Un matin de novembre 1925, point de chef de clinique. Le sujet du cours était les hémoptysies, les expectorations sanglantes. Dix, quinze minutes se passent. Point de chef de clinique. Les bavardages de la salle deviennent agitation. J'avais appris la veille les hémoptysies pour une conférence d'externat, je vais à la table du maître et commence le cours. Les stagiaires, stupéfaits, se taisent et écoutent. Après dix minutes arrive le chef de clinique, tout essoufflé, invoquant une panne d'automobile. J'avais pu m'esquiver et regagner ma place. Tels furent mes débuts dans l'enseignement médical.

Donc, le mercredi à 11 heures, leçon clinique avec présentation de malades par le professeur Fernand Widal. Widal était un des grands médecins du début du XXᵉ siècle. On lui devait la découverte du séro-diagnostic de la fièvre typhoïde et de remarquables études des maladies des reins. Mais la leçon clinique avec présentation de malades ne tenait aucun compte de la personne du malade. Depuis 9 heures, sur un lit dressé au milieu de la salle, un malade, à peine couvert, était allongé. A 10 heures, les stagiaires étaient debout près du lit du malade. A partir de 11 heures moins le quart, une série d'infirmières apportait la première un tabouret pour les pieds du professeur, la deuxième un coussin pour sa tête, la troisième une bouteille d'eau de Vichy pour son gosier. Puis le professeur arrivait. La leçon commençait. Elle se terminait souvent par la formule : « Messieurs, le pronostic est dans le couloir », que toute la salle, malade compris, savait interpréter. Tels étaient les mandarins de 1925, beaucoup plus mandarins que ceux de 1968.

La matinée se terminait souvent tard. Nous courions jusqu'à l'École pratique de la faculté, rue de l'École de Médecine où commençaient, à 1 h 30, les travaux pratiques d'anatomie, c'est-à-dire les dissections. En 1925, la physiologie de Claude Bernard n'a pas encore vraiment transformé la médecine. Le vitalisme n'est pas mort. On parle encore, dans les cours de physiologie, de la *vis a tergo,* la force qui vient de l'arrière, responsable du mouvement des cellules, des humeurs. En conséquence, l'anatomie est la reine des batailles, la seule discipline à laquelle on puisse se fier. Nous voici dans la salle de dissection. Les corps sont allongés sur les tables. Nous sommes cinq autour de chaque corps, disséquant, qui le cou, qui un des membres supérieurs, qui un des membres inférieurs. Point d'émotion véritable. Autant est poignante, à l'hôpital, la rencontre des grands malades, autant me laissent indifférent les cadavres préparés, injectés qui ne sont plus des hommes. Parfois un garçon d'amphithéâtre passe, transportant une tête d'une table à une autre, l'utilisant parfois pour ouvrir une porte. Nos maîtres s'appellent prosecteurs, aides d'anatomie. Ils sont adroits, bienveillants, redressent nos actions incertaines, isolent le nerf que nous n'avions pas su trouver.

Pendant plusieurs mois, nous allons ainsi à la découverte du corps humain. Assez savants à la fin.

Une fois par semaine, la séance de dissection est remplacée par une séance de travaux pratiques d'histologie, c'est-à-dire d'anatomie microscopique. Cette discipline qui deviendra si glorieuse est, en 1925, assez poussiéreuse, somnolente. Les professeurs d'histologie cependant se réveillent en fin d'année, au moment des examens.

Je passai sans difficulté les examens d'anatomie théorique et pratique, et l'examen d'histologie théorique. L'examen de travaux pratiques d'histologie me donna de grands soucis. Je revois deux garçons qui, un matin de mars, traversent le Luxembourg. Comme ils paraissent sombres, inquiets, découragés! Ils longent les poiriers célèbres sans leur donner un regard. Les voici qui descendent la rue de l'Odéon. Ils n'entrent pas dans la maison des Amis des Livres où Adrienne Monnier, qui tant de fois nous donna à lire, est là, pourtant, vêtue de sa longue et large robe grise, entre James Joyce, peut-être, et Valery Larbaud. Sans doute avez-vous déjà reconnu mon vieux camarade et voisin de la rue de Bagneux, Paul Chigot et moi-même. Nous allons, après deux échecs, nous présenter pour la troisième fois à l'examen de travaux pratiques « Histologie, première année ». A cette époque, les travaux pratiques d'histologie étaient gouvernés par un chef nommé Branca. Quinteux dans tous les sens du terme, catarrheux et grognon, Branca terrifiait les étudiants. En juillet, je prends la peau pour le rein, j'obtiens la note 2. En octobre, je prends le rein pour la peau, l'erreur paraît moins grave à Branca, j'obtiens la note 4. C'est un progrès, mais je suis quand même ajourné, comme on dit dans le langage courtois des universités. Un règlement magnanime accordait alors, sous je ne sais plus quelle condition de moyenne, une troisième chance en mars aux victimes des deux sessions normales. Nous arrivons à la faculté. Que ses mânes me pardonnent un soupir rétrospectif. Retenu à la chambre par une pituite supplémentaire, Branca était absent. Un jeune et brillant agrégé vint sur mon épaule et, comme je me demandais si je regardais un rein ou une peau, il coupa mon balbutiement d'un « Ne me dites rien », ce qui est la meilleure façon de recevoir un étudiant incertain, et effectivement, me reçut.

Depuis, l'histologie a pris sa revanche. Ou moi la mienne, comme on voudra. Car j'ai passé au microscope une grande partie de ma vie, regardant les blancs et les noirs, les rouges et les bleus, formant ce musée imaginaire des cellules où chacun de nous va chercher ses comparaisons et son espoir.

Donc, le matin, le stage hospitalier. L'après-midi, les travaux pratiques à la faculté. Le soir, deux fois par semaine, les conférences préparant les concours hospitaliers, externat d'abord, internat ensuite. Une soirée pour la conférence de médecine, une soirée pour la conférence d'anatomie et de chirurgie. Nous sommes dix autour d'une table dans un hôpital. Le conférencier, notre aîné de quelques années, est un interne en exercice. Il nous a, la semaine précédente, fixé un programme de travail. Les sujets, dans le jargon des conférenciers, s'appellent des questions. Nous préparons, nous apprenons cinq ou six questions. Le soir venu, le conférencier, vers sept heures et demie, donne à chacun sa tâche. Il s'en va dîner. Nous travaillons. Il revient à huit heures et demie, nous écoute, nous interroge, nous critique à la fois affectueusement et sévèrement, puis reprend la question, en fixe le plan, signale les embûches, les pièges. Nous nous séparons vers minuit.

J'ai gardé le plus heureux souvenir de ces conférences d'externat, d'internat, aussi bien celles que je suivais comme étudiant que celles, que, plus tard, une fois nommé interne, je dirigeais moi-même. Le compagnonnage, le maître étant à peine plus âgé que les élèves, était assurément une très bonne méthode de formation, d'éducation médicale. Le climat était à la fois rude et fraternel. Chaque conférence était un être vivant. Nous étions solidaires les uns des autres. Notre conférence d'externat et d'internat, homogène et laborieuse, obtint vite de grands succès. Je garde une vive reconnaissance à mes conférenciers qui m'ont instruit et guidé. Devenu conférencier à mon tour, je me suis trouvé uni par des liens d'amitié très forts à certains de mes élèves. Le plus glorieux fut assurément Jean Hamburger que j'enseignai quelques mois en 1930, et qui, déjà, était beaucoup plus savant que son conférencier.

Les compagnons

Mon compagnon de travail pendant toutes ces rudes années de préparation des concours de l'externat, de l'internat était Jean Gosset. Son père, Antonin Gosset, était l'un des plus grands, peut-être le plus grand chirurgien de son temps. D'origine modeste, venu de Normandie à Paris, il avait aisément franchi tous les obstacles. De l'internat à l'agrégation, toujours premier. Il opérait tous les matins à huit heures les malades fortunés à la clinique de la rue Georges Bizet, à neuf heures et demie les malades appartenant aux classes moyennes à la clinique de la rue Antoine Chantin, à onze heures les malades pauvres dans son service de la Salpêtrière. J'ai été en 1926 son stagiaire, en 1927 son externe dans le service admirablement organisé de la Salpêtrière. Nos internes nous demandaient parfois de prendre les gardes avec eux. C'est ainsi qu'une nuit de garde, cherchant un service qui m'avait appelé et m'étant égaré, je me suis trouvé en face du puits de Manon, le puits de Manon Lescaut. A l'époque de l'abbé Prévost, la Salpêtrière était une prison pour femmes.

Les parents de Jean Gosset étaient séparés. Sa mère, venue d'Ukraine faire ses études à Paris était l'amie des plus grands peintres de son temps. Quand j'allais, au temps des conférences d'internat, travailler rue d'Assas avec Jean Gosset, j'admirais, en levant la tête, les Renoir, Vuillard, Bonnard accrochés aux murs de l'appartement et je revenais plus heureux vers l'artère ou la fracture que j'apprenais.

Jean Gosset, d'abord rude, secret, profond, était très différent de son père sensible aux honneurs, ouvert sur le monde, ami des puissants. Le père et le fils avaient cependant un trait commun. Ils avaient toujours tous deux été partout les premiers.

L'été parfois, Antonin Gosset pendant les vacances m'invitait en Normandie. Nous marchions le long des falaises, cependant que Jean Gosset récitait le *Bateau ivre* qu'il aimait. Ou bien nous venions regarder peindre Marie Laurencin, tout éclairée pour nous par l'amour d'Apollinaire. Elle faisait alors le portrait d'Antonin Gosset, alanguissant de rose ses joues normandes et le rouge de la robe professorale.

Étudiant de première année, je préparais le concours de

l'externat des hôpitaux de Paris, externe, je préparais le concours de l'internat. Dès ma deuxième année d'internat, je commençais à préparer le concours du médicat des hôpitaux de Paris. Concours complexe qui comprenait une admissibilité et une admission.

Cette dernière était une sorte d'élection, un choix fait parmi les admissibles par un jury tiré au sort. Mais l'admissibilité (à certaines périodes, il fallait être deux fois admissible pour être candidat à l'admission) était un concours anonyme, extrêmement difficile. Les candidats étaient les jeunes médecins parisiens les plus brillants, les plus laborieux. Quatre épreuves permettaient de les classer, deux épreuves théoriques, deux épreuves cliniques.

Une fois par mois pendant la période de préparation, nous nous retrouvions cinq ou six pour mettre en commun nos connaissances. Mais le travail à deux était plus efficace. Tous les dimanches pendant quatre ans, nous avons, Jean Delay et moi, passé de deux heures à huit heures tout l'après-midi ensemble.

Jean Delay avait connu, pendant ses études secondaires, des succès exceptionnels. Il avait passé son premier bachot à quatorze ans et trois mois. Léon Bérard lui remettant en 1959 son épée d'académicien, rappelait que, ministre de l'Instruction publique en 1921, il avait accordé une dispense exceptionnelle au jeune Jean Delay, béarnais comme lui.

Jean Delay avait ensuite simultanément poursuivi ses études de médecine, préparé les concours hospitaliers, suivi l'enseignement de la philosophie à la Sorbonne jusqu'à une thèse de docteur ès lettres, commencé à écrire des chroniques, des essais, de courts récits. Il sera plus tard le plus grand psychiatre de son temps, pionnier d'une science neuve

80

la psychopharmacologie, et un très grand écrivain de *La Jeunesse d'André Gide* aux admirables *Avant-Mémoires*.

Donc tous les dimanches, nous nous rencontrions à deux heures. Nous mettions au point les textes destinés le jour venu à séduire nos futurs jurys. Toute la médecine, toutes les maladies y passaient. Un jour nous attaquons la chorée, la danse de Saint-Guy. Une de ses variétés cliniques, touchant la moitié du corps s'appelle chorée dimidiée. Me rappelant le premier vers d'une ode d'Horace, assez content de moi, je murmure à mi-voix *Dimidium animae meae*. J'avais tort d'être ainsi satisfait de moi-même. Jean Delay enchaîne. Lui savait l'ode tout entière, l'ode par laquelle Horace souhaite un heureux voyage à son ami Virgile, « moitié de son âme ».

Les maîtres

J'ai été le disciple de deux grands médecins, Paul Chevallier, Robert Debré.

Après mon service militaire, je suis revenu, comme interne, travailler avec Paul Chevallier. A l'hôpital Cochin cette fois. Dès ce moment, et bien avant que la notion de plein temps liée aux progrès de la médecine s'imposât à tous les esprits raisonnables, Paul Chevallier précurseur, là comme en bien d'autres domaines, passait toute sa journée à l'hôpital. Et parfois la nuit aussi, dormant sur un lit de camp jeté dans son bureau. Il commençait très tôt sa visite particulièrement les dimanches et les jours fériés, enchanté, à la Pentecôte ou le 14 Juillet, de précéder de deux bonnes heures son interne contrit. Les malades, que Paul Chevallier traitait avec une sorte de brusquerie affectueuse, l'aimaient.

Il les écoutait longuement, à la fois parce qu'il tenait l'interrogatoire pour un temps essentiel de l'examen et aussi pour connaître leurs misères, leurs soucis auxquels il s'efforçait de porter remède. Celui d'entre nous qui, dans l'après-midi, venait lui demander conseil, se voyait intimer, non sans fermeté, l'ordre de fermer la porte incontinent. C'est que de jeunes siamois prêts à s'échapper rôdaient souvent autour de la table. Paul Chevallier, comme Baudelaire ou Anatole France, portait aux chats une affection profonde. Et tandis que d'une plume archaïque et grinçante (il n'accepta pratiquement jamais les stylographes), il terminait la relation d'une anémie, un jeune angora ou parfois un matou de gouttière ronronnait sur son épaule. Paul Chevallier m'a donné mes premières leçons d'hématologie expérimentale, dans une petite cabane de l'hôpital Cochin faite de planches mal jointes et de toile d'emballage. Il y régnait une furieuse odeur de lapin. Paul Chevallier était là, heureux, paisible, entouré d'un peuple de rongeurs, d'oiseaux qu'il laissait assez curieusement en liberté.

Il avait connu des débuts difficiles. Georges Duhamel, dans un beau roman à tort oublié, *La Pierre d'Horeb,* a décrit la vie de quatre étudiants en médecine, très pauvres. Ils habitent, tous quatre, une seule chambre, rue Saint-Jacques. A la fin du mois, affamés, ils attachent une fourchette à un balai et piquent (dans tous les sens du mot), des harengs saurs dans le tonneau que l'épicier du rez-de-chaussée a imprudemment laissé ouvert. Ces quatre étudiants sont Henri Queuille, qui sera ministre et Président du Conseil, Georges Duhamel, Georges Heuyer, créateur en France de la psychiatrie infantile et Paul Chevallier.

L'œuvre de Paul Chevallier est fondée sur le refus des

dogmes officiels qui trop souvent retardent les progrès de la science. Ainsi, pour ne citer que cet exemple, l'un des premiers, il avait envisagé le rôle que jouent les virus à l'origine des leucémies et des autres cancers. Il avait dû combattre pour faire admettre les résultats de ses expériences. Souvent, en l'écoutant, en l'observant, je pensais aux réflexions de Charles Nicolle dont j'allais écouter les cours au Collège de France. Charles Nicolle disait : « Quand vous faites une découverte, vous rencontrez trois objections : 1) Ce n'est pas vrai. 2) Ce n'est pas neuf. 3) Ce n'est pas de vous. »

Bien plus tard, Jean Dausset après la découverte du Système HLA dut réfuter ces objections critiques. Plus une quatrième à laquelle Nicolle n'avait pas songé. On lui dit : « Donc c'est vrai, c'est neuf, c'est de vous. Mais ce n'est pas important. »

Paul Chevallier, toute sa vie, a lutté contre certaines mœurs fâcheuses de la médecine hospitalière et universitaire au début de ce siècle. Il fut en quelque sorte un antimandarin.

Paul Chevallier avait très tôt compris l'importance des réunions scientifiques, des échanges internationaux. Il a créé la première grande revue d'hématologie *le Sang,* la première Société d'Hématologie; il m'en nomma en 1932, secrétaire général. J'assume toujours ces fonctions.

Paul Chevallier n'aimait ni les paresseux, ni les serviles, ni les lâches. Mais ceux de ses élèves dont il avait reconnu l'effort ou la valeur, même si de profondes différences de caractère ou de pensées les séparaient de lui, il les adoptait et les aimait.

Lorsqu'en 1943 je suis arrêté par la police hitlérienne,

des témoignages sont demandés à mes maîtres. Tous, héroïquement, se défilent, mais Paul Chevallier fait lui, aussitôt,
les démarches dangereuses, insouciant du péril puisqu'il
s'agissait de l'un des siens. Démarches restées malheureusement vaines.

Plus heureux à la Libération, je parvins à sortir mon
patron de prison.

Paul Chevallier est surpris par la police résistante chez
une amie en compagnie de Jean Hérold Paquis, un des
journalistes de la collaboration qui répétait tous les jours
à la radio allemande : « L'Angleterre, comme Carthage,
sera détruite. »

Paul Chevallier donc, arrêté par hasard, est jeté dans
une geôle à la mairie de Neuilly. Averti, je revêts mon
uniforme avec un très grand nombre de galons comme on
faisait à l'époque. Mon entretien avec le responsable des
Forces Françaises de l'Intérieur commence très mal. Il va
juger et condamner Paul Chevallier. Les choses ne vont
pas traîner. Le ton monte. Je rappelle au responsable FFI
que Paul Chevallier est une des plus hautes autorités de
la Franc-Maçonnerie, qu'il a, sous l'Occupation, été en
conséquence écarté de certaines de ses fonctions, que lui,
responsable FFI, prendrait de très grands risques en ne
relâchant pas aussitôt Paul Chevallier. Mon interlocuteur,
pas très courageux, s'écroule. Paul Chevallier est immédiatement libéré.

Robert Debré, illustre médecin d'enfants, inspira, orienta
pendant un demi-siècle la pédiatrie mondiale.

Des relations existaient entre nos familles bien avant
mon entrée en médecine. Un de mes oncles avait fait sa

thèse sous sa direction. Une tante de mon épouse, Marie Landry (qui devait être la première femme chef de clinique des facultés de Médecine françaises) avait préparé au début du siècle le concours de l'Internat des hôpitaux, aux côtés de Jeanne Debat-Ponsan (bientôt Madame Robert Debré) et de Robert Debré. Robert Debré devait en 1931 être le témoin de ma femme lors de notre mariage.

Mon beau-père, Adolphe Pichon, qui siégeait au Conseil d'État, conseillait, guidait le jeune Michel Debré, futur premier Ministre du Général de Gaulle.

Symétriquement, Robert Debré nous conseillait, nous guidait, ma femme et moi. C'est ainsi qu'il m'introduisit dans le laboratoire de Gaston Ramon à l'Institut Pasteur de Garches. J'allais prélever le sang des enfants diphtériques à l'hôpital Bretonneau. Certes le sérum de Roux obtenait la guérison d'un certain nombre de diphtéries. Mais la situation restait grave avec ici les enfants asphyxiants, mourant d'un croup traité trop tardivement, là les adolescents, accablés par la diphtérie maligne avec leur teint plombé, la prostration, les paralysies.

Gaston Ramon, lorsque j'arrive dans le laboratoire, a les mains couvertes de bandes car il souffre, m'explique-t-il, d'un eczéma provoqué par le formol, le formol de l'anatoxine. Il respire difficilement souffrant d'un asthme dû aux poils de cobaye. Il continue héroïquement une tâche doublement malaisée. Je prends de grandes leçons. D'abord d'héroïsme. Ensuite de rigueur. Plusieurs mois s'écoulent avant qu'une seringue me soit confiée. Je suis d'abord déçu puis je comprends qu'il veut me connaître avant de me faire confiance.

C'est donc très tôt, en 1931-1932, que j'ai auprès de

Gaston Ramon compris l'importance d'une règle qui a été formulée à peu près dans les mêmes termes par Descartes, Claude Bernard, Paul Valéry : « Le vrai est ce qui est vérifiable. » Cette règle gouverne toute activité scientifique. Ainsi les médecines dites douces ou parallèles sont souvent vantées aujourd'hui. Je suis parfois interrogé à leur sujet. La réponse est simple. Le vrai est ce qui est vérifiable. Y a-t-il eu vérification ?

Les grandes découvertes de Gaston Ramon ont, elles, été largement vérifiées. Elles ont eu de grandes conséquences. La diphtérie qui faisait le malheur des enfants et des mères a à peu près disparu.

J'ai eu le privilège à la même époque d'être admis à suivre le grand cours de microbiologie de l'Institut Pasteur de Paris. Nos maîtres étaient Émile Roux, Albert Calmette, Charles Nicolle, Dumas, Legroux. Les aînés comme Émile Roux avaient été les disciples directs de Pasteur, de « Monsieur Pasteur » comme ils disaient. Ils ont assuré une admirable continuité. Grâce à eux, grâce aux élèves qu'ils ont formés, l'Institut Pasteur est, depuis un siècle, le principal foyer de la recherche biologique et médicale en France.

« *Charles Péguy, Les nouvelles orientations des recherches biologiques, La mère et l'enfant*, j'ai accepté d'écrire ces trois livres. Par lequel me conseillez-vous de commencer ? »

Cette question Robert Debré, en août 1976 (il a alors 94 ans) me la pose (ou feint de me la poser) sur une terrasse, la terrasse de sa maison de Touraine dont le nom rappelle le Moyen-Atlantique, son île, un autre vin. Je suis venu par la route rustique qui joint nos maisons ou peut-être en canot le long d'une verte rivière dont un poète mineur a chanté les méandres et l'eau doux-coulante. Robert Debré porte au col cette cravate dite Lavallière dont j'ai toujours secrètement envié le nœud bouffant et les larges pois. Devant nous sur la levée du fleuve royal, c'est juste l'endroit où voici un siècle et demi Lord Granville galopant depuis Tours rejoignait la future Femme de Trente ans. Plus près le Sud-Express emporte les Barnabooth de l'époque vers leurs Lusitanies. Au-dessus de nous la paysanne en jupon rouge cultive son champ entre les fumées des foyers troglodytes.

L'entretien se poursuit, Robert Debré évoque Paul Valéry : « J'allais le chercher rue de Villejust le dimanche matin. J'étais donc libre le dimanche matin, ajoute-t-il avec nostalgie. Notre promenade commençait avenue du Bois. »

Paul Valéry vers 1933-1934 venait parfois passer quelques jours dans la propriété tourangelle de Robert Debré. Lors d'une de ces visites je m'y trouvais aussi. Une nouvelle édition de *Charmes* venait de paraître. Paul Valéry s'apprête à la dédicacer à Robert Debré. Nous sommes là, trois ou quatre, silencieux, admiratifs. Valéry prend son stylo, médite longuement, finalement se décide. Nous nous précipitons et lisons : « A Robert Debré, très amicalement, Paul Valéry. »

Rien de plus malaisé, même pour les plus grands, que d'être constamment génial dans la rédaction des dédicaces.

L'intelligence de Valéry inspire presque chaque ligne de ses carnets. Je lis souvent ces carnets dans la belle édition du CNRS. Je suis heureux de rencontrer parfois des serpents. Tel celui qui avale sa queue, l'avant-dernier anneau et ainsi de suite avant de s'avaler tout entier. Et Valéry de conclure :

« C'est ce qu'on appelle l'acquisition de la connaissance. »
Et ailleurs, le plaisant : « Maître cerveau sur son homme
perché. »

Une autre image de Robert Debré est tirée de temps
plus troublés. Janvier 1944, je le trouve rue de Rennes. Il
entrait dans son époque espagnole et commençait de res-
sembler à ces seigneurs tolédans qui emportent au ciel le
corps du comte d'Orgaz. Tous deux, nous étions alors
quelque peu repris de justice. Je sortais de prison. Robert
Debré plus adroit avait évité l'arrestation, s'échappant très
classiquement par un escalier dérobé cependant que les
sbires étaient amusés à l'entrée principale. Il est alors
accueilli dans la maison de Chateaubriand, à la Vallée aux
Loups. Avec Alfred Sauvy il écrit *Des Français pour la
France,* premier ouvrage soulignant l'importance de cette
action démographique qui allait ensuite inspirer Michel
Debré.

Un quatrain que je lui fis parvenir alors l'amusa.

« Dans l'antre littéraire où l'ennemi l'ignore.

Il mêle aimablement aux complots ce couplet.

Femmes sitôt d'enfler et nourrissons d'éclore.

Un seul maître nous manque et tout est repeuplé. »

Mais, quand nous nous retrouvons rue de Rennes, je
traversais une période de profond accablement. Les liens
si péniblement tissés sont brutalement déchirés. Les meilleurs parmi nous arrêtés, tués ou plus encore, torturés,
déportés. Sans paraître remarquer mon émoi, Robert Debré
m'a parlé avec une fermeté si tranquille, une assurance si
apaisée que j'ai repris courage. Et tirant une bicyclette aux
pneus aussi fatigués que nous-mêmes, je suis reparti vers
les tâches nécessaires. Quelques mois plus tard les pronos-

tics de Robert Debré se trouvaient vérifiés comme toujours. Et pendant la libération de Paris, au poste de secours de la Place Saint-Michel, il pansait les blessés, comme un jeune médecin auxiliaire donnant un nouvel exemple du patriotisme le plus discret, le plus actif, le vrai, le sien.

Jeune professeur, jeune médecin des hôpitaux, Robert Debré, songeant aux enfants malades dont il avait la charge, était fort exigeant. Cette exigence engendrait la terreur. Lorsque le maître était courroucé, tout le service tremblait. Lorsque j'étais en 1934 interne de Robert Debré à l'hôpital Hérold, je m'étais aperçu que si nous commettions une erreur et qu'il la corrige, il était de bonne humeur pendant plusieurs jours. La tension un jour était très forte; je feignis d'avoir méconnu une pleurésie. Excellent clinicien, il reconnaît la pleurésie, vérifie par une ponction la présence de liquide dans la plèvre, me reproche gentiment ma faute et va rester débonnaire deux semaines. Quarante ans plus tard, en 1974, voisins de campagne, nous sommes invités à dîner chez lui. Dîner d'amitié, il est entouré par ses enfants. Nous évoquons cette année 1934 pendant laquelle ma femme et moi avions successivement été ses internes. Et pensant qu'il y avait prescription, j'avoue ma faute et la supercherie de la pleurésie. J'aurais mieux fait de me taire. Robert Debré, très mécontent d'avoir ainsi été trompé, est resté silencieux jusqu'à la fin du repas.

La rigueur gouverna toute son œuvre scientifique et lui donna sa grandeur. Bien souvent, quand j'allais le voir en Touraine, il m'entraînait dans son bureau. Il fallait revoir le texte d'un mémoire pour la quatrième, cinquième, sixième fois peut-être. Nous travaillons; mais à chaque détour de la phrase ou de la page, sa pensée court vers les continents, les siècles et les sciences, revient chargée de comparaisons, de jugements, s'épanouit en brusques ouvertures, en rapprochements inattendus et définitifs, en synthèses éclatantes. M'en retournant plus tard vers mon coteau, je songeais à ces humanistes universels de la Renaissance qui au temps d'Érasme et du Vinci s'en vinrent vivre et méditer sous le même ciel d'Amboise.

Il n'accepta jamais la vieillesse. En 1977, il avait 95 ans, je le rencontre quittant l'Académie des Sciences : « Vous partez déjà ? » « Oui, répond-il, tous ces vieillards me fatiguent. »

A la même époque, il prononce sous la Coupole, un admirable éloge de Claude Bernard. Sans une note, sa vue très affaiblie ne lui permettant plus de lire.

Quelques semaines plus tard, il remet un prix important à un jeune lauréat dont il loue les travaux. Travaux consacrés à la moelle osseuse. Robert Debré avait à 95 ans littéralement appris l'anatomie et la physiologie de la moelle osseuse qu'il ne connaissait pas.

Il venait à pied à l'Académie des Sciences descendant la rue Bonaparte ou la rue de Seine (sans l'article soulignait-il). Il avait été élu en 1961 au fauteuil de Claude Bernard. Neveu du grand mathématicien Jacques Hadamar, oncle du grand mathématicien Laurent Schwartz, Robert Debré est heureux de siéger à côté des géomètres, des physiciens, des astronomes, heureux de songer à l'histoire des sciences.

« Au cours de ce passé long de trois siècles, écrit Robert Debré, ont fait partie de cette Académie les plus originaux et les plus puissants parmi les savants, ceux qui ont trouvé des modes de pensée inconnus avant eux, créé des sciences, marqué leur époque, découvert des mondes célestes et terrestres et on a quelque illusion de vivre à l'ombre de ces grandes ombres. »

Grandes ombres qui, comme Robert Debré, ont (pour reprendre une pensée de son ami Paul Valéry) existé pour trouver quelque chose; grandes ombres rejointes et parmi lesquelles il siège aujourd'hui.

III

LES ANNÉES DE GUERRE

La guerre 1939-1940

J'ai passé, en août 1939, à Nazelles près d'Amboise, mes dernières semaines de liberté. Je montais sur le coteau qui domine la vallée. La rivière qui longe le fleuve glissait sinueuse entre deux rideaux de peupliers. Le château apparaissait au fond. Je lisais le journal de Stendhal. Je suis parti en guerre emportant les amours de Beyle pour la Comtesse Daru et pour quelques nobles dames italiennes.

Je n'ai été mobilisé que le huitième jour. J'ai donc vécu à Paris pendant que commençait la guerre. A partir du 2 septembre, la vie s'est désorganisée, disloquée. A toute heure, on va voir un ami, on reste quelques minutes, on part, on revient.

Les hommes partent sans passion, sans révolte. Je les avais vus, à la fin du mois d'août, descendre le long des coteaux de Touraine, se crier un dernier adieu, puis s'éloigner. Je les revois, cohortes silencieuses dans les gares de

Paris, ou corps affalés sur les quais du métro. Deux d'entre eux dorment sous une éclatante affiche « Passez vos vacances en Allemagne » et une belle fille blonde, entre un château rhénan et une cathédrale, invite au voyage les deux soldats assoupis à ses pieds. Un matin, passant près d'un commissariat, je vois une longue file d'hommes attendant patiemment. « Oui, dit l'agent interrogé. Ce sont des engagés volontaires. Cette guerre a beaucoup de succès. »

Nous sommes donc partis un matin de septembre, boulevard Mortier. La cour de la caserne était blanche de poussière. On y voyait une grande agitation. Tout le long d'un bâtiment, des automobiles, des camions étaient rangés, butin d'une réquisition récente et hâtive. Le troupeau mécanique fatigué portait encore les pancartes qui le définissaient civilement. C'est entre le nom de Félix Potin et le sourire de Bébé Friand que j'ai commencé la guerre. De l'autre côté de la cour, les hommes se groupaient autour de piquets indicateurs. Les uns étaient vêtus des costumes du temps de paix. Les autres étaient déjà des militaires parfaits. Certains, mi-civils, mi-militaires, avaient réussi des déguisements assez burlesques. Pas d'enthousiasme, pas de découragement. Une sorte d'indifférence et de lassitude.

J'appartiens donc à l'Ambulance Chirurgicale Lourde 428. Nous quittons Paris; nous nous installons à Gizy, petit village de la Thiérache méridionale. Une ferme nous accueille. Le fermier, ses enfants nous prennent en amitié. La ferme travaillait dur quand nous sommes arrivés. Sous le soleil d'équinoxe, elle rentrait la moisson. Elle suait de toute sa cour, de toutes ses granges, de ses murs, de sa grande porte. Elle respirait à grands coups précipités, au rythme de la batteuse, cependant que les filles debout sur les meules tendaient les bottes aux soldats débraillés, contents, après huit jours de vie militaire, de redevenir paysans. Un peu plus tard, les chevaux revenaient. On les détache à l'entrée de la cour, ils se placent, seuls, en file indienne, heureux de leur nudité retrouvée, chacun posant sa tête juste contre le flanc du précédent. Ils vont à l'auge, boivent sans hâte, puis dans le même ordre, ils retournent à leur stalle. Parfois sur la route, l'un d'entre eux se détache avec lenteur de la file, vient boire une dernière gorgée et va rejoindre les chevaux camarades.

Souvent l'après-midi, j'allais m'asseoir contre une meule, le soleil brûlait. Tout à la fois j'étais heureux de cette chaleur, de cette campagne et accablé par un sort absurde.

Le blé fini, les betteraves commencèrent. Les chars partaient, les racines terreuses poussaient.

Déjà il faisait froid. La neige venait, cachait les marais et dessinait les arbres. La ferme nous recevait autour d'un grand feu.

Cependant, la guerre était devenue chronique. Je ne courais aucun danger. Je n'avais rien à faire, mais je ne pouvais quitter Gizy. Je n'étais même pas autorisé à aller à Laon, dont on apercevait parfois la cathédrale sortant de la brume. Nous restons à Gizy quelques semaines, puis l'ambulance 428 va s'installer dans le préventorium de Notre-Dame-de-Liesse, à quelques kilomètres de Gizy.

Quand j'arrive à Liesse, une ville de médecins et d'infirmiers militaires s'est, depuis un mois, plaquée sur la ville de prêtres et de nonnes. Je rencontre d'abord la cathédrale et sa légende, les trois chevaliers partis en Terre Sainte, les blandices de la princesse égyptienne qui leur avaient été tentations, la conversion miraculeuse de la princesse, le retour en France de la croix tombant et retombant là où la Vierge voulait que fût son église. Je songe à toutes les reines bréhaignes venues ici implorer une postérité. Jamais las, le carillon de la basilique rythmait l'existence assez morne des habitants de la petite ville. J'entends encore ses Ave Ave Maria et la fausse note constante sur laquelle il rebondissait.

Les couvents, les maisons d'éducation religieuse, les maisons de retraite cernaient la ville et occupaient dans son intérieur des positions solides. L'épicier n'était pas seulement épicier. Il vendait aussi des missels et des statuettes, le boulanger, à côté des croissants, vendait des crucifix. Je n'ai jamais appartenu à Liesse comme j'ai appartenu à Gizy. La ville refusait les étrangers comme elle avait chassé les campagnes, tournant toutes ses maisons vers la rue, ignorant les bois et les marais.

L'Ambulance Chirurgicale Lourde 428 s'était donc installée dans le préventorium. Des salles d'opérations avaient été montées, mais d'opérations point ou si peu. Parfois un soldat nous était conduit victime d'un accident d'auto ou d'une fracture survenue pendant un match de football. Le plus souvent nous étions oisifs. Nous marchions François Aman-Jean et moi entre les marais. L'amitié naissait entre nous. François Aman-Jean redoublait sa guerre. Engagé volontaire, il avait combattu à Verdun, puis en Roumanie. Il avait traversé toute la Russie révolutionnaire du sud au nord pour s'embarquer en 1918 à Arkhangelsk et enfin revenir. Son père, peintre célèbre au début du siècle, était le compagnon de Seurat, l'ami de Verlaine. François Aman-Jean lui-même était chirurgien à Château-Thierry, chirurgien et écrivain. Dans *Jeanne la Folle,* il a conté l'histoire de la mère de Charles Quint qui n'accepte pas la mort de son mari Philippe et transporte le corps du défunt de château en château. Dans *l'Enfant oublié,* il a évoqué ses souvenirs de jeunesse, ceux de Berck, ceux du Bugey. En octobre, novembre 1939, il me disait ses projets. Il avait des traits aigus, une peau presque indienne, vieille et grise, avec des yeux vifs et jeunes. A certaines heures, il paraissait tenu à la main, et guidé par je ne sais quel génie, par un Ariel qui l'entraînait. Il disparaissait. Parfois, il partait vraiment et pendant trois jours on ne le voyait plus, mais il pouvait aussi être présent et disparu à la fois. On lui parlait, on l'interpellait, on le hélait. Il ne répondait pas ou répondait par quelques mots étranges. Lentement ensuite il revenait.

Une photographie, qui date de janvier 1940, représente une prise d'armes. Au milieu deux dames l'une petite, très âgée, en civil, l'autre plus alerte en tenue d'infirmière avec voile volant au vent. Donc deux dames et, près d'elles, un général d'armée, aux traits fins, au visage fatigué. A gauche du groupe central les officiers, les soldats français, casqués, bottés. A droite du même groupe, les Anglaises, infirmières en gris, conductrices en kaki. Telle est la cérémonie de présentation de l'ambulance Hadfield Spears. La vieille dame en civil est Lady Hadfield. Elle a généreusement fait don à la France de cette ambulance, de ses automobiles, de son matériel. Mrs. Spears prend le commandement du personnel féminin de l'ambulance. Elle est, en temps de paix, écrivain américain sous le nom de Mary Borden. Pendant la guerre, pendant les guerres, elle est infirmière militaire. Elle a connu et épousé son mari alors qu'il était, entre 1914 et 1918, officier de liaison entre les commandements français et britanniques. Le général Spears est aussi, en 1940, membre de la Chambre des Communes; c'est dans son avion qu'en juin 1940 le général de Gaulle quittera la France pour gagner Londres.

Le général Requin, commandant d'armée est sur la photographie proche des deux dames anglaises. Derrière lui, son officier d'ordonnance, le capitaine Lecomte qui est à l'orée d'une brillante carrière militaire.

L'ambulance Hadfield Spears est donc anglaise par ses infirmières, ses conductrices, son matériel, française par ses médecins, ses infirmiers. Elle est commandée par mon camarade d'études Jean Gosset. C'est à lui que je dois d'appartenir en janvier 1940 à l'ambulance Hadfield Spears. Il a beaucoup insisté. J'étais un peu las de la Thiérache méridionale. François Aman-Jean quittait Liesse pour combattre en Finlande. J'ai finalement accepté la proposition de Jean Gosset. J'ai rejoint l'ambulance Hadfield Spears.

Les ambulances, pendant les guerres, tantôt campent sous la tente comme Gengis Khan, tantôt se logent dans les couvents.

Nous voici donc dans un couvent à Saint-Jean de Bassel, près de la frontière allemande. Les religieuses se sont serrées et nous ont laissé la moitié de leur maison. J'habite une cellule très petite, très nue. Sous les fenêtres au premier plan, le jardin des nonnes avec le printemps venu, ses héliotropes. Un peu plus loin, un bois de mélèzes. Les salles à manger deviennent des salles d'opérations. Nous recevons quelques blessés venus de la forêt de Warndt où de courts combats opposent parfois patrouilles françaises et patrouilles allemandes. Les infections postopératoires sont fréquentes. La pénicilline, découverte quelques années auparavant, dort encore, inutilisée dans le laboratoire de Fleming. Nous apprenons à utiliser les sulfamides proposés juste avant la guerre, en 1937. Les sulfamides sont donnés par voie générale sous forme de comprimés ou d'injections intra-musculaires. Les succès sont inconstants. J'assiste aux interventions, organisant les transfusions, jouant le rôle qui serait aujourd'hui celui du réanimateur. Un jour de mars 1940, mes collègues chirurgiens, opérant un jeune soldat, découvrent de très graves lésions abdominales. La péritonite menace. Je leur propose un essai de traitement local par les sulfamides. Tout l'abdomen ouvert est saupoudré par une poudre de sulfamides. Le résultat est très remarquable. Le jeune soldat, si gravement atteint, guérira en quelques jours, sans infection. J.-L. Roux-Berger, chirurgien consultant d'armée relatera quelques semaines plus tard à l'Académie de Chirurgie, cette heureuse évolution. De nombreux chirurgiens ensuite prennent l'habitude de saupoudrer de sulfamides les plaies opératoires. La méthode que nous avions été, je crois, les premiers à proposer rendra de grands services pendant quelques années. La découverte des antibiotiques, de leur diversité, de leur efficacité, en limitera ensuite les indications.

De février à mai, notre vie est assez paisible. L'activité chirurgicale est modérée. Je marche dans les forêts qui entourent le couvent. Je lis dans ma cellule.

En mai, les armées allemandes envahissent la Belgique. Notre situation pendant un mois va être singulière. Nous nous trouvons à l'extrémité septentrionale de la ligne Maginot, protégés à l'est, vite tournés au nord et à l'ouest par les troupes hitlériennes qui pénètrent largement en France.

Le 7 juin, l'ambulance Hadfield Spears quitte Saint-Jean de Bassel. Nous ne mesurons pas l'ampleur du désastre. Nous croyons encore que sur quelque Marne, l'arrêt tant souhaité surviendra. Notre convoi bilingue s'en va d'abord cantonner dans l'Aube à Saint-Chéron, à Rosnay l'Hôpital. Cependant, avec deux camarades chirurgiens, volontaires comme moi, nous allons à Châlons-sur-Marne renforcer les équipes de l'hôpital débordées par l'afflux des blessés venant de la bataille de Rethel. L'hôpital situé près de la gare est soumis à des bombardements presque incessants.

Les blessés arrivent par dizaines, par centaines. Les chirurgiens opèrent vingt-quatre heures sur vingt-quatre. Mon rôle est rude. Je suis chargé du triage, c'est-à-dire de classer les blessés en trois groupes, ceux qui doivent être opérés immédiatement, ceux qui peuvent être évacués sans opération, ceux, trop gravement atteints pour lesquels on ne peut rien et qu'on va laisser mourir, les morituri. Je fais de mon mieux, m'efforçant de maintenir un certain ordre, entouré par le malheur. Celui-là chantait doucement. L'autre qui fut blessé au ventre, pleurait, priait soulagement. Après trois jours d'enfer, nous quittons Châlons et rejoignons le gros de l'ambulance qui le 12 juin se trouve à Amance. Amance patrie de Marcel Arland et si souvent évoqué par lui. Nous commençons, bien tard, à comprendre qu'il n'est point de remède, au moins immédiat, qu'il s'agit d'une lourde défaite. Mrs. Spears, elle, n'accepte pas la défaite, ne croit pas à la défaite. Elle court d'état-major en état-major, s'entretient avec les généraux qu'elle juge pessimistes, garde néanmoins son espérance. Le désordre est partout. Les malheureuses populations civiles, qui migrent dans tous les sens, encombrent les routes, les rues des villes. Nous sommes ainsi arrêtés dans Auxerre, pendant un violent bombardement par l'aviation italienne, mais le plus souvent, contrastant avec le désordre général, notre retraite est ordonnée. Nous prenons les toutes petites routes de campagne. Nous allons de château en château, de ferme en ferme. Tonnerre, Ancy-le-Franc et le château de Charmé, Courcelles, Torteron sont nos premières étapes. Je me rappelle mon accablement lorsque j'apprends que Torteron est dans le Cher, le Cher, centre de la France. Le Cher qui n'avait probablement pas connu d'invasion étrangère depuis Jacques Cœur. Mon accablement aussi lorsque le lendemain au Theil dans l'Allier, nous écoutons, en pleine campagne, le maréchal Pétain qui demande à l'Allemagne de lui faire connaître ses conditions d'armistice.

Cependant, notre retraite ordonnée et désespérée continue. Nous nous arrêtons à Bussières dans le Puy-de-Dôme, à la Tourette près d'Ussel en Corrèze, enfin à Noailles. C'est là, le 17 juin dans la nuit, que nos amies anglaises nous quittent. Elles s'embarqueront à Bordeaux et regagneront saines et sauves l'Angleterre. L'ambulance Spears reconstituée participera aux campagnes de Libye à la campagne de France. Je retrouverai certaines infirmières, certaines conductrices au début de 1945, lorsque nous combattrons les Allemands des poches de l'Atlantique.

Mais le 20 juin 1940, nous allons de Noailles à Brive où, logés à l'hôpital Dubois, nous attendrons tristement notre démobilisation. Pendant les nuits de Châlons, triant les blessés, désignant ceux qui allaient mourir, j'avais été très malheureux. Pendant la nuit de Noailles, je me suis trouvé hésitant, indécis. Partir ou rester? J'aurais très probablement pu partir avec nos infirmières, nos conductrices anglaises, rejoindre Londres. Je n'avais pas entendu l'appel du général de Gaulle, mais je sentais confusément que tout n'était peut-être pas perdu, que le combat pourrait continuer, hors de France, et en France. Si le hasard de la retraite m'avait fait passer par la Touraine, ou la Charente, si j'avais rencontré ma femme, si j'avais pu avoir un entretien avec elle, je serais peut-être parti, mais pendant la nuit de Noailles, j'ai songé à la vie très rude qui serait probablement celle des Français, qu'en partant, j'abandonnais femme et enfants, à cette vie rude. Je suis resté. J'ai connu d'autres combats.

* *
*

Résistance

Les histoires de résistance devraient, me semble-t-il, être écrites sous forme de triptyques. Sur la page du milieu la vérité, sur la page de gauche le récit fait aux Allemands après l'arrestation, sur la page de droite la description donnée aux amis après la Libération. Je vais essayer d'écrire sur la page du milieu.

Il est difficile aujourd'hui, après près d'un demi-siècle, de se représenter le déshonneur qui nous a accablés en juin 1940. La France était, en 1939, une des premières nations du monde. Elle avait conduit ses alliés à la victoire entre 1914 et 1918 et les souvenirs étaient tout proches. Nous tenions notre armée pour invincible. Lorsque après quelques semaines de campagne nous avons connu le désastre, nous avons été très malheureux. Ce sont des moments où la notion de patrie prend une valeur, une violence même, extrême.

Pendant cette période si étrange qui va du 1er septembre 1939 au début de l'offensive allemande, pendant la drôle de guerre, j'avais donc appartenu successivement à deux formations; d'abord à une ambulance chirurgicale lourde, cantonnée en Thiérache à Notre-Dame de Liesse, puis à partir de janvier 1940 à une ambulance franco-britannique, l'ambulance Hadfield Spears, que commandait mon vieil ami, Jean Gosset, et qui était déployée dans un couvent, près de la frontière sarroise à Saint-Jean de Bassel. Nous avons fait retraite de Saint-Jean de Bassel à Brive. A la fin du mois d'août 1940, nous regagnons donc Paris. Très vite s'impose à nous la nécessité d'une action. Nous comptions, ma femme et moi, de nombreuses et fortes amitiés en Angleterre. Nous aimions, nous admirions la culture, le courage des Anglais. Nous partagions l'espoir du général de Gaulle. C'est le temps où quelques aviateurs anglais sauvent le monde en tenant en échec la puissante flotte aérienne allemande.

Tels étaient nos sentiments lorsque à la fin de septembre, nous recevons la visite de René Parodi, magistrat, fils de Dominique Parodi, inspecteur général de l'enseignement secondaire, frère d'Alexandre Parodi. René Parodi avait été un des danseurs de ma femme avant son mariage. A cette époque lointaine, les jeunes filles ne sortaient pas seules. Deux ou trois jeunes gens de bonne famille, de mœurs irréprochables étaient agréés, venaient chercher les jeunes filles, les reconduisaient après le bal. C'était un progrès par rapport à la période précédente, celle des mères présentes, attendant patiemment pendant que les demoiselles dansaient.

René Parodi nous explique qu'il monte une première organisation de résistance et nous demande d'en faire partie. Nous acceptons aussitôt et commençons de travailler avec lui. Les objectifs étaient à la fois modestes et importants. D'une part recueillir des informations. D'autre part refuser la défaite inéluctable, lutter contre le sentiment qui se répandait que tout était définitivement perdu, qu'il fallait s'en accommoder; par des méthodes variées (tracts, etc.) susciter à nouveau l'espoir. Les moyens dont nous disposions étaient, eux, seulement modestes. Nous n'avions aucune expérience de la clandestinité, étions parfois fort imprudents. Peu à peu nous avons progressé, compris la nécessité des cloisonnements. René Parodi cependant avait contracté des liens avec le groupe du Musée de l'Homme qui devait jouer un rôle essentiel dans ces premiers temps de résistance. Notre activité près de René Parodi s'est poursuivie pendant quelques mois, les derniers mois de 1940, les premiers mois de 1941. René Parodi est alors arrêté et meurt en prison, très vraisemblablement assassiné par les Allemands. La police allemande, la Gestapo, était très cruelle, souvent très efficace, parfois très lente. Je n'ai commencé à être inquiété qu'à la fin de l'année 1941. Pendant quelques semaines je n'ai pas couché chez moi, ce qui suffisait, la police allemande procédant presque toujours aux arrestations à l'aurore. Le risque cependant restait grand. Il parut plus sage de s'éloigner, au moins pendant quelque temps, de tout couper. Au début de l'année 1942 je me réfugiai (au sens strict, je trouvai un refuge) dans la maison que mes beaux-parents possédaient à Nazelles, à quelques kilomètres d'Amboise. Nos enfants aînés (nous n'avions alors que deux enfants, le troisième est né à la Libération), âgés de 9 ans et 4 ans, y vivaient déjà, assurés de trouver à la campagne la nourriture indispensable qui commençait à manquer en ville. J'étais convalescent et je devais me reposer plusieurs mois. Cette version a été parfaitement acceptée par les enfants et par la vieille gouvernante qui les élevait, probablement aussi par les habitants du village.

J'ai donc vécu pendant six mois, de janvier à juillet 1942, entre les quatre murs d'une chambre, marchant chaque jour dans une petite cour à l'abri des regards. Le changement était rude de la vie active de Paris à cette vie recluse. Mais ces six mois de réclusion me permirent d'écrire deux livres, un roman et un traité d'hématologie. Le roman est encore inédit. Il sera probablement publié comme œuvre posthume.

Le *Traité d'Hématologie* a paru en 1948. Il n'existait pas à cette époque de traité d'hématologie de langue française. Grâce à l'obligeance d'amis parisiens, la documentation nécessaire me parvenait. Et lorsque tout le temps, tous les jours sont disponibles, la rédaction d'un tel ouvrage progresse assez vite. C'est ainsi que j'eus le plaisir, quelques années plus tard, d'étonner mon éminent confrère et ami, Jean Hamburger. En mai 1944, quelques mois avant la Libération, il vient me voir; il était clandestin; j'habitais à nouveau chez moi après diverses aventures. « Mon maître Pasteur Vallery-Radot et moi-même, me dit-il, avons conclu un accord avec les Éditions Flammarion pour publier, après la fin de la guerre, un grand traité de médecine. Un volume sera consacré à chaque discipline médicale. Accepterais-tu d'écrire le volume consacré aux maladies du sang, à l'hématologie? Et si, comme je l'espère, ta réponse est positive, dans quel délai, après combien d'années penses-tu pouvoir remettre le manuscrit?» Ma réponse fut courte : « Voici ce manuscrit. » C'était le texte écrit pendant ma captivité à Nazelles.

Pendant six mois j'ai donc écrit tous les jours, toute la journée. D'où un traité de 800 pages, un roman de 300 pages. Pareille disponibilité, pareille liberté ne se sont plus jamais retrouvées. Mais c'était la liberté d'un captif. D'un captif malheureux de ne pas participer au combat. Après six mois la police allemande ne devait plus beaucoup penser à moi. La Gestapo travaillait dans les deux zones mais, tout naturellement, était beaucoup plus active dans la zone occupée. Le combat clandestin pouvait être moins difficile, au moins initialement, et probablement plus efficace en zone non occupée.

La famille paternelle de ma femme vivait depuis plusieurs siècles à Aizecq, petit village de Charente terrienne, entre Ruffec et Confolens. Un aïeul, au début du XIXᵉ siècle, décida d'instruire bénévolement les enfants du pays. Il fut donc paysan-instituteur à Aizecq, son petit-fils fut professeur de rhétorique au lycée Charlemagne, son arrière-petit-fils, mon beau-père, appartint au Conseil d'État. L'aïeul paysan avait vers 1820 abandonné sa demeure dans les champs et construit une maison au bord de la route dans laquelle il installa sa classe bénévole. Cette modeste maison avait accueilli ma femme et mes enfants en juin 1940. Elle nous accueillit à nouveau en 1942. La ligne de démarcation qui séparait la zone occupée de la zone non occupée (personne n'osait parler de zone libre) coupait par le travers le département de la Charente. Aizecq en zone occupée était situé à quelques kilomètres de la ligne. Le passage de la ligne était nécessairement clandestin. Il serait plus facile près d'Aizecq, grâce aux solides amitiés paysannes qui nous entouraient.

A Aizecq (où je n'avais personnellement aucune attache directe) plusieurs familles s'appellent Bernard; un cultivateur ami, Abel Bernard, eut le courage de nous conduire, ma femme et moi, vers la ferme d'un de ses camarades située à quelques centaines de mètres de la ligne de démarcation. Nous partîmes tous trois un petit matin à bicyclette. Une patrouille allemande nous arrête alors que nous approchions de la ferme. Nous sommes des promeneurs sans bagages. Nos papiers paraissent satisfaisants. Nous passons. Tout l'après-midi je participe aux travaux agricoles avec le fermier et ses enfants. Les policiers allemands, redevenus méfiants, reviennent. Ils me voient, rangeant des bottes de foin. Ils repartent. Le fermier connaît les heures des patrouilles nocturnes. A 4 heures du matin, entre deux patrouilles, il me mène jusqu'à la ligne que je franchis aisément.

Le lendemain, je rejoins Marseille où vivait depuis un an une tante de ma femme, Madame Long, avec son fils François, prisonnier de guerre, évadé, et qui, de ce fait, ne pouvait rester en zone occupée. Madame Long et ma belle-mère étaient jumelles vraies. Longtemps elles étaient si pareilles qu'on ne pouvait les distinguer. Madame Long était médecin, avait été la première femme Chef de Clinique. Son mari était professeur à la faculté de Médecine de Genève. Mon beau-père avait longtemps été le principal collaborateur de Raymond Poincaré et son Secrétaire général à l'Élysée. Les deux dames jumelles pouvaient faire chacune les visites de l'autre. Personne ne s'en apercevait. L'enfant de l'une d'entre elles est dans la chambre de sa mère. Sa tante vient. « Encore maman » dit-il.

Les histoires de jumeaux sont innombrables. Je me limiterai à celle que me conta pendant mon internat à l'hôpital Claude Bernard, ma vieille surveillante. Trente ans auparavant, jeune infirmière dans le même hôpital, elle appelle un soir auprès d'un grand malade l'interne de garde. Cet interne de garde, Pierre Abrami, sera trente ans plus tard un des maîtres de la médecine. Il est déjà, à 25 ans, très estimé. Mais ce soir-là il n'a pas son assurance habituelle; bien plus il n'arrive pas à faire le prélèvement de sang nécessaire. Il renouvelle ses tentatives, s'escrime, échoue. Il avoue alors à l'infirmière stupéfaite qu'il n'est pas Pierre Abrami, mais son frère jumeau, que Pierre Abrami partant se promener lui avait demandé de le remplacer pendant sa garde, qu'il avait fait de son mieux, en vain. Ce jumeau était alors étudiant en droit. Il sera pendant la Première Guerre mondiale sous-secrétaire d'État dans le ministère de Georges Clemenceau.

Je suis donc en août 1942 généreusement accueilli par Madame Marie Long. Elle habitait tout près du vieux port, rue du Bailli de Suffren. Par son fils François je connais Robert. Par Robert, Carte et Frager. Pendant quelques mois en 1942, le réseau de Carte avait tissé en France méridionale une organisation de résistance très vigoureuse, bien armée, efficace. Carte qui, en temps de paix, s'appelait

André Girard et était décorateur de théâtre, pouvait être défini par trois traits : un ardent patriotisme, une profonde confiance dans le système qu'il avait imaginé, l'art de susciter la confiance des services secrets britanniques. Bien avant le temps de l'informatique, cet homme froid était un ordinateur vivant. Je revois notre première rencontre dans un petit café près de la gare de Marseille. Aussitôt il me met en fiche, notant de son écriture minuscule mes réponses. Il projetait de mettre ainsi en fiches toute la France, ou tout au moins toute la France résistante, ce qui limitait le travail. Il connaîtrait ainsi ceux qui parlent suédois, espagnol ou japonais, ceux qui possèdent une voiture à bras, quelques litres d'essence, une machine à écrire, une ferme abandonnée, une chambre en ville avec deux issues, les techniques permettant de fabriquer de faux tickets d'alimentation, de fausses cartes d'identité, de la fausse monnaie, des liens familiaux avec un ministre, un commissaire de police, un douanier. Tout à la fois il critiquait l'inexpérience, la légèreté des mouvements gaullistes, et il constituait un système de fiches singulières, riche d'informations, singulièrement dangereux malgré le code qui, en principe, le protégeait. Pourtant l'idée de cette France opprimée mais recensée, offrant ses forces, était émouvante. On pouvait avec Carte rêver à la mobilisation silencieuse de ces forces cachées. Le très vigoureux soutien qu'apportait à Carte la section française à Londres donnait du corps à cette espérance. Seul en France, à cette époque, il recevait régulièrement des armes, du matériel de sabotage, des appareils de radio-émissions. Des officiers anglais de qualité l'entouraient. Peter Churchill, dit Raoul, qui les commandait, Gervais qui, le jour, préparait une thèse sur Mallarmé à la Faculté de Lettres d'Aix, la nuit nous apprenait à manier les plastics et les mitraillettes. Le principal adjoint de Carte, Henri Frager, architecte en temps de paix, capitaine en temps de guerre, était à la fois généreux et efficace. Autour de Carte et de Frager, des hommes, des femmes très divers, comédiens comme Claude Dauphin, Germaine Sablon, écrivains comme Joseph Kessel qui se faisait appeler Pascal, Maurice Druon, quelques officiers rompant avec l'armée de Vichy, d'anciens militants d'extrême droite, des prêtres, un petit groupe de Francs-maçons.

Qu'il faisait froid dans ce fossé de Valréas! Le jour nous errons dans la campagne. Le soir nous vivons sous la terre, ou plus exactement dans les fossés qui bordent le champ choisi pour le parachutage. En cet automne 1942, les paysans, les fermiers du Vaucluse n'acceptaient pas, n'envisageaient même pas de nous accueillir. Il fallait vivre à la belle étoile, au clair de lune, tout le temps de la pleine lune, tout le temps de l'attente du message espéré. Ces messages rappelaient les meilleurs proverbes surréalistes. Le chat a neuf vies. Les éléphants sont contagieux. La vache saute par-dessus la haie. La voix lointaine les répétait comme l'instituteur les phrases de la dictée.

On rejoignait Valréas de deux façons, soit de Montélimar par un autobus très fatigué, soit d'Orange à bicyclette. Je préférais la bicyclette. Nous roulions vers le nord entre les vignes tout juste vendangées. Puis c'était les buis. Puis une sorte de maquis. L'odeur de la Provence nous entoure jusqu'à ces terres très douces, très paisibles où le Nord et le Midi se rencontrent, où l'on va quitter la dernière olive, la dernière amande cependant que persiste la lavande.

Nous pédalons cinq ou six. Mes compagnons les plus

110

fréquents sont Robert, François Spoerry. Robert est héroïque et imprudent. Il est toujours en retard au rendez-vous, retard dramatique quand la police ennemie vous guette. Il prend tous les risques. Il fait prendre aux autres de grands risques. Il organise et dirige de très dangereuses expéditions. Il sera tout à la fois responsable du développement du réseau, puis de sa perte lorsqu'il oublie, dans un taxi à Marseille, un carnet contenant un lot de fiches établies par Carte. François Spoerry, architecte et marin en temps de paix, vivant à Mulhouse ou à Aix, sans souci financier, pourrait mener une existence tranquille. Il ne l'accepte pas. Il n'accepte pas de rester immobile. Il est le pur volontaire. L'action atténue l'humiliation.

Le fossé, assez profond pour nous cacher, est en fait le lit d'un torrent. Un étroit miroir d'eau reflète la clarté lunaire. Nous attendons, nous avons froid, nous chuchotons. C'est le temps des projets. Les sociétés de l'avenir sont créées dans ce fossé. Nous discutons surtout les nouvelles formes de l'éducation et de la culture. Nous attendons. Nous attendons souvent. Une attente sur quatre ou cinq se terminait par un parachutage heureux. Et chaque attente durait cinq ou six nuits. Les étoiles montent dans le ciel venaissin. Il fait très froid mais très beau. L'avion va sûrement bientôt voler au-dessus de nous. Mais non. Le temps fuit. Le silence reste aussi dense. Nous commençons de désespérer. Soudain c'est le bonheur, le bruit du moteur. Les balises sont placées. L'avion tourne autour du champ, descend. Les parachutes sont largués, cinq grandes fleurs, tous pétales, tous sépales ouverts, qui tombent lentement. Nous prenons les colis. Nous cachons les parachutes. Nos ombres, sur le champ éclairé par la lune, sont si grandes qu'il semble que tous les gendarmes du département devraient les apercevoir. Une nuit un chien est venu, qui m'a effrayé. Mais il a léché nos chevilles et s'en est allé sans aboyer. Bien plus souvent c'est l'échec. Nous attendons. Rien ne vient. Nous attendons encore. Voici l'aube et la rosée humide, le froid encore plus vif. Qu'il fait froid en octobre, la nuit, dans un fossé de Provence.

Parfois nous avions la chance de faire le même travail sur le bord de la Méditerranée. La nuit de Cassis était violette quand nous sommes arrivés. Mais un peu plus tard la lune s'est levée et tout est devenu blanc. Nous ramions silencieusement entre les murailles de la calanque. A peine étions-nous en pleine mer, la felouque anglaise était là. C'était un vrai plaisir de serrer la main du capitaine.

Octobre 1942. La felouque est venue tous feux éteints de Gibraltar, évitant les sous-marins, les avions ennemis. Elle reçoit et elle donne. Embarquent le comédien Claude Dauphin demandé par les équipes qui émettent de Londres à destination des territoires occupés, un ingénieur polonais, spécialiste du radar, et son petit garçon de sept ans, un technicien de l'Intelligence Service, Julien, léger, peu travailleur, renvoyé en Grande-Bretagne. Débarquent quatre agents, un homme, trois femmes, plusieurs ballots, plusieurs caisses de matériel, appareils de radio-télégraphie, armes, bombes, explosifs. Déjà la felouque est repartie. Les caisses, les colis sautent de bras en bras jusqu'à la route là-haut où sont cachées nos bicyclettes et une camionnette. Nous marchons sur le sentier que borde la calanque, puis plus difficilement entre les rochers, enfin sur un autre chemin qui rejoint Cassis. La mer est immobile, les étoiles scintillent, les odeurs de pin, de mimosa viennent s'allier aux odeurs marines. L'une des femmes débarquées s'est agenouillée en descendant du canot pour toucher la terre de France. Elle est française, elle s'appelle officiellement Lise. Un courageux pêcheur de Cassis nous accueille. Nous nous assemblons dans sa chambre sur le port. Obscurité. Murmures. Chuchotements. Nous nous répartissons les tâches; puis nous repartons les uns vers Marseille, les autres vers Cannes.

En 1941 j'étais chef de clinique à l'hôpital des Enfants malades à Paris. En 1942 je conspire en Provence. La coupure est complète. Je me revois en septembre 1942, attendant Robert toujours en retard, devant une librairie de la Canebière. Je feuillette une revue médicale, juste parue. Je lis un mémoire que j'avais rédigé l'année précédente, décrivant une nouvelle maladie de l'enfance. Le mémoire est signé par deux de mes collègues. Mon nom n'est même pas cité en note. C'est un vol pur et simple. En d'autres temps j'aurais été furieux ou malheureux. En septembre 1942, je suis indifférent, vaguement amusé.

Un agent de liaison de Carte me remet un jour un mince et court ruban de papier sur lequel figurent ces seuls mots : « Albertine. Domaine de la Pèbre-Vinon. Elle a des terrains. » Le train de Haute-Provence me conduit, en dix heures, de Marseille à Vinon, lentement, avec de nombreux arrêts. Le domaine de la Pèbre n'est pas très loin. C'est une grande ferme horizontale. Personne ne connaît Albertine. Il y a bien, me dit-on, la dame qui habite au premier avec sa fille malade. Je tente ma chance. La salle de la ferme, au premier étage, est un grand rectangle. Peu meublé, pauvrement meublé, quelques tables de bois blanc, une commode, un grand lit. Dans un angle, un singe, un macaque, tantôt grignote, tantôt saute. Dans un autre angle, un perroquet jase à voix basse, crie plus fort, jase doucement à nouveau. Dans le troisième angle, une pauvre enfant d'une douzaine d'années, assise dans un fauteuil de paralytique, avec des tics, des gestes brusques de bras, de brusques déplacements de la tête, comme fait un oiseau aux aguets et des accès de rire, pleins de bonne volonté et pitoyables. Dans le dernier angle, Albertine est assise. Elle se lève quand j'entre. Elle n'a ni âge ni silhouette. 50 ans peut-être. Les cheveux sont gris. Grise sa figure. Grise aussi la robe ou plutôt le rideau qui l'enveloppe. Quand je lui tends la main, elle gratte ma paume de son index. Je saurai plus tard que c'est le signe d'une société secrète à laquelle elle appartient. Pour le moment je ne sais que faire. Je retire ma main. J'explique ma mission. Avec son perroquet, son singe et sa fille paralysée, Albertine est étrange. Elle est aussi efficace. Une heure plus tard, conduit par un berger qu'elle a appelé, je parcours les champs, les landes, les déserts de pierre entre Durance et Verdon. Je reviendrai quatre fois voir Albertine et ses bergers, tantôt seul, tantôt accompagné de Lise-Odette ou de François Spoerry. Deux terrains sont analysés, situés, décrits, acceptés, l'un, court, pour les opérations de parachutages, l'autre, très grand, pour atterrissage avec embarquement et débarquement de passagers.

Quelques semaines plus tard, la salle de ferme, la salle d'Albertine est pleine de monde. Il est près de minuit, la petite infirme, le singe, le perroquet devenu silencieux sont sur le lit. Albertine, toujours vêtue de son rideau gris, va de groupe en groupe, offrant quelque jus chaud. Outre le comité de réception se trouve réuni tout l'état-major de l'organisation Carte, Carte lui-même, Frager, Raoul, Lise-Odette, Robert et les voyageurs que l'avion attendu doit emporter vers Londres, deux ministres belges, le colonel Vautrin, chef du contre-espionnage français, qui se rallie et deux autres personnages couleur de muraille qui ne parlent pas.

Nous voici tous autour du grand terrain, les uns à leur place avec leur lampe de balise, les autres proches de l'endroit prévu pour l'embarquement. Il fait très froid. La lune est très belle. Voici l'avion britannique exactement à l'heure prévue. Il tourne autour du terrain, s'éloigne, revient. Il va se poser. Non, il s'éloigne à nouveau puis disparaît. Nous attendons encore. Il ne revient pas. Nous saurons plus tard que les indications concernant les deux terrains avaient été, par erreur, mêlées lors des transmissions. Le pilote n'a pas retrouvé ses coordonnées. Il a craint un piège. Il est reparti très vite. Et voici une dernière fois avant la dispersion, ministres, colonel, état-major, gelés, ensommeillés, livides, déçus dans la salle d'Albertine, entre l'enfant infirme, le perroquet, le singe.

J'apprends Marseille et les Marseillais. Je les retrouverai, en 1975, en lisant et relisant Pagnol dont je préparais l'éloge. Je me suis trouvé ainsi le 10 novembre 1942 à l'aube dans un de ces petits bars du Vieux Port qu'aimait Pagnol. Les flottes et les armées alliées avaient, quelques heures plus tôt, débarqué en Afrique du Nord. La guerre se transformait. La nouvelle peu à peu atteignait Marseille encore assoupie. Le percolateur ne chauffait plus qu'un amer jus de gland. Les coquillages avaient disparu, comme le vin blanc qui les accompagnait, remplacé par une limonade de synthèse. Dans le bar, les Marseillais avaient gardé la chemise à col ouvert et les espadrilles qui, dans Pagnol, les définissent. Les Parisiens et les Lyonnais, nombreux à Marseille à cette époque, ressemblaient à M. Brun. Je croyais vivre un acte supplémentaire de César. Le patron du bar et ses habitués étaient les enfants de Pagnol. Tantôt ils gémissaient sur les malheurs du temps, contaient quelque anecdote de marché noir; tantôt ils se taisaient, se laissaient pénétrer par l'événement, devenus circonspects, prudents.

Le surlendemain, un camion nous emporte vers les Pyrénées. Les Allemands ont envahi la zone libre. Le général de Lattre, qui commande la région de Montpellier, a décidé de résister et, s'adossant à la montagne, d'organiser une sorte de réduit libre. L'opération, au mieux permettra de tenir une tête de pont, au moins ralentira l'avance des troupes ennemies, troublera la traversée de l'Espagne par l'armée allemande que l'on redoute alors, et, en tout cas, sera très honorable.

Notre mission est de porter à Montlouis, en haute montagne, un poste permettant la diffusion à travers la France des allocutions, des discours que prononcera de Lattre.

Le camion, comme tous les camions de ce temps, roule au charbon de bois. Il est dit camion à gazogène. Il est aussi vieux et fatigué. Un double fond a été aménagé. L'appareil émetteur est placé dans la cachette. Outre le chauffeur, l'équipe comprend deux techniciens de radioélectricité, Martin et Philippe : le premier, vrai technicien, le second, hôtelier ayant quelques connaissances en électricité. Quand le jour se lève, nous sommes déjà assez avancés sur la route de Nîmes. Nous rencontrons les premiers Allemands. Deux divisions motorisées remontent vers le nord, pendant que nous descendons vers le sud.

Pendant plusieurs heures, pendant plusieurs siècles, notre camion roule seul sur un côté de la route. Sur l'autre côté se suivent les autos, les voitures de commandement, les chars. Aux croisements, les gendarmes allemands agitent leurs palettes et nous font passer. A tout moment va survenir l'inéluctable vérification. Notre double fond ne tiendra pas longtemps. Mais non, la route redevient libre. Nous respirons. Cette euphorie est courte. Voici à nouveau l'inquiétude. Nous approchons de Montpellier. Nous devrions rencontrer les troupes françaises, percevoir des signes d'opération. Rien. Les vignes de chaque côté de la route. Pas un soldat. Nous poursuivons notre chemin dans la paix. Nous voici maintenant dans la montagne avec d'autres soucis. Le charbon de bois n'est pas pour l'ascension un très bon combustible. A plusieurs reprises, après des manœuvres compliquées, le chauffeur doit escalader en marche arrière les pentes les plus raides. Enfin Montlouis dans un paysage de gave naissant, d'isard bondissant, de monde finissant. Notre correspondant local installe Martin. L'appareil est bientôt en place. Je pourrais parler à la France. Je ne cède pas à la tentation. Espérant toujours une résistance militaire nous laissons Martin et nous redescendons.

A Perpignan nous nous arrêtons. J'aborde un sergent. Un modeste café nous accueille et j'apprends le succès initial de la tentative, les troupes montant dans les wagons tout prêts, les ordres de de Lattre rigoureusement suivis, l'enthousiasme puis l'attente, puis les ordres des généraux de grades plus élevés, non moins rigoureusement suivis; les soldats descendent des wagons et revenant tristement dans les casernes, de Lattre et quelques élèves officiers partant dans la montagne nîmoise, leur arrestation enfin.

« Le bonheur est-il dans les gares? », se demandait Supervielle. Le bonheur n'est certainement pas dans la gare d'Arles en décembre 1942. Les quais, les salles sont occupés par les trois polices de l'époque, la Gestapo, les sbires de Vichy, les agents locaux. Le train qui vient de Marseille et qui nous transporte est plein d'Allemands. Il est aussi très en retard. J'ai mission d'accompagner Lise (de son vrai nom Odette Samson) que nous avons reçue, descendant de sa felouque quelques semaines auparavant. Lise doit rencontrer dans une maison d'Arles une importante personne. Un ami nous attend à la gare et nous conduira. Nous devions arriver à huit heures. Nous arrivons à neuf heures et demie, une demi-heure après le couvre-feu. Nous trouvons Pierre de Bénouville venu nous chercher. Il travaille avec Carte depuis plusieurs mois. Sa fonction habituelle est financière. Il va, chaque semaine, en acceptant des risques sérieux, prendre à Genève l'argent du réseau. Sa fonction, accidentelle ce soir, est de nous guider. Très vite nous comprenons la gravité de la situation. Il est interdit de marcher dans Arles après le couvre-feu. Il est périlleux de rester dans cette gare de police. Nos faux papiers sont certes irréprochables; mais combien de temps résisteraient-ils à une enquête sérieuse. Silencieux, inquiets, nous allons vers la porte de la gare. Un grand vent, le vent d'Arles balaie la cour. Dans un angle dort une voiture, une vieille victoria, dort le cheval, dort sur son siège le cocher du fiacre. Bénouville nous entraîne, réveille le cheval, réveille le cocher, fait descendre la capote de la victoria. Nous nous asseyons sur la banquette arrière. Lise-Odette est entre nous deux, serrée de près. Nos bras entourent ses épaules. Le cocher fouette sa rosse qui part au petit trot. Bénouville a sorti de sa musette deux bouteilles que nous feignons de boire. Nous chantons à tue-tête. Nous sommes des fêtards qui accompagnons une charmante jeune femme. Une lueur éclatante nous éclaire. Nous croisons plusieurs patrouilles allemandes. Chaque fois c'est le même sourire indulgent des policiers. Le trajet pourtant nous paraît long. Nous redoublons d'animation. Enfin nous arrivons. C'est une noble demeure. Le mot de passe est dit à travers la porte. Un homme vient nous ouvrir. Il est beau, grand, blond. Je reconnais le chirurgien Pierre Jourdan. Il avait été treize ans plus tôt mon conférencier d'internat. Il était célèbre par sa haute valeur chirurgicale, par la diversité de ses aventures sentimentales, par son goût de l'indépendance enfin qui l'avait conduit à abandonner Paris et à venir vivre à Arles. Il me reconnaît aussitôt mais ne dit rien. Quand au petit matin nous repartons Lise-Odette et moi, Jourdan nous reconduit. Près de la porte, sur une commode, de très belles roses dans un vase. Jourdan prend une rose et la donne à Odette.

Albert, jeune Marseillais de seize ans, la sœur d'Albert et moi marchons à Marseille sur le boulevard des Vagues. La jeune fille porte ma valise. Je porte une autre valise contenant le poste de radio-émission que nous déménageons après une alerte. Après quelques centaines de mètres, nous sentons que nous sommes suivis. Au tournant du boulevard, nous apercevons les deux hommes avec l'imperméable habituel des policiers de la Gestapo. Avec un parfait naturel, la jeune fille échange la valise qu'elle porte avec celle que je porte, celle de l'appareil. Albert et moi continuons. Les deux policiers, après un instant d'hésitation, préfèrent nous suivre. Ils se rapprochent, nous demandent nos papiers, font ouvrir les valises. Un pyjama, une brosse à dents, des pantoufles apparaissent. Ils nous laissent repartir.

« A quoi pensiez-vous sur les routes du Languedoc ou de Provence, ou pendant les interminables nuits d'attente dans les fossés de Provence? » m'a-t-on parfois demandé.

L'espérance souvent nous habitait et nous tracions entre nous les images heureuses et fraternelles des années qui suivraient la victoire.

Le doute, certains soirs, s'insinuait en nous. Pourquoi ces aviateurs ne viennent-ils pas? Chaleur des pubs et douces étreintes ont-elles retardé l'envol? Le doute se développait. Notre action est-elle vraiment utile? J'ai retrouvé ce même doute, très discrètement exprimé par Madame Spoerry quand j'allais lui rendre visite à Paris au début de 1944. Je sortais moi-même de prison, mais ses deux enfants, François et Anne, tous deux membres de notre organisation, avaient été arrêtés et déportés. Madame Spoerry supporte sa peine avec beaucoup de dignité et de courage, mais n'a pu s'empêcher de me demander : « Est-ce que vraiment tout cela a servi à quelque chose? » Et j'ai répondu et prodigué d'encourageantes paroles. Un peu plus tard, je songeais à cette question, aux réponses plus précises qu'elle appelle. Oui, la Résistance a servi. Nous avons donné nos vies, nos libertés, au minimum sacrifié une existence douillette. Mais cette vague acceptation de l'esclavage qui s'insinuait en certains a été rejetée. La France s'est retrouvée plus nue mais elle était elle-même. L'insécurité matérielle, les agressions contre les hommes et les véhicules, les sabotages ont beaucoup gêné les Allemands, les services de renseignement ont apporté aux Alliés de précieux secours. Mais serait-il même démontré que la gêne a été petite, que le secours a été mince, je tiendrais encore la Résistance pour justifiée. La chaleur qui nous gonflait tandis que nous accomplissions quelque travail dangereux ne restait pas en nous. Quelque secret que fût le travail, il y avait du rayonnement. D'autres étaient touchés qui à leur tour rayonnaient. Et une petite flamme a couru sous le sol, dans tout le pays, s'abaissant, s'élevant et plus jamais éteinte.

Nous pensions souvent aussi au courage dans notre fossé, aux diverses formes de courage. Tel camarade de l'Ambulance Chirurgicale Lourde, en septembre 1939, avait fait héroïquement la guerre entre 1914 et 1918. Il redoublait sa guerre. Il décrivait avec modestie son héroïsme comme la seule méthode capable de prévenir ce qu'il appelait sa lâcheté naturelle. Quand venait le moment de l'assaut, un furieux désir de fuite le prenait. Pour n'y point succomber, il sautait de la tranchée le premier, entraînant ses compagnons. Il faut un grand courage pour courir ainsi sous le feu, pour s'exposer à une mort possible ou probable, mais immédiate. Il faut aussi un grand courage pour accueillir les parachutages, pour naviguer vers les felouques venant de Gibraltar, pour rester en émettant devant le poste de radio-émission, pour transporter ces postes de cachette en cachette, pour assurer la transmission des renseignements d'émissaire en émissaire.

Certains malades affrontent avec courage une mort très

prochaine. D'autres plus rares savent affronter avec un courage qui doit se prolonger une mort différée, qui surviendra après six mois, après un an d'attente. De même le péril immédiat du soldat qui monte à l'assaut sous le feu, le péril différé que court le résistant sont de nature différente, engendrent des courages différents.

Et l'attente continuait. Et nous espérions toujours. Le jour se levait. Nous songions à la prochaine nuit.

Au moment de l'effondrement du réseau, j'ai ainsi été suivi pendant dix jours, suivi et non arrêté. Mais, partout où j'allais, la police perquisitionnait quelques heures plus tard. Ce rôle de virus transportant la contagion ne pouvait pas durer. Je réussis un soir à passer en gare de Marseille d'un train dans un autre. J'arrive à Aix ayant dépisté ceux qui me suivaient. Je reste deux jours caché dans l'admirable hôtel d'Espanet que possédait François Spoerry, l'hôtel aux cariatides du cours Mirabeau. Dans l'hôtel vivent la jeune sœur de François Spoerry et une vieille servante. Nous croquions des amandes en guise de nourriture. Le surlendemain je vais d'Aix à Marmande. Rencontré au buffet de la gare, un des cheminots membre de notre réseau me prend en charge. Il m'entraîne dans la gare toute noire en cette nuit de janvier, ouvre un grand wagon de marchandises vide, me montre le compartiment pour chien dans un coin du wagon. Je me recroqueville assez pareil à ces captifs du roi Louis XI, qui ne pouvaient ni s'asseoir, ni se tenir debout, ni se coucher. Mon wagon, toutes portes ouvertes et vide, est accroché au train. Quelques kilomètres plus loin c'est la ligne de démarcation, le contrôle des polices allemandes. Le policier éclaire de sa lampe le wagon dont la vacuité le rassure et n'insiste pas. Le train repart. Au premier arrêt, le cheminot vient me délivrer. Je me déplie. Je reçois un billet. Je monte dans un compartiment pour hommes. Je suis rejoint par trois officiers allemands. J'avais, depuis quelques mois, appris à me maîtriser. Mais l'émotion est rude. Pour la dissimuler, je sors un journal et commence à le lire jusqu'au moment où je m'aperçois que je lis un journal de la zone ex-libre qui ne pénètre pas en zone Nord. Je replie prudemment mon journal. Les trois officiers parlent entre eux et n'ont rien remarqué, ni ma personne, ni mon journal, ni mon trouble.

Paradoxalement, en février 1943, alors qu'à Marseille, à Aix, à Toulon, de nombreuses arrestations déchiraient l'organisation Carte, Paris devenait pour moi plus sûr que la Provence. Mais de nouveau il fallait disparaître, se faire oublier quelque temps. J'étais à la fois en danger et dangereux. Il est difficile d'assurer formellement qu'on n'a pas été suivi. Henriette et Geneviève Noufflard ont le courage et la générosité de m'offrir un refuge provisoire rue de Varenne. Henriette prépare et passe l'oral de l'internat des hôpitaux. Geneviève poursuit ses études de musique. L'une et l'autre conspirent. Probablement. C'est le temps du malheur, de l'héroïsme et du secret. L'ancien et le futur Jacques Monod, le futur colonel Fabien ne sont pas loin.

Souvent je suis seul. Je quitte ma chambre. Je vais à travers le grand salon aux volets mi-clos. André Noufflard, frère de Madame Élie Halévy, et sa femme Berthe Noufflard, les parents d'Henriette et Geneviève, vivent dans le sud-ouest de la France. Absents, ils sont présents. Par les meubles qu'ils ont choisis, par les tableaux de leurs amis, Jacques-Émile Blanche, Henri Rivière, Lucien Simon, plus

encore par cet équilibre des formes et des courbes d'où
naissent la beauté et la paix. Le livre posé sur une table,
l'écharpe oubliée sur un fauteuil, ont été aux seules
places qui convenaient. Certaines femmes, certains hommes possèdent, en eux, ce pouvoir sans doute inné, de
donner la beauté et la paix. Quand ils sont de surcroît
créateurs, de constants échanges se font entre la création
d'une part, le don de beauté et de paix, d'autre part.
Tels étaient Berthe et André Noufflard, tous deux peintres
de haut rang.

L'époque était rude. A Stalingrad, à El Alamein, le
destin du monde se décidait. Nous ne sortions pas des
années noires. Pourtant le salon de Berthe et André Noufflard, le canapé anglais à fleurs, le miroir, me donnaient
pour la première fois depuis longtemps le calme et même
une sorte de bonheur.

Entre les volets mi-clos j'apercevais le jardin un peu
triste avec ses grands arbres nus en ce mois de février. Un
matin très tôt, un homme pénètre dans le jardin. Je reconnais le concierge de l'immeuble. Protégé par les hautes
murailles et par l'obscurité, il creuse. La terre du jardin
est rejetée à sa droite et à sa gauche. Des armes apparaissent,
fusils, mitrailleuses, revolvers, grenades. L'homme referme
la fosse, la couvre de feuilles mortes et, tout ahanant,
emporte les armes. Ainsi avec les fusils et les mitrailleuses
surgit à nouveau le présent. Et la nécessité de trouver un
autre refuge.

Le couvent du Saulchoir, à Étiolles, près de Paris est,
en quelque sorte, l'université des Dominicains. Le Père
Avril, Provincial des Dominicains, m'accueille, m'offre un

asile, me donne une cellule et, pour justifier ma présence, me nomme bibliothécaire adjoint. Bibliothécaire adjoint d'une très belle bibliothèque qui va des incunables du haut Moyen Age à Claudel et à Cocteau. Je mène la vie des moines, j'écoute leurs chants, je participe à leurs repas silencieux (parfois un jeune frère vient se jeter aux pieds du Père Provincial, c'est la venia, il a commis une faute mineure, par exemple un court bavardage, et sollicite un pardon aussitôt accordé). Je retourne dans ma cellule aussitôt après le repas pour éviter les conversations, limiter les indiscrétions. Ma cellule est nue, assez grande. Je lis, je revois les souvenirs d'un passé récent. Assez naïvement je fais des projets.

Souvent le Père Avril vient me voir. Il aime entendre les récits de résistance. D'abord réticent, je me sens vite en pleine confiance. Les échanges se font bientôt plus vigoureux. Il est entré à l'École normale supérieure peu avant le début de la Première Guerre, a été longtemps captif, a senti en captivité s'éveiller sa vocation, est entré dans les ordres. Sa foi est profonde et discrète en même temps. Il croit et il est tolérant, rigoureux sur les principes, indulgent pour les détails. Sa culture sacrée et profane est forte et discrète aussi. Nous lisons les mêmes livres. De longs entretiens nous rapprochent. Une vraie amitié naît entre nous qui ne cessera de se fortifier au long des années. En 1951, gravement malade alors qu'il prêchait à Encalcat, il souhaite ma présence. Il guérit et notre amitié est renforcée encore par cette nouvelle épreuve.

Point de rigidité dans l'ordinaire de la vie. Une appréciation perspicace des hommes, des choses, des événements. Souvent une ironie vive et bienveillante. Ainsi au printemps de 1955, longtemps après les années tragiques, il dîne avec nous rue d'Assas. Puis nous passons sur le balcon. Devant nous, dans le jardin, la statue de Sainte-Beuve. « Hier je traversais le Luxembourg, dit le Père Avril. Devant moi une dame vêtue de noir. Elle s'approche de la statue, lit l'inscription Sainte-Beuve et se signe. »

Après quelques semaines de retraite monacale, je m'aperçois que je ne suis pas le seul pensionnaire spécial du couvent. Plusieurs aviateurs anglais, tombés en France, ont été eux aussi recueillis au Saulchoir.

L'asile était donc probablement moins sûr. Et un long intervalle me séparait des drames de Marseille. Je quittais Étiolles. Je repris à Paris mon métier de médecin.

L'organisation Carte, accablée par les arrestations, déchirée par des dissensions internes, était moribonde et devait bientôt cesser toute activité. L'un de ses chefs, Henri Frager, est arrêté par la police allemande au métro Duroc à Paris et ne reviendra plus.

Longtemps fragmentaire, diverse, la résistance peu à peu se structurait. Mais le hasard des rencontres, des amitiés orientait souvent nos activités. Comme des naufragés qui cherchent un câble, nous tendions la main. Parfois nous rencontrions une corde. Cette corde en mars 1943 me fut tendue par Georges Tournon. Il avait d'abord mené la vie d'un dilettante savant, passant à la Sorbonne de nombreux certificats aussi bien en Lettres qu'en Sciences. A la mort de son père, il avait pris la direction de l'imprimerie familiale. En 1942 il était entré dans un réseau de renseignements en liaison étroite avec Londres, qui portait le joli nom de Jade Fitz Roy. Un an plus tard, sortant du couvent, j'appartins aussi au réseau Jade Fitz Roy. En 1940, 1941, 1942, nous avions été courageux, téméraires, imprudents. Peu à peu nous avions appris les règles d'un métier périlleux, difficile, souvent efficace. Georges Tournon, que j'assistais de mon mieux, coordonnait, vérifiait, recoupait les informations militaires apportées par les agents du réseau, puis les transmettait à Londres grâce à des postes de radio-émission dont il fallait sans cesse changer le lieu d'implantation.

Tantôt je travaillais près de Georges Tournon, tantôt j'exerçais la médecine. Le matin j'allais à l'hôpital, d'abord à Ivry où j'eus pendant quelques semaines la responsabilité d'un service d'enfants rougeoleux, puis à Broussais près de Paul Chevallier. L'après-midi je recevais des malades ou je roulais à bicyclette à travers Paris, allant par exemple d'Ivry à Neuilly sans trop songer aux kilomètres, apprenant les vallonnements de Paris et combien est rude, lorsqu'on est fatigué, l'ascension de l'avenue Marceau.

*
* *

La prison

J'ai été arrêté rue d'Assas un beau jour de printemps. J'aurais probablement pu fuir, mais la crainte des conséquences pour les miens de ma fuite, l'espoir insensé d'être seulement questionné et, par-dessus tout, l'extrême lassitude de l'homme poursuivi, tous ces sentiments m'ont retenu. Je reconduis le vieillard que je venais d'examiner. J'ouvre la porte du salon. Les deux Allemands entrent dans mon bureau. L'un dans la tenue militaire de la Gestapo, massif, colossal, un Wotan, l'autre civil, du genre cauteleux. Wotan se met devant ma table et crie très fort. Le cauteleux traduit et m'informe que je suis arrêté. Là encore je n'éprouve, je ne montre aucune émotion. Peut-être en va-t-il des risques comme des joies. Trop attendues, les secondes ne réjouissent plus. Trop longtemps redoutés, les premiers ne troublent plus. Puis vient le temps de la courtoisie. Le fait que j'assure un service hospitalier les ennuie. Ils insistent pour que je prenne tout le temps nécessaire pour prévenir. Je reçois des conseils pendant que j'emplis ma valise. La perquisition est fort heureusement assez sommaire et limitée à l'appartement. Dans la cave se trouvait tout un jeu de fausses cartes d'identité en cours de fabrication avec les photographies des personnes concernées. Je parviens dans un couloir à demander à notre jeune femme de chambre, Madeleine, d'aller les détruire aussitôt après mon départ, ce qu'elle fera. Après la Libération nous apprendrons que Madeleine était, en 1943, la maîtresse d'un officier allemand. Son patriotisme l'a emporté sur le désir (qui aurait

128

pu être fort) de se faire valoir auprès de son amant en lui remettant des documents importants.

L'un des policiers porte ma valise quand nous descendons et passons devant mon vieux concierge terrifié. L'interrogatoire d'identité rue des Saussaies est fort bref et poli. La Citroën noire de la police allemande m'emporte ensuite vers Fresnes. A l'avant le chauffeur et un garde, revolver à la main. A l'arrière à côté de moi un pauvre homme au visage tuméfié, aux mains enchaînées. Nous croisons les Champs-Élysées. Les jets d'eau du Rond-Point s'élèvent en colonnes irisées. Mon voisin qui souffre gémit doucement. Voici l'Esplanade des Invalides, la ligne pure du bâtiment, les vieilles caronades. Mon voisin geint un peu plus fort puis s'apaise. Nous passons la Porte d'Orléans si souvent traversée jadis lorsque je partais en vacances. A Fresnes la valise si attentivement remplie avec les conseils du policier, est immédiatement enlevée comme le sont aussi montre, argent, stylo, cravate, ceinture. Je suis comme nu dans les vêtements qui flottent.

J'ai passé ma première nuit dans une cellule du rez-de-chaussée avant d'être jeté dans une cellule du troisième étage, la cellule 359. « Y a-t-il de nouveaux arrivants dans les cellules du rez-de-chaussée? » L'appel, né au deuxième étage, ricoche contre les murs, s'élargit d'un écho et vient s'amortir sur le sol. La torpeur d'un beau dimanche emplit la cour de la prison. Un vent léger parfois la trouble apportant du stade proche de la Croix de Berny des flonflons dansants et nostalgiques. La cour s'allonge entre deux bâtiments gris, chacun percé de cinq cents fenêtres, cent par étage. Derrière ces fenêtres sont les captifs. Les fenêtres sont fermées. Une grille de douze barreaux est devant chaque fenêtre. Les vitres sont dépolies. Parmi les captifs, les uns se contentent de la chiche aération d'une lucarne; les autres brisent leurs carreaux ou y découpent adroitement une ouverture. Ils parviennent ainsi à communiquer avec leurs voisins. Certains d'entre eux se spécialisent dans la collecte des informations, c'est-à-dire dans l'interrogatoire des nouveaux venus arrêtés le jour même ou la veille, hommes qui, hier encore, marchaient dans la rue, parlaient à leurs amis, tournaient le bouton de leur radio. Les cellules du rez-de-chaussée sont réservées à ces entrants qui le lendemain seront répartis entre les étages.

L'un gît sur le sol. Deux se suivant marchent de mur en mur. Et le quatrième, le front penché contre la vitre, s'efforce en vain de deviner le monde, un pauvre monde de cours grillées et de murailles grises dont le verre dépoli lui dérobe l'apparence même. Un commandant belge, un vieil horloger luxembourgeois, un égoutier un peu voleur, un mécanicien-dentiste, un danseur d'opéra ont tour à tour été mes compagnons.

Pendant les premiers jours, leur cou porte encore la trace de la cravate arrachée. Les vêtements, non encore habitués à la privation de tout lien, souffrent de n'être pas soutenus. Les captifs ont encore sur le visage la fraîcheur que donnent l'air et le vent quand on les respire librement. Quelques semaines plus tard, ils sont tous pareils, maigres et gris. Leur thorax, comme celui de certains invertébrés, semble formé de pièces superposées que l'on pourrait démonter.

A chacun sa nostalgie. Le commandant belge regrette les fêtes des villages wallons, les bacchanales, l'égoutier voleur ses amours banlieusardes dans les fossés des vieilles fortifications, le danseur ses entrechats. Il tente de s'entraîner dans notre espace réduit et jette son talon jusqu'à son oreille. Le mécanicien-dentiste est un paranoïaque cyclique. La paranoïa n'est pas facilement supportée en cellule. Nous ne cherchons qu'à lui nuire, à troubler son repos, à nous moquer de lui. Puis il s'apaise, puis la plainte reprend. L'horloger luxembourgeois est accablé, inerte, comme idiot. Je lui apprends les signes du ramollissement cérébral. Les leçons sont longues, répétées plusieurs fois par jour pendant deux mois. Il est devenu capable de tout simuler. La netteté de sa description, alliée à l'innocence évidente de sa sottise, trompent les médecins geôliers. Il sera libéré.

Le soleil descendant occupe les trois quarts de la pièce. Le bâtiment s'allonge du nord au sud. La moitié des cellules ont leurs fenêtres donnant sur l'ouest et les après-midi d'été y sont cruels. Aucun volet, aucun store ne protège les captifs. Ils se résignent et, tapis dans le coin le moins ensoleillé, ils se laissent lentement pénétrer par la chaleur irrésistible. Comme toutes les cellules, ma cellule, notre cellule (nous sommes quatre ou cinq) est longue de quatre mètres entre la fenêtre grillée et la porte de chêne où s'ouvre l'œil du guichet, large de deux mètres entre deux murs bien misérables.

Ces murs ne sont pas uniformes. Le gris, le jaune, le blanc sale du plâtre usé composent une mosaïque sordide. Les zones blanches qui sont les plus friables sont crevassées de trous, de cachettes parfois profondes où se dissimulent les trésors défendus, une mine de plomb, un clou, un brin de fil, deux feuilles de papier à cigarette. Quelques inscriptions rayent la paroi, noms de captifs avec les dates de leurs entrées, de leurs sorties, noms de leurs chéries, calendriers gravés sur le plâtre où sont soulignés les jours mémorables ou monotones, jour de l'interrogatoire, jour des colis. Au-dessus du lit de fer, un grand corps de femme est dessiné, traversé par cette phrase « Petit Fante te dit adieu pour la vie ». J'ai souvent pensé à Petit Fante, mon prédécesseur, à ses amours, à sa mort.

La nuit, tantôt je me gratte, je lutte contre les puces, les poux, les punaises, les sarcoptes, tantôt je dois dompter les noirs chevaux qui, vers minuit, m'écartèlent, tantôt je connais des moments de grâce. La lucidité au rêve vient s'allier. Je suis encore enfermé. Cependant je vogue déjà vers d'autres pays. Le réveil est toujours dur. Je fais chaque matin la cruelle connaissance de moi-même, du décor sordide, des murs squameux, du camarade faisant, au même moment, la même tragique découverte, du wagonnet portant nourriture qui accomplit le premier de ses cercles infernaux et vient dissiper le rêve où se lovait la paix.

« Un pur esprit s'accroît sous l'écorce des pierres », dit l'un. « Où est-on plus libre que sous l'écorce d'un chêne ? » dit l'autre. Croissance et liberté relatives. La prison n'est pas seulement prison, mais aussi menace de mort avec les appels du petit matin, misère avec les parasites. Elle est aussi disponibilité, d'où les poèmes.

Il est deux sortes de prisons, celles où il est possible d'écrire, celles où l'on est sans crayon et sans plume. Fresnes appartenait à la deuxième classe. Parfois un clou extrait du plancher permettait de graver quelques vers sur le mur. Plus souvent les vers restaient dans la mémoire, perdus si tu meurs, écrits lors de la libération au cas de survivance.

J'ai ainsi composé des poèmes à Fresnes. Composés, non écrits, appris par cœur aussitôt composés, poèmes de la vie de la prison, poèmes des jours heureux du passé. Aucun livre ne pénètre dans la cellule. Pendant plusieurs mois je n'ai rien lu. Mais souvent les vers des grands poètes chantaient dans ma tête et m'apportaient un bonheur temporaire. Parfois, poète mineur, je formais moi-même mes strophes qui, à leur tour, chantaient.

J'ai passé à Fresnes le printemps, l'été, une partie de l'automne de 1943. Deux seules sorties d'une demi-heure pendant tous ces mois pour aller marcher dans une courette grillée. Sur le sol de la courette, de mauvaises herbes. Au milieu des herbes, pendant la seconde sortie, j'ai aperçu un fraisier sauvage, une fraise qui m'a donné une courte joie. Point de relations vraies avec les compagnons de cellule. Chacun songeait à ses difficultés personnelles. Chaque compagnon pouvait être un traître, un mouton placé là par la police allemande. Il n'était point de confidences, ni d'échanges.

Voici le soir. La chaleur est aussi lourde. La musique du stade a cessé. Les spectateurs, hommes libres, ont retrouvé leurs chambres et leurs salles. Une sentinelle passe au pied du mur sur le chemin de ronde. On entend son pas et l'aboiement du chien qui l'accompagne. Puis les pas s'éloignent et d'une cellule du premier étage renaît la requête patiente : « Y a-t-il de nouveaux arrivants dans les cellules du rez-de-chaussée? »

Les premiers jours, les premières semaines sont rudes. Je pense à l'inquiétude de ma femme qui était en Touraine près des enfants lors de mon arrestation, qui a tout appris indirectement, qui connaît mes aventures, qui perçoit bien les dangers courus. Je pense à tout ce que je sais, à tous les secrets qui m'ont été confiés. Je me demande avec angoisse quelles seront les limites de ma résistance aux interrogatoires, aux pièges, aux tortures.

Je décide de mettre de côté tout ce qui a concerné mon activité clandestine, de ne plus l'évoquer, de ne plus y penser. Ainsi, si le premier grave souci, celui qui concerne l'inquiétude des miens va persister tout au long de ma captivité, le second tout doucement s'apaise. S'apaise d'autant plus que je reste dans ma cellule, comme oublié, sans jamais être interrogé. Déjà après un mois, je suis rassuré. Les informations que je pourrais donner n'auraient guère d'importance après ce délai. Ainsi se passent cent jours, trois mois et dix jours. Pendant la nuit du centième jour, je m'éveille, j'étais couché presque à même le sol sur une mauvaise paillasse, le seul lit étant réservé au commandant belge, notre aîné. Avec cette lucidité que donne parfois l'insomnie, je construis ma défense, c'est-à-dire une relation acceptable de mes déplacements de 1942. Cette construction me donne une tranquillité, une paix qui vont durer jusqu'au matin. Ce même matin, à sept heures, le sergent ouvre le guichet et hurle : « Bernard, tribunal », ce qui voulait dire que j'étais appelé pour interrogatoire.

Un peu plus tard, nous nous trouvons, dix ou douze captifs, les uns enchaînés, les autres (comme moi) avec les mains libres, debout dans la cour de la prison. Je reconnais M. de Montalembert dont j'avais, avant la guerre, soigné les enfants. Fourgon cellulaire, obscurité. J'essaie sans succès de deviner le trajet. Nous descendons avenue Foch entre deux rangées d'hommes armés. On me pousse, seul, dans une chambre nue. Un lambeau de journal, oublié sur le sol, m'apprend de nombreux événements que j'ignorais. Après trois heures d'attente je comparais devant mes juges, trois officiers de la Gestapo, dont l'un est interprète. « Quels ont été vos déplacements en 1942? » Je cite quelques villes parmi lesquelles délibérément Marseille. « Qu'alliez-vous faire à Marseille? » J'explique que pour mes travaux scientifiques je devais consulter des revues internationales n'arrivant pas en zone occupée. « Qui avez-vous rencontré à Marseille? » Je cite plusieurs noms dont celui de Robert (que je savais hors de danger). « Robert, mais c'est un dangereux terroriste. Quelles étaient vos relations avec lui? » et sans attendre ma réponse, il sort une ordonnance écrite sur papier portant mon nom.

Un grand mouvement de soulagement, de joie intérieure (que je réprime) me parcourt. Je comprends que je ne suis pas emprisonné pour un crime majeur, mon appartenance à un réseau de résistance active, mais pour un délit tout à fait mineur.

Pendant les tout premiers jours qui suivent mon arrivée à Marseille, en août 1942, avant même d'entrer dans l'organisation Carte, j'avais été appelé à soigner l'enfant de Robert, petit garçon de trois ans. J'avais rédigé une ordonnance que Robert, toujours insouciant, avait laissée traîner chez lui et qu'au cours d'une perquisition la police allemande avait recueillie.

L'interrogatoire, fort pénible avec menaces et coups, se prolonge plusieurs heures. D'autres interrogatoires se succèdent les semaines suivantes. Mais le plan de défense préparé pendant la nuit du centième jour, la révélation spontanée de mon voyage à Marseille, de mes relations avec Robert étaient de fortes présomptions d'innocence. Certes, je dus subir maints assauts, déjouer divers pièges. Je n'étais pas un vrai terroriste, mais j'avais aidé les terroristes, j'avais probablement été le médecin de l'organisation. Mais cette accusation mineure n'était pas formulée avec une grande conviction. Après tout, les deux longs délais, le temps écoulé entre les événements de Marseille en 1942 et mon arrestation en 1943, le temps écoulé entre mon arrestation et le premier interrogatoire, ces longs délais montraient qu'au pis j'étais considéré comme un coupable de deuxième rang.

Bientôt, au cours des interrogatoires successifs, je compris que j'étais considéré comme un pauvre médecin innocent, victime du zèle excessif de certains policiers locaux. Quelques semaines plus tard je fus libéré. Doublement heureux. Bénéficiaire d'abord d'une erreur judiciaire, favorisé aussi par le fait que les innocents (ou supposés tels) étaient encore libérés en 1943. Dès le début de 1944 tout prisonnier de Fresnes, coupable ou innocent, était déporté en Allemagne.

Le jour de ma sortie, les geôliers allemands me rendent ma valise, ma montre, mon portefeuille, ma cravate, ma ceinture.

*
* *

Paris 1944

Je sors donc de prison, je retrouve la liberté à la fin de l'année 1943. Neuf captifs, les uns durablement, les autres épisodiquement, avaient été mes compagnons de cellule. Un seul a survécu. Les huit autres sont morts, exécutés ou déportés.

Je reprends ma double vie, de médecin et de conspirateur. Je retrouve ma bicyclette. J'erre à travers la ville prise. La roue emporte mon souci. Georges Tournon et moi parvenons à établir une liaison entre d'héroïques cheminots et les agents du réseau Jade Fitz Roy. Le cheminot rencontre Francine rue Saint-Denis et lui remet la page d'information. Francine place la page contre son cœur puis pédale à travers Paris. Sa jupe est une corolle claire au-dessus de la selle de la bicyclette. Rue du Four, au deuxième étage, Francine donne sa page à Alice. Alice et sa sœur, qui vit avec elle, ne sont plus très jeunes. Elles appartiennent au monde paisible, insoupçonnable des secrétaires bibliothécaires de l'Institut de France. L'appartement est désuet, poussiéreux, assoupi. Francine part très vite. Quelques minutes plus tard arrive la Vieille Noblesse Bretonne. Ce nom de guerre convient très bien à un avocat de 50 ans, à la fois très courageux, très amoureux des traditions. Son éducation a été bonne, si bonne qu'il tient pour incorrecte la brièveté de sa visite. Mais faisant passer en un sourire charmant toute la courtoisie d'un long entretien, il s'en va aussitôt et me porte la précieuse page d'information. Il me quitte. Georges Tournon vient, prend la page et la remet un quart d'heure plus tard aux radioémetteurs de notre réseau.

Après quelques difficultés initiales, le système, en dépit (ou à cause) de son hétérogénéité, fonctionne efficacement et rapidement. Il arrivera, pendant la bataille de Normandie, que des trains allemands venus du Sud-Ouest, soient successivement signalés par notre filière, manqués par la Royal Air Force, resignalés par la filière, attaqués et détruits par la même Royal Air Force quelques heures plus tard.

Des informations cohérentes, venant de sources variées, ont fait connaître un des plans que les Allemands envisagent d'appliquer au moment du débarquement : arrestation de tous les hommes en âge de combattre, déportation dans des camps éloignés des zones de guerre. D'où la nécessité d'une cachette où nous pourrions vivre le temps qui séparera le moment de l'arrestation décidée de la libération.

Dans la cave de l'imprimerie que dirige Georges Tournon, rue Delambre, sont entreposées de hautes piles de papier. A l'intérieur d'une de ces montagnes de papier, une chambre a été aménagée pour loger Georges, André, codirecteur de l'imprimerie, et moi. Avec les réserves alimentaires nécessaires.

Sous la cave de l'imprimerie se trouvent les catacombes comme sous de nombreuses maisons du VIe et du XIVe arrondissement.

En cas de menace aggravée, un deuxième refuge, plus secret encore, pourrait être préparé dans les catacombes aptes, en 1944, comme deux mille ans plus tôt, à accueillir les clandestins.

Ce qui frappe le plus, c'est la persistance d'un certain ordre. C'est aussi l'indifférence de tous ou presque tous. Après le bombardement de Juvisy, on voyait, sur un côté de la route, les équipes de sauveteurs retirer les blessés, les cadavres, les membres mutilés; sur la route elle-même, passer les tandems dominicaux; sur la Seine voisine, ramer en chantant les couples navigateurs du dimanche.

Un après-midi de ce printemps 1944, je reçois rue d'Assas la visite d'Alexandre Parodi, principal responsable de la direction des organisations de résistance. Il s'était inscrit sous un nom d'emprunt. Je l'examine. Je lui donne les conseils médicaux nécessaires. En se rhabillant, il me dit : « Je suis Alexandre Parodi. » Je l'avais reconnu depuis son arrivée. A ce moment, sirènes d'alerte. Il n'est pas question pour lui de sortir. Je lui propose de s'installer dans mon bureau et d'y travailler s'il le souhaite. Je travaille de mon côté. Il est assis en face de moi, ouvre de gros dossiers. Involontairement, j'aperçois le contenu de ces dossiers.

En clair, avec un ordre parfait et la rigueur administrative du haut fonctionnaire qu'il est, il a dressé la liste des futurs commissaires de la République, futurs préfets et sous-préfets. C'est bien sa tâche de préparer cette liste. Mais ce bon ordre, cette rigueur administrative me terrifient. Les codes, les bons codes sont utiles.

Fin de l'alerte. Alexandre Parodi rassemble, dans une épaisse serviette, commissaires, préfets et sous-préfets et s'en va. Il ne sera pas arrêté. Cette liste ne tombera pas entre les mains des services allemands.

Les alertes sont fréquentes. Le courant électrique est rendu pendant les alertes. D'où ce mot d'une domestique à sa maîtresse après une alerte accompagnée d'un sérieux fracas : « Oh Madame, que je suis sotte, je n'ai pas pensé à profiter du bombardement pour repasser. »

Le Sénat est un des hauts lieux de la direction de

l'aviation allemande. Goering y réside souvent. De Londres, il nous est demandé de reconnaître les emplacements des batteries anti-aériennes. Je monte sur mon toit. Je vois les batteries allemandes rue Auguste Comte, rue Madame, rue Guynemer. Je transmets les informations souhaitées et notre maison étant toute proche du Sénat, nous renvoyons nos enfants loin de Paris. Le bombardement du Sénat finalement n'aura pas lieu.

Le 6 juin, nous apprenons le débarquement. Mille quatre cent quarante-quatre jours d'attente. La joie ne vient que lentement. Nous avons un peu trop attendu.

François Aman-Jean me demande de venir faire une conférence sur Proust à Château-Thierry. La proposition est étrange en cette période troublée. J'accepte néanmoins.

Le voyage fut difficile. Je monte près de la gare de l'Est dans un camion autobus. Sur le trajet, des avions nous survolent. A quatre reprises, nous nous jetons dans le fossé qui borde la route. A Château-Thierry, je tombe dans un autre univers. Sans doute la ville est-elle parfois bombardée. Mais la guerre est lointaine. Les hommes n'y sont pas plongés comme nous.

J'ai vécu une soirée de féerie, entouré de chants d'enfants et de poésie. Cent vingt auditeurs dans la belle bibliothèque de François. Public sérieux et de bonne volonté. La lecture, faite par François, de pages soigneusement choisies émeut l'auditoire plus que je ne l'aurais cru. Charlotte Aman-Jean, à la fin, joue la « petite phrase » et l'enchantement du Vendredi Saint.

Bien souvent sollicité, j'ai été, jusqu'en juin 1944, peu favorable à l'organisation d'une résistance médicale indépendante. Il me semblait qu'on trouverait toujours, le moment venu, les médecins nécessaires. Mais les opérations se développant dans l'Ouest, la guerre ouverte se rapprochant de Paris, une préparation précise devient utile. Je participe à l'organisation des postes de secours dans les divers quartiers de Paris, postes de secours clandestins qui accueilleront les blessés pendant les combats de la libération.

Une dame est introduite dans mon bureau. « Vous ne me reconnaissez pas, docteur? » Je retrouve en effet, bouffie, transformée, une de mes anciennes patientes. Madame R. avait été arrêtée avec ses enfants, franchissant la ligne de démarcation en 1942, puis mise à Drancy, cependant que les enfants étaient placés dans une œuvre privée sous contrôle allemand.

Après deux ans de camp, elle est, avec quarante compagnes, conduite à la gare de l'Est, monte dans le train de déportation, en descend, profitant d'un moment d'inattention des geôliers, franchit quarante mètres de quai, en s'attendant à chaque instant à recevoir une balle dans le dos, ne la reçoit pas, sort de la gare et parvient chez des amis sûrs.

Elle vient me demander d'héberger ses enfants à la campagne. Je lui donne des conseils, l'oriente. Elle est sûre qu'on réussira aisément à retirer les enfants. Mais le soir même, on apprend que les enfants ont quitté leur asile pour être reconduits à Drancy, qu'ils vont être déportés, qu'un autobus les conduit vers la gare de l'Est. Une amie les voit dans l'autobus. Madame R. se jette vers la gare. On ne peut la retenir. Elle remonte dans un train de déportation, retrouve ses enfants et tous quatre partent

pour un terrible destin de misère et de faim. Madame R.
sauvera ses enfants. Tous quatre reviendront vivants.

Événements tragiques, événements bizarres se succèdent.
« Docteur, voulez-vous des camemberts? » Telle est la question singulière qui m'est posée un matin au téléphone. La
firme pharmaceutique, qui fabrique un médicament appelé
Lactosérum, utilise des fromages comme matière première.
Elle est obligée d'arrêter la fabrication. Elle a décidé de
distribuer, aux médecins restés à Paris, les camemberts
également restants. Je vais chercher ces camemberts. Je
les transporte à bicyclette. Je les partage avec des amis.
J'en garde quelques-uns pour moi. Le premier camembert
est avalé en quelques minutes par l'affamé que je suis; le
deuxième plus lentement; vers la moitié du troisième, je
dois m'arrêter. Il y a des limites à la capacité d'ingérer
des camemberts même si l'on a très faim.

Le lendemain, boulevard Saint-Michel, je croise trois
soldats allemands à bicyclette, remontant vers le nord. Un
peu plus tard, au milieu de la chaussée, j'aperçois une
culotte verte appartenant assurément à quelque militaire
de l'armée d'occupation. Faut-il penser que ce militaire
fuyait si vite qu'il a perdu sa culotte en courant?

J'ai donc eu le grand privilège, après quelques épreuves,
d'être un des témoins de la libération de Paris. Je roulais
à travers Paris pour coordonner l'action des divers postes
de secours installés dans les divers arrondissements. Le
22 août, allant ainsi du nord au sud, contournant les barricades, je m'engage imprudemment sur la place de la
Concorde toute vide. Je suis arrêté et fouillé par les Allemands qui, eux, tenaient une barricade rive gauche. J'ai

tremblé quand on a ouvert mon appareil à tension, ma valise qui contenait le brassard FFI tricolore, mais l'Allemand ne l'a pas remarqué.

Le surlendemain, rue de Lévis, nous sommes obligés de faire venir les renforts et le matériel médical par les toits, la chaussée étant balayée par les tanks. Un des postes de secours est installé dans la mairie du XVIIᵉ arrondissement. Pendant que j'y travaille, un couple vient se marier. Mais la mairie vient d'être occupée et les patriotes ne veulent pas laisser entrer n'importe qui. Discussion. Puis quelqu'un s'avise qu'il n'est pas nécessaire d'être à la mairie pour se marier. On emporte le registre dans un café voisin et le couple enfin devient ménage.

Tout au long de ces rudes journées, Georges Tournon, la Vieille Noblesse Bretonne et moi avons collecté les informations et les avons transmises, facilitant l'entrée des troupes françaises et alliées dans Paris. Notre ami André a été tué en portant ces informations directement à un état-major allié installé en grande banlieue.

Violente bataille boulevard Saint-Germain. Les chars allemands vont et viennent, tirent dans tous les sens. Je me trouve au pied de la statue de Danton, attendant pour traverser que le feu diminue. A côté de moi, une brave ménagère parisienne, son cabas à la main. Elle s'élance sur le boulevard, sous le feu. Je la retiens par le bras. Je lui explique le péril. Mais elle : « Vous n'allez pas, monsieur, m'empêcher de faire mon marché. »

Le vendredi 25 août, comme j'arrive rue Denfert-Rochereau, j'ai le bonheur – il est huit heures – de rencontrer les premiers éléments de la Division Leclerc entrant dans

Paris. Sur des chars sales, des hommes en bras de chemise, couverts du casque américain, mais Français.

D'abord nous sommes peu nombreux, mais à mesure que je remonte vers l'avenue d'Orléans, une foule dense envahit la chaussée. Brusquement, tout le quartier s'est pavoisé. Je rentre dangereusement. Bataille autour du Luxembourg, combat devant le lycée Montaigne. Je transmets les informations. Je croyais avoir été très rapide. Mon voisin, M. Pauphilet qui habite deux étages au-dessus de moi, a été plus efficace encore. Un de ses amis commandait la formation de chars qui attaquaient le lycée. Il installe son poste de commandement à la Closerie des Lilas. Une liaison téléphonique est établie entre le poste de commandement et M. Pauphilet dans son appartement de la rue d'Assas.

M. Pauphilet signale le blockhaus juste en face de l'impasse Vavin. Cinq minutes après (oui cinq minutes) un char vient et écrase le blockhaus.

J'ai encore, sur ma table, un petit losange de bronze, fragment de la grille qui borde la terrasse des Tuileries. Ce losange de bronze est un souvenir de la fusillade qui éclate quand le général de Gaulle, après avoir descendu les Champs-Élysées, s'engage rue de Rivoli. Les balles ont sifflé tout près de moi. J'ai ramassé le losange de bronze tombé dans l'herbe.

*
* *

L'Atlantique

En octobre 1944, engagé dans les troupes régulières, je rejoins à Cognac le Détachement d'Armée de l'Atlantique, un peu déçu certes de ne pas avoir été affecté à la Première Armée. C'était le temps où les Allemands avaient conservé à l'Ouest de très fortes positions, appelées « poches de l'Atlantique », à Bordeaux, Royan, La Rochelle, Saint-Nazaire, Lorient.

Quelques heures de train ou d'auto permettent aujourd'hui de Paris d'atteindre Cognac. Mais, en octobre 1944, il fallait : 1) aller en train de Paris à Orléans, 2) traverser la Loire sur un pont de bateaux fort instable, 3) gagner Limoges par le train, 4) dormir ou sommeiller une nuit sur le sol assez rude de la gare de Limoges, 5) rejoindre enfin le matin Cognac par chemin de fer.

Le Détachement d'Armée de l'Atlantique amalgamait des unités hétérogènes venues des maquis des Forces Françaises de l'Intérieur et des unités régulières venant de l'armée d'Afrique, de la première division française libre, de la deuxième division blindée.

Le Détachement d'Armée de l'Atlantique est commandé par le général de Larminat. Le service de santé est sous la direction du médecin-colonel Reilinger. C'est Reilinger qui m'accueille ce matin à Cognac. Je suis assez las après le long voyage. Il me nourrit, me réconforte et remarque aussitôt que mes galons de médecin-commandant ont été cousus à l'envers. La rectification sera bientôt faite. Alfred Reilinger, médecin militaire d'active, Alsacien de la région de Wissembourg et Haguenau n'a pas accepté la défaite

145

en juin 1940. Il se fait affecter au Liban. Très vite avec Larminat, tous deux déguisés en paysans arabes, ils franchissent le Jourdain, arrivent en territoire occupé par les Anglais, rejoignent les troupes gaullistes.

Pendant toutes les batailles d'Afrique du Nord, Reilinger dirigera le service de santé des unités françaises engagées de Bir Hakeim à Tunis.

Après la victoire, un grand dîner réunit les principaux officiers français autour du général Catroux qui commande à Alger. La générale Catroux taquine Reilinger, 45 ans, toujours célibataire.

« – Mais enfin colonel, comment se fait-il que vous ne soyez pas encore marié?

– Mais madame, ce ne sont pas les occasions qui ont manqué. Encore tout récemment, j'ai failli épouser une jeune fille très belle, très intelligente, très fortunée, musicienne et artiste.

– Mais si elle était si parfaite, reprend la générale, pourquoi ne l'avez-vous pas épousée?

– C'est qu'elle n'a pas voulu madame », répond Reilinger, au milieu des rires des convives.

A Cognac, Reilinger avait gardé les mœurs du désert libyen. Nous avions nos billets de logement chez de braves et modestes bourgeois de Cognac. L'hiver 1944-1945 fut très froid. Nous n'étions pas chauffés. Un soir, nous gelions dans la chambre de Reilinger. Il fait venir un grand bidon d'essence, le jette sur le tapis, y met le feu, se chauffe agréablement aux flammes qui montent jusqu'au moment où la logeuse terrifiée intervient, lui rappelle que le Cognaçais et le Sahara sont fort différents et obtient l'extinction du feu.

Les autorités civiles, les populations de Champagne, de Lorraine, d'Alsace ont une triste et longue habitude de la guerre et savent recevoir les militaires ou au moins cohabiter avec eux. Il n'en n'est pas de même dans la région du Poitou, des Charentes, restée paisible depuis la fin de la guerre de Cent Ans et des guerres de religion. D'où de nombreuses difficultés, des brimades, des incidents. En particulier les médecins chargés à Saintes ou à Niort de soigner les blessés étaient constamment gênés, ralentis dans leur action par les directions civiles des hôpitaux, elles-mêmes défendues par les préfets.

Le médecin-colonel Reilinger, qu'agaçaient ces difficultés mineures, pense qu'elles pourraient être résolues par de fermes recommandations venues de Paris. Il n'aimait pas rédiger et me demande de préparer le brouillon d'une lettre destinée au ministère de la Défense nationale et au ministère de l'Intérieur.

Pensant le distraire, je termine la lettre par cette formule : « La présence de 100 000 Allemands sur le littoral atlantique ne saurait échapper à l'attention de monsieur le Préfet de région. » Malheureusement, Reilinger, à la fois pressé et confiant (trop confiant) signe la lettre sans la lire. La phrase terminale suscite de violents incidents à Paris. La mutation de Reilinger est demandée. Finalement tout s'apaise. Nous avons ensuite relu ensemble nos lettres.

Non seulement les autorités civiles mais aussi certains habitants des villes de l'Ouest étaient loin de la guerre. En prévision d'une offensive, le commandement me demande de faire des réserves de sang. Je vais trouver l'un des plus importants notaires de la ville, homme aimable et fortuné dont les caves contenaient de très importantes réserves de cognac. Si le notaire et son épouse étaient les premiers donneurs de sang, de nombreux autres habitants suivraient. La notairesse n'était pas très intelligente. Elle se fait expliquer. Elle ne comprend pas. Je reprends. Elle comprend. Elle éclate : « Vous n'y pensez pas, docteur, donner mon sang à des n'importe qui. » Ces « n'importe qui » qui allaient se faire tuer pour elle.

Les activités du service de santé pendant cet hiver glacial étaient variées. En décembre éclata une épidémie de scorbut. Les soldats recevaient les rations américaines. Les petits bonbons qui accompagnaient la ration ne les intéressaient pas. Ils les jetaient. Ces bonbons contenaient la vitamine C, la seule vitamine C de la ration. La gale était très répandue. Le savon était encore très rare. Les effectifs étaient peu nombreux. Plutôt que de réduire ces effectifs en première ligne, des infirmiers de la Croix-Rouge appelés « dégaleurs » allaient frotter sur place les galeux. L'un d'entre eux au retour d'une telle mission reçut une balle dans le mollet et demanda une décoration. Je ne me rappelle plus la réponse du commandement.

En avril 1945 sont décidées les opérations qui permettront la reconquête de l'île d'Oléron. Une division appelée DMM, Direction de Marche Marchand (du nom de son général), sera chargée de l'opération. Quittant mes fonctions de médecin consultant d'armée, je suis appelé à diriger le service de santé de la division pendant les opérations. Le front passe à Marennes au milieu des huîtres. Par un accord tacite, les Allemands vont ramasser les huîtres le matin, les Français l'après-midi. Je n'ai jamais tant mangé d'huîtres. Après deux semaines il n'est plus possible de continuer.

Le transport des troupes sera assuré par de curieux véhicules amphibies, camions automobiles sur terre, radeaux à moteur sur l'eau. Un chauffeur noir de l'armée américaine, pilotant l'un de ces véhicules, s'est perdu un soir dans l'obscurité entre l'île et le continent. Avec intelligence, il décide de parcourir des cercles concentriques au diamètre de plus en plus grand. Nécessairement il atteindra la terre.

Le matin du débarquement, la petite unité du service de santé sera transportée sur une des plages de l'île deux heures après le début des opérations militaires. Mais, pour je ne sais quelle raison, des confusions chronologiques se produisent. Nous nous trouvons sur cette plage les premiers alors que les unités combattantes n'ont pas encore débarqué. Nous sommes là six ou sept, le pédiatre Royer qui sera plus tard le chef de l'école française de médecine des enfants, le chirurgien Esquirol qui sera plus tard maire d'Agen, des infirmiers. Notre situation pendant une heure est fort précaire. Nous ne sommes pas très fiers; la plage sur laquelle nous avons débarqué est fortement minée. Nous bougeons peu. Nous installons pourtant notre poste de secours. Et puisque nous sommes les seuls représentants des autorités françaises, je nomme le docteur Esquirol gouverneur de l'île. Ses fonctions seront éphémères. Bientôt les troupes françaises débarquent. La conquête de l'île sera rapide.

Le Détachement d'Armée de l'Atlantique appartient au groupe d'armées que commande le général américain Denvers. Après la victoire, des décorations américaines sont attribuées aux combattants français. Une de ces décorations, le Bronze Star Medal est pour le service de santé. Elle m'est proposée mais, avec grandeur d'âme, je la fais attribuer à Pierre Royer. Un peu plus tard, Pierre Royer

149

me remerciera de ma générosité en m'indiquant que ma grandeur d'âme a sans doute été excessive, car le titulaire de la Bronze Star Medal peut, en priorité, occuper des postes fort utiles aux États-Unis, gardien de musée ou gardien de square.

IV

LES GROUPES

J'ai rencontré, ou plus exactement aperçu, souvent Jules Romains chez Adrienne Monnier. Je l'admirais, je l'admire toujours. Mes amis et moi, nous pouvions échanger les histoires des *Copains* que nous savions par cœur, certains dialogues de *Knock* ou tel poème de la *Vie Unanime*. Depuis cette époque lointaine, je vois, comme Jules Romains, les rues, la ville, les foules, les groupes.

Les groupes surtout. J'aimerais décrire ici mes compagnons, ceux des groupes auxquels j'ai appartenu. J'ai déjà évoqué certains d'entre eux, mes camarades de l'école communale de Couëron, les étudiants laborieux d'une fameuse conférence d'internat que les jaloux appelaient « l'Académie Gosset », du nom du plus brillant d'entre nous, le couple fraternel que nous formions, Jean Delay et moi, en préparant quelques années plus tard, le rude concours du Médicat des hôpitaux de Paris. Voici maintenant les potassons.

Les potassons

Les potassons, dit Adrienne Monnier, sont une variété de l'espèce humaine, définie par leur bonté et leur sens de la vie. Le terme potasson a été créé, vers 1910, par Léon-Paul Fargue, d'abord pour désigner son propre chat (rond comme un pot et quelque peu mystique, disait-il), puis un ensemble de chats dans la « Chanson du Chat » de Ludion. Il apparaît dans la correspondance Fargue-Larbaud dès cette époque. Fargue l'utilisait parfois comme signature. L'histoire ne dit pas comment d'un chat de Fargue, d'un ensemble de chats, de Fargue lui-même, le mot potasson passe aux amis d'Adrienne Monnier. L'institution des potassons dont le père est Fargue, la mère Adrienne Monnier, connaît son époque glorieuse, son pouvoir, son influence, entre 1918 et 1928. Les potassons sont enjoués quand ils sont ensemble. Quand ils sont ensemble, tout paraît clair et heureux. Les difficultés, les soucis disparaissent. Les potassons ont bon appétit et bonne humeur; en somme, ils sont avant tout définis par la joie que leur donne leur réunion. La liste des potassons est à la fois courte et diverse. On y trouve Valery Larbaud, Thérèse Bertrand-Fontaine, grand médecin qui fut la première femme médecin des hôpitaux de Paris, la première femme membre de l'Académie de médecine, Paul Valéry lui-même, Sylvia Beach, Charles Chauvin, avocat, Léon Pivet, ami de Fargue, Charles de la Morandière, Jean-Gabriel Daragnès qui devait illustrer *La Jeune Parque*, Erik Satie, Francis Poulenc, Solange

Lemaître, indianiste et apôtre de l'union des Croyants, Raymonde Linossier, la violette de Fargue, auteur de *Bibi la bibiste,* très fière d'être le plus jeune potasson du monde.

Adrienne Monnier aurait volontiers accordé généreusement le titre de potasson; Raymonde Linossier souhaitait au contraire limiter la liste. Elle imposa sa rigueur. Pour accorder ouverture et rigueur, une classe d'attente fut créée, celle des apprentis potassons, à laquelle j'ai longtemps appartenu.

L'Ambulance Chirurgicale Lourde 428

Le groupe suivant est militaire. Il est formé par les camarades de l'Ambulance Chirurgicale Lourde 428 à laquelle j'ai été affecté depuis la mobilisation de septembre 1939 jusqu'à janvier 1940. J'ai ensuite été muté dans une autre formation. Je reproduis ici ma lettre d'adieu parue dans le petit journal de guerre que nous éditions. Elle décrit notre groupe, sa naissance, sa vie.

« Mes camarades, je me rappelle le jour où je vous ai connus boulevard Mortier. Dans la cour chaude de la caserne, une poussière, militaire plus que guerrière, couvrait vos jambes nouvellement guêtrées. Premières victimes, les vacances interrompues avaient laissé des traces sur les visages. Parmi les corps déguisés flottait encore l'air des dernières luttes pacifiques, de la descente du rapide en canoë, de l'ascension montagnarde victorieuse. Puis nous sommes partis. Longtemps nous nous sommes mal distingués les uns des autres. Certains visages, pourtant différents, m'ont longtemps semblé pareils, et, il est arrivé, pendant les premières semaines, qu'on m'appelle plusieurs fois du nom d'un autre qui ne me ressemble pas. Peu à peu, la 428 est devenue un être vivant. Par un paradoxe singulier, c'est quand chacune de nos personnes est apparue distincte des autres, que le groupe a pris son autonomie. Le bloc unanime que nous formons disperse ses fragments dans la journée. Il les rassemble à l'heure des repas. Il existe vraiment deux fois par jour. On le voit alors, monstre portant quarante pieds, se couler au mess autour du commandant, le long de la table. Il a ses mœurs qui lui sont propres, ses plaisanteries devenues vite rituelles. Il sait des choses que nul ne sait qui n'est pas en lui. Il a sa tolérance, mais il ne faut pas en abuser. Il a ses jours de tristesse, où, envahi par une tempête de cafard collectif, il mange sans appétit, du bout des dents, du bout de ses six cents dents. Il a ses jours d'esprit où la drôlerie étincelle le long de chacun de ses anneaux. Il a ses heures d'énorme gaieté qui le secouent et dont il grogne d'aise les jours suivants.

Il n'accepte jamais vraiment les nouveaux venus. Sans doute, car c'est un monstre bien éduqué, il ne hérisse pas systématiquement son poil à leur arrivée. Mais regardez-les assis entre deux des nôtres; ils sont enrobés dans le monstre mais n'en font pas partie. Ils restent des corps étrangers. Le monstre les chasse ou les enkyste selon son humeur. Je doute qu'ils puissent jamais lui appartenir. Maintenue par les contacts quotidiens, les cris qui nous hèlent, les silences en commun, notre vie paraissait installée dans cette éternité provisoire que la guerre nous accorde. Mais voici mon dernier jour parmi vous... »

Les groupes qui viennent maintenant sont ceux des années noires. Dans un fossé de Valréas, clair de lune après clair de lune, cinq garçons, petite tribu des peuples de la nuit, attendent les parachutages et forment les plans du futur. Dans une cellule de la prison allemande de Fresnes, voici quatre hommes, un commandant belge, un danseur d'opéra, un égoutier, un médecin.

Le Club des Treize

Je fus ensuite successivement l'un des Treize et l'un des Douze. L'histoire des Treize n'est pas celle de conspirateurs balzaciens, mais celle d'un groupe d'amis qui, unis par les mêmes goûts de recherche, prirent l'habitude, vers 1950, de s'assembler chaque mois, pour confronter leurs espoirs, leurs déceptions, leurs méthodes, leurs progrès, leurs difficultés. Nous fûmes plus souvent onze ou quatorze que treize. Plusieurs d'entre les Treize, tels René Fauvert, Jean Hamburger, ont, par leur œuvre, par leur exemple, littéralement suscité la renaissance de la recherche médicale française. Nous nous réunissons donc, à partir de 1950, une fois par mois, dans un salon d'hôtel à Saint-Germain-des-Prés. Autour de nous, dans les couloirs, dans d'autres salons, les démarches furtives des adultères mondains, les entretiens, les confidences, peut-être les complots, des écrivains, des critiques venus des maisons d'édition voisines. Nous sommes donc treize, une femme, douze hommes. Femme et hommes de science et de médecine. Nous appartenons à des disciplines différentes, mais nos modes de

155

raisonnement sont les mêmes et pareils nos soucis. Nos réunions ne sont pas conformistes. Les problèmes de l'un sont éclairés par les solutions de l'autre, parfois même par la façon dont l'autre pose ses propres problèmes. Et les détails d'une technique mise au point par l'un se révèlent souvent singulièrement précieux pour un autre. Les Treize écoutent chaque mois deux exposés, l'un à six heures, l'autre à huit heures. Les exposés des Treize ne concernent jamais les travaux finis. Ils sont consacrés aux ébauches, aux balbutiements; et tantôt l'ébauche deviendra œuvre vigoureuse, tantôt elle restera ébauche. Chaque exposé est suivi de discussions. Puis vient une récréation alimentaire modeste, sandwiches et petits fours poussiéreux, avaricieusement dispensés par l'administration de l'hôtel. Ainsi se poursuivent les échanges du chirurgien à l'hématologue, du neurologue au néphrologue. Le petit nombre des membres de ce Club, leur formation, leur amitié, devaient tout naturellement imprimer à ces réunions un style inhabituel de sévérité et de liberté, sévérité dans la discussion rigoureuse des faits et des observations rapportés, liberté dans la discussion des idées et des hypothèses qui peuvent s'aventurer sans danger hors des chemins traditionnels.

La médecine française avait été grande, très grande, à la fin du XIXᵉ siècle et au début du XXᵉ siècle. Tout va changer entre les deux guerres. Seul, l'Institut Pasteur va maintenir une activité scientifique de haut rang avec les découvertes successives des vaccins antidiphtérique, antitétanique par Ramon, du BCG par Calmette et Guérin, des sulfamides par Tréfouël. L'Institut Pasteur excepté, c'est le déclin. Le déclin de la médecine française sera précipité par la défaite, par le malheur. Il avait commencé avant la défaite, avant le malheur. Les signes du déclin ne trompent pas. Le discours remplace la méthode. Les grandes synthèses mi-philosophiques mi-médicales remplacent la recherche de la spécificité. Le désastre de 1940, les années noires qui le suivent, ont, pour cette médecine française déjà affaiblie, des conséquences redoutables. En 1945, il ne reste rien ou presque rien. C'est le désert. Les Treize ont reconnu ce désastre, ce désert. Ils vont s'efforcer de créer les conditions d'une renaissance.

Les Treize de Balzac trouvèrent morte dans son lit la duchesse de Langeais qu'ils avaient voulu délivrer. Les Treize de notre temps, les Treize de notre groupe, plus heureux, sont parvenus à ranimer la recherche médicale française. Ils l'avaient trouvée moribonde, empoisonnée par la fausse éloquence, retenue captive par les préjugés, la vanité, accablée par les désastres de la guerre. Ils lui ont donné vie et vigueur. En cette fin de siècle, la recherche médicale française est redevenue en plusieurs domaines importants l'égale des meilleurs.

Les douze sages

C'est un état étrange que celui de sage. C'est un état plus étrange encore que celui d'ancien sage. C'est pourtant la situation de plusieurs d'entre nous depuis le jour où le général de Gaulle nous chargea d'inspirer et d'organiser la recherche scientifique de notre pays. Le général de Gaulle était encore président du Conseil de la Quatrième République. Il n'était pas encore chef de l'État. Nous nous trouvions douze dans son bureau, deux mathématiciens, Lichnerowicz et Germain; quatre physiciens, Ponte, Aigrain, Trombe, Taranger; deux chimistes, Letort, Sadron; un historien, Chevalier; un agronome, Dumont; deux biologistes, Latarjet et moi. Le général de Gaulle rappelle l'importance qu'il attache au développement de la recherche scientifique en France. Il nous laissera le choix de nos méthodes; il souhaite des réponses assez rapides. Dès lors, plusieurs fois par semaine, commençant en fin d'après-midi et finissant tard le soir, nous nous retrouvions dans un de ces nombreux locaux ministériels ou administratifs de la rue de Bellechasse ou de la rue de Varenne. Nous sommes conseillés, aidés par un délégué général à la recherche qui sera d'abord Pierre Piganiol, puis André Maréchal. Tous les trois ou quatre mois, nous siégeons en comité interministériel à Matignon sous la présidence du Premier ministre Michel Debré, avec les ministres compétents. Devant nous les pelouses et les arbres un peu tristes du parc de l'Hôtel Matignon. Les ministres des Finances sont peu enthousiastes, mais les ordres du général de Gaulle sont formels et le Premier ministre veille à leur application. Les crédits de la recherche médicale augmentent considérablement. Quand je vais annoncer la bonne nouvelle au principal responsable de cette recherche, trop habitué à des budgets misérables, sa réponse est significative : « Que vais-je faire de tout cet argent-là? »

Une ou deux fois par an, le général de Gaulle, devenu président de la République, reçoit les Douze à l'Élysée. A chacun de nous il demande de lui commenter les progrès survenus depuis notre dernière rencontre. Je n'ai jamais tant eu l'impression de passer une nouvelle fois mon baccalauréat!

Mes années de présence, de travail au groupe des Douze furent très exaltantes. D'un côté, nous savions, nous percevions la présence de jeunes chercheurs français de très haut rang, d'un autre côté nous notions une volonté présidentielle et gouvernementale forte, efficace, prête à donner les moyens nécessaires. Nous sommes parvenus à fortifier les structures anciennes, à créer de nouvelles structures très efficaces. Des liens d'amitié, de confiance, très forts, se sont noués entre nous, qui survivent aujourd'hui. Chacun de nous était chargé d'un domaine relevant de sa compétence, l'étudiait, proposait des solutions, les soumettait aux autres, relevait et utilisait les critiques, le tout dans un climat – si je puis dire – d'extrême urgence.

Ainsi nous avons formé les grandes imaginations de l'avenir. La sagesse, assez souvent, a été efficace.

Le groupe 1985

J'ai été en 1962 et 1963 l'un des membres du groupe « 1985 ». Ce groupe, créé par Georges Pompidou, alors Premier ministre, dirigé par Pierre Massé et Pierre Guillaumat, avait pour mission de préparer les plans du futur. Le groupe aurait dû compter parmi ses membres les hommes capables de prévoir l'avenir, les statisticiens et les poètes. En fait, la sélection avait été plus large et avait permis de réunir des personnes très diverses et très éminentes, Madame Krier, MM. Claudius Petit, Demonque,

Estrangin, Fourastié, Gruson, Bertrand de Jouvenel, Philippe Lamour et Levard.

Après de nombreuses séances de travail, après avoir consulté divers experts, nous avons, en 1964, remis un rapport au Premier ministre, et publié en une brochure nos réflexions pour 1985. Les malicieux relisant ce texte en 1985 ont fait remarquer que nous n'avions prévu ni la crise pétrolière, ni la révolte étudiante de 1968. Les bienveillants ont noté que nous avions annoncé des événements importants, telle la croissance des dépenses de santé, devenant, à la fin du siècle, insupportables pour les sociétés. Malicieux et bienveillants ont tort. La fonction du groupe était tout autre. Comme nous le précisait Pierre Massé : « L'étude prospective demandée au groupe devait lui permettre d'extraire du champ des possibles quelques figures de l'avenir, intelligibles pour l'esprit et utiles pour l'action. » Ces figures de l'avenir destinées à guider nos décisions sont un composé de probable et de souhaitable. Il s'agit en effet moins de deviner un peu au hasard le premier que de préparer efficacement le second, un souhaitable qui apparaisse plausible à l'esprit prospectif et qui devienne probable pour une société attachée à sa réalisation. Comme l'écrivait encore Pierre Massé en présentant notre travail : « Il ne s'agissait pas de prophétiser, moins encore de construire une prospective ordonnée, de tracer une carte géographique des routes vers le futur, l'avenir se dépouillant d'une incertitude essentielle au moment d'entrer dans le passé. »

J'ai eu le privilège de travailler près de Pierre Massé tant au groupe 1985 que dans diverses commissions du Plan ou encore le dimanche après-midi chez lui. Pierre Massé était un homme de haut rang, alliant une intelligence perspicace, une grande générosité, un sens profond du bien. Comme le général de Gaulle, Pierre Massé tenait pour essentielle l'ardente obligation du Plan. La recherche scientifique française ne peut prendre son essor que lorsque ses projets s'inscrivent à l'intérieur d'un plan de plusieurs années. Elle stagne pendant les périodes de budgets annuels contrôlés par des financiers estimables et rigoureux.

Le Blood Cell Club

Le Blood Cell Club a été fondé par Marcel Bessis. J'avais proposé de l'appeler le Rouge et le Blanc, non pas en évoquant Julien Sorel ou les vins de Touraine, mais en pensant aux globules de notre sang. L'anglais a prévalu. Le Blood Cell Club était, dès sa naissance, international. On trouvait parmi ses premiers membres nos amis américains, britannique, australien, Georges Brecher, Dennis Ross, Latja, Bede Morris. Les principes, les idées qui inspirèrent la création du Blood Cell Club, son fonctionnement, sont très différents des principes, des méthodes qui gouvernent les colloques, les symposiums scientifiques variés qui encombrent nos journées. Au cours de ces colloques, les orateurs se succèdent à toute vitesse; leur gloire est de ne pas dépasser le temps imparti. Ils projettent pendant un quart d'heure un nombre très élevé de diapositives. Après quoi, ils laissent la place aux orateurs suivants, aussi rapides, aussi amateurs de diapositives. De discussion, point, ou si peu, l'orateur disparaissant après son exposé pour courir dans un autre colloque. De réflexion, point du tout.

Les réunions du Blood Cell Club ne ressemblent guère à ces colloques accélérés. Chaque réunion, consacrée à un seul sujet, dure deux ou trois jours. Le temps des exposés n'est pas limité. Il est généralement assez court. Le temps des discussions, des réflexions en commun est très long. Il est non seulement permis, mais recommandé, d'interrompre les orateurs, de leur poser des questions. Aux membres du Club (10 à 15) se joignent des invités concernés par les thèmes retenus et de jeunes chercheurs que le sujet intéresse. Au total, une cinquantaine de personnes. Les diverses questions posées par l'évolution de l'hématologie sont ainsi examinées pendant les deux ou trois séances annuelles du Club. Les débats sont aussi éloignés du conformisme que du conformisme de l'anticonformisme. En quelques années la méthode a fait ses preuves. Plusieurs des grandes voies actuelles de la recherche hématologique ont été ouvertes par des réunions du Blood Cell Club.

Rendu hardi par ces succès, le Club a ensuite appliqué les mêmes méthodes, la même liberté, la même disponibilité, à l'examen de problèmes plus généraux. Ainsi, en 1985, une réunion avait pour motif : « création artistique et création scientifique ». Les participants étaient les uns des artistes, des écrivains, les autres, des hommes de science. Mon ami, le peintre Olivier Debré, fit sensation en expliquant qu'il commençait toujours ses tableaux avec l'œil droit et les terminait avec l'œil gauche. Je siégeais à ce moment au bureau et j'eus la surprise de voir tous les auditeurs se mettre à fermer alternativement l'œil gauche et l'œil droit.

162

C'est pendant cette réunion que pour tenter de résoudre les difficiles questions posées par les deux créations, je proposai l'expérience des îles désertes. Dans un lointain Pacifique, trois îles désertes. Désertes ou plus exactement inhabitées. Mais confortables : on y trouve sans effort nourriture agréable, logis, vêtements, laboratoires, ateliers, bibliothèques. Dans la première île est placé un mathématicien; dans la deuxième île un biologiste; dans la troisième île, un peintre. Chacun est seul et restera seul sa vie durant. Ses œuvres, ses écrits éventuels n'auront ni lecteurs ni auditeurs; le mathématicien, le biologiste, le peintre, tous trois de haute qualité, tous trois aptes à créer, créeront-ils? Plus précisément, trois questions sont posées. Première question : Y aura-t-il création? Deuxième question : La réponse sera-t-elle la même pour le mathématicien, pour le biologiste, pour le peintre? Troisième question : Leur création sera-t-elle différente dans l'île polynésienne, de la création qui serait survenue dans la chambre du mathématicien, dans le laboratoire du biologiste, dans l'atelier du peintre? Lorsque au cours de la réunion évoquée ci-dessus je posai ces questions, les réponses libres, spontanées, selon la coutume du Club furent nombreuses. A vrai dire, chacun donna sa réponse avant d'avoir fait l'expérience. Il n'est pas exceptionnel, en d'autres circonstances, que certains chercheurs annoncent les résultats avant de commencer l'expérience. De toute façon, les conditions de l'expérience des îles devraient être soigneusement étudiées. Il sera certainement nécessaire de faire varier l'âge des sujets en expérience. Comme je le disais en clôturant la réunion, nous attendons les mécènes, publics et privés, et les volontaires.

V

LES ACADÉMIES

L'Académie des Sciences

Bernard Halpern vient me voir en octobre 1971, me dit gentiment toute l'estime où il tient mon œuvre scientifique, me conseille de me porter candidat au siège vacant dans la section médecine et chirurgie de l'Académie des Sciences. Bernard Halpern était la bonté même. Mais en ce jour d'octobre, l'entretien fut d'une chaleur, d'une générosité particulière.

Vingt-cinq ans auparavant en 1946, j'avais passé plusieurs jours, plusieurs nuits au chevet d'un enfant de Bernard Halpern, d'un tout jeune enfant. En vain. L'enfant était mort en dépit de tous mes efforts. Je n'avais plus revu Bernard Halpern que de loin en loin. Mais lui n'avait pas oublié et une émouvante gratitude soustendait, inspirait pour une bonne part sa bienveillante invitation.

Témoignage exceptionnel; l'ingratitude humaine, que

Shakespeare compare au vent d'hiver, est beaucoup plus commune.

Bernard Halpern avait passé les premières années de sa vie dans un petit bourg d'Europe orientale. Un prêtre uniate fut son premier maître. Maître et élève également remarquables. A 15 ans Bernard Halpern parlait couramment le russe, l'allemand, le yiddish, l'hébreu, le latin, le grec et le français.

Sa famille est, pendant la guerre, déportée dans la Sibérie des Tsars. Lui-même, à peine adolescent, entreprend un long et surprenant voyage à travers l'Allemagne troublée de l'immédiat après-guerre au temps de Siegfried, des premiers putschs pré-hitlériens, de la cavalière Elsa. Il parvient à Nancy. Il y termine ses études secondaires. Il ne mange pas souvent à sa faim. Il arrive à Paris. Il continue de ne pas manger à sa faim. Les patrons des hôtels borgnes du quartier de la place Maubert lui permettent parfois de dormir dans les couloirs de l'hôtel. Dormir ou plutôt travailler. Car il travaille la nuit pour poursuivre ses études de médecine, exerçant le jour pour vivre de modestes fonctions de garçon de laboratoire dans une des salles de physiologie de la faculté de Médecine.

Il connaîtra plus tard de nouvelles épreuves publiques et privées et sera, à la fin de la Deuxième Guerre, médecin d'un camp de réfugiés en Suisse.

Mais déjà était venu le temps des premières grandes découvertes de Bernard Halpern. Un des premiers, il analyse les mécanismes intimes de l'allergie. Il est le premier à appliquer des molécules actives au traitement des maladies allergiques. Par milliers dans le monde, des femmes, des hommes, des enfants traités depuis quarante ans par ces molécules doivent leur soulagement et parfois la vie à Bernard Halpern. On sait que de ces premières molécules dériveront plus tard de nombreux médicaments utilisés dans le traitement des maladies du système nerveux.

Donc j'appartiens, depuis 1972, à l'Académie des Sciences. La tradition veut qu'avant l'élection, le candidat vienne se présenter aux membres de l'Académie. Ma timidité naturelle est grande et la seule perspective de ces visites m'effrayait. Le généreux accueil que je reçus me rassura bientôt. C'était un grand privilège de rencontrer l'homme qui avait donné de nouvelles lois à la physique, l'homme qui avait résolu des théorèmes restés sans solution depuis deux mille ans, celui qui avait découvert le cœlacanthe dans les mers australes. Je me demandais souvent, en arrivant, comment j'allais décrire avec modestie (sans trop de modestie pourtant) mes travaux personnels. Mais le plus souvent, le savant qui me recevait ne parlait pas de moi, mais de lui. Ou plus exactement de la discipline scientifique à laquelle il se consacrait. Et je recevais d'excellentes leçons de botanique ou d'astronomie.

Une seule visite fut assez singulière. Le maître fort âgé qui me recevait m'interpelle quand j'entre dans son bureau : « Monsieur, aimez-vous les chiens? » Mon embarras fut heureusement bref, car très vite vint un éloge prolongé des vertus du dogue et du caniche qui vivaient près de lui.

La réception du nouvel académicien après l'élection est d'une émouvante simplicité. J'attends dans un salon proche de la salle des séances. Un des Secrétaires Perpétuels vient me chercher, m'introduit dans les salles. Les membres de l'Académie sont debout. Le président me souhaite la bienvenue, m'invite à m'asseoir à côté de mes confrères et à prendre part aux travaux de la compagnie.

Depuis lors, tous les lundis, je traverse les nobles cours de l'Institut de France et je rejoins, en passant sous la statue de Minerve, la salle des séances de l'Académie des Sciences. Très vite des liens d'amitié fraternelle s'établissent. La médecine les facilite au début. Des conseils me sont demandés, par celui-ci pour son épouse, par celui-là pour lui-même. Les disciplines représentées à l'Académie sont très différentes mais ces hommes de science, qui ont consacré leur vie à la recherche, ont en commun de grandes vertus, le désir d'accroître la connaissance, de la transmettre, le désintéressement, un sens profond des valeurs de culture, une grande simplicité.

Entre 1981 et 1984, j'ai appartenu au bureau de l'Académie des Sciences, mes confrères m'avaient fait l'honneur de me choisir d'abord comme vice-président en 1981 et 1982, puis comme président en 1983 et 1984. Le bureau de l'Académie formé par le Président, le Vice-Président et les deux Secrétaires Perpétuels, se réunit tous les lundis matin pour organiser le travail de la compagnie. Avant tout, certes, pour préparer le travail scientifique, communications brèves, relatant une découverte, ou exposés plus longs, parfois appartenant à un cycle, tels ceux ayant pour objet les diverses formes d'énergie, ou encore les greffes, pour ne citer que ces exemples.

L'Académie doit aussi répondre aux questions posées par le pouvoir, par le gouvernement. La première question, posée par le roi Louis XIV, concernait l'hydraulique des jardins de Versailles. Les dernières questions furent suscitées par les catastrophes nucléaires de Three Miles Island et de Tchernobyl.

Le nouveau membre du bureau, Vice-Président, puis Président, découvre une autre activité académique à laquelle il n'était pas préparé, à savoir la gestion des biens de l'Académie. Les académiciens sont généralement pauvres, mais l'Académie est riche. Sa richesse étant la conséquence des dons, des legs accordés à l'Académie par des personnes généreuses. Certes, le bureau est aidé par des hommes de loi, de finances, d'administration fort compétents. Mais parfois une option est proposée et la décision doit être prise par le bureau. Le nouveau président, d'abord tout à fait ignorant, acquiert, peu à peu, une certaine compétence du côté des fermages, des baux ruraux ou urbains. Quand il quitte la présidence, il s'est instruit, mais sa compétence, durement acquise, ne lui servira plus.

Une des missions, une des responsabilités de l'Académie a pour motif l'attribution de prix, les uns modestes, les autres fort importants, aux hommes de science (on peut proposer ici un classement des hommes de science en deux catégories : ceux qui décernent les prix, ceux qui les reçoivent, quelques-uns appartenant aux deux catégories).

La responsabilité commence avec le libellé même de l'objet du prix. Le donateur, souvent inspiré par un événement personnel, a tendance à proposer un thème très limité. Souvent un notaire instruit a corrigé et élargi ce premier libellé. Ainsi un mécène avait offert une somme importante pour récompenser l'auteur du meilleur travail portant sur la tuberculose de l'articulation du poignet, un notaire judicieux fit ajouter : « ou de toute autre maladie ».

Pendant ma présidence, un donateur très généreux, très

fortuné, se proposait de léguer à l'Académie une somme fort importante, destinée à donner chaque année un prix d'un montant très élevé à un chercheur né dans le département des Ardennes. Certes, les Ardennes nous ont donné Rimbaud. Il paraît bien difficile toutefois d'espérer trouver chaque année un chercheur ardennais de haut rang digne du prix. Un compromis fut, je crois, trouvé du côté des bourses attribuées à des étudiants en sciences nés dans le département des Ardennes.

Il m'a semblé très utile d'établir ou de fortifier les liens unissant notre Académie des Sciences à diverses Académies étrangères. Plusieurs années avant ma présidence, la création, par une dame très généreuse, d'un prix fort important, le prix Lounsberry décerné en commun par la National Academy of Science de Washington et l'Académie des Sciences de France, avait rapproché les deux compagnies. J'ai, pour ma part, signé les accords avec la Royal Society de Londres, avec l'Académie des Sciences de Pologne, avec l'Académie australienne des Sciences, avec l'Académie des Sciences de Suède. Les relations entre la science suédoise et la science française sont anciennes. Descartes était invité par la reine Christine à lui donner des leçons de philosophie et de sciences. Il prit froid dans le petit matin glacial de Stockholm, contracta une pneumonie et, hélas, en mourut. Linné, un siècle plus tard, fut à plusieurs reprises invité à Paris et s'inspira du modèle français lors de la création de l'Académie suédoise.

Après la signature à Stockholm de l'accord entre nos deux académies, je me trouvais, pendant le dîner officiel qui suivait la cérémonie, voisin d'une fort éminente dame suédoise. Comme j'admirais sa connaissance de la langue française, elle m'interrompt. « Nos grands-parents parlaient français. Nos parents parlaient allemand. Nous parlons anglais (je suis une exception, ajoute-t-elle). Nos enfants parleront russe. Nos petits-enfants parleront chinois. »

J'ai eu la chance, pendant mes deux années de vice-présidence, de siéger à côté du remarquable président que fut mon prédécesseur, le physicien Pierre Jacquinot, et d'apprendre mon métier. Il est toujours difficile de présider une assemblée; mais la difficulté est accrue lorsque l'assemblée est formée par des hommes extrêmement intelligents, subtils, amicaux certes, mais très aptes à déceler la moindre erreur.

Un seul incident, qui aurait pu être sérieux, marqua mes années de présidence. La méthodologie générale de la science, et, en particulier, la place de la méthode expérimentale, faisait l'objet d'un dialogue entre deux des membres les plus éminents de l'Académie, un grand physicien, un grand mathématicien. Le dialogue commence paisiblement, chacun apportant ses arguments. Puis le ton monte, la controverse devient vive, presque violente, tout à fait violente enfin. C'est tout juste si des insultes ne sont pas échangées. Au moment où l'on allait probablement en venir aux insultes, l'un des deux interlocuteurs se tourne vers moi. « Monsieur le Président, y a-t-il dans l'histoire de notre Académie des exemples d'une telle insolence? »

J'hésitais, lorsque se lève dans le fond de la salle un des doyens de la compagnie, le professeur Pierre-Paul Grassé, 88 ans et très illustre zoologue. Chacun se tait. « Mes chers confrères, dit-il, vers 1820 entre Cuvier et Geoffroy Saint-Hilaire, le ton était beaucoup plus rude, les échanges beaucoup plus insolents que ce que nous venons d'entendre. » Le professeur Grassé m'avait sauvé. Chacun de sourire. La séance s'acheva dans la paix.

L'Académie nationale de médecine

Je fus élu membre de l'Académie nationale de médecine en 1973. L'Académie nationale de médecine, qui n'appartient pas à l'Institut de France, tient ses séances le mardi rue Bonaparte. C'est un vrai plaisir de retrouver les camarades d'internat, de faculté. Jadis, l'unique faculté de Médecine permettait ces rencontres. Mais, après 1968, l'unique faculté du passé a éclaté en une douzaine de facultés, topographiquement séparées. Les rencontres avec les vieux camarades n'ont plus eu lieu. Les séances de l'Académie de Médecine permettent de renouer, de fortifier ces liens anciens.

L'Académie française

En 1975, je suis entré à l'Académie française, succédant à Marcel Pagnol. A l'époque, les salons de grandes dames, survivance de temps passés, possédaient, disait-on, une certaine influence, orientaient parfois l'élection. Les visites des candidats aux membres de l'Académie étaient déconseillées par le règlement, recommandées par la tradition. Dominant à nouveau ma timidité, je commençai ma campagne. Accueil à nouveau chaleureux, moins direct peut-

172

être que celui des membres de l'Académie des Sciences, plus enveloppé. Parfois identique. Ainsi l'illustre Louis de Broglie me reçoit pour la deuxième fois. En 1972, il était alors Secrétaire Perpétuel de l'Académie des Sciences. Il m'avait au cours de ma visite, parlé successivement du maréchal Foch, de son frère Maurice de Broglie et des édifices de l'Institut. Trois ans plus tard, seconde visite, cette fois pour l'Académie française. Il me parle successivement du maréchal Foch, de son frère Maurice de Broglie et des édifices de l'Institut. Excellente technique qui évitait toute parole imprudente, tout danger d'interprétation aventureuse.

Jacques Rueff me reçoit avec grande chaleur. « A qui souhaitez-vous succéder? – A Marcel Pagnol – Ah, vous aurez un beau mort. » Julien Green me garde longtemps. Nous parlons de Proust. J'évoque les récits de Robert Proust et la crise d'asthme provoquée par les roses du papier peint. Je tenais pendant cette période un journal de mes visites. Julien Green, dans son journal de l'année 1975 décrit ma visite. Sa description et la mienne – celle de mon journal – sont très différentes.

Vient le jour de l'élection – humilité et orgueil. Humilité pendant l'attente. Un journaliste de la télévision voulait enregistrer cette attente et en transmettre aussitôt les images. Il fut étonné d'être éconduit. Orgueil quand vient l'heureuse nouvelle, orgueil mêlé de respect et de gratitude lorsque aussitôt vous entourent la grâce et la générosité de ceux qui vous accueillent.

Humilité à nouveau quand arrivent les lettres. Ces lettres louaient toutes Marcel Pagnol et me louaient d'avoir le bonheur de lui succéder. « Vous avez de la chance, il avait tant d'esprit. Il vous sera facile de composer l'éloge le plus spirituel du monde. »

L'entrée sous la Coupole lors de la réception solennelle, quelques mois plus tard, ressemble assez initialement à la marche vers une exécution capitale. Je descends lentement l'escalier qui conduit à la Coupole. Le roulement des tambours de la garde républicaine qui accompagne cette descente est très funèbre. Je prends place entre mes deux parrains, Jean Delay et Jean Guéhenno. Je prononce l'éloge de mon prédécesseur. Le funèbre disparaît grâce à Marcel Pagnol.

Très différentes de celles de l'Académie des Sciences, les séances de l'Académie française, le jeudi, sont presque entièrement consacrées au dictionnaire. Avec une sage lenteur. Avec une lenteur nécessaire. Le dictionnaire de l'Académie est le dictionnaire de l'usage, il faut laisser à l'usage le temps d'évoluer. On dédie au nouvel académicien le premier mot discuté lors de son entrée en séance. Ce fut pour moi le mot « doublet ». En douze ans l'Académie est passée de la lettre D à la lettre J.

Tantôt l'Académie accepte les propositions de la commission du dictionnaire. Parfois elle les conteste. Ou bien des opinions divergentes existent. Si l'accord ne peut être obtenu, le directeur de séance demande à la compagnie de trancher par un vote.

Voici quelques années, le mot « eau » est discuté. Pour « eaux thermales », la commission avait proposé « eau douée de propriétés thérapeutiques ». Je suggère une autre définition : « eau à laquelle on attribue des propriétés thérapeutiques », définition qui est acceptée. Les journaux ont fait état de mon intervention. J'ai reçu diverses protesta-

174

tions des administrations, des médecins de villes d'eau. Je répondais : 1) En rappelant la phrase de Voltaire : « Il faut prendre les eaux comme on lit les Pères de l'Église, sans y croire. » 2) En notant qu'il n'y a pas de stations thermales aux États-Unis. 3) En regrettant que des essais comparatifs : eau thermale contre placebo n'aient presque jamais été entrepris.

L'Académie française distribue aussi de nombreux prix. J'appartiens à divers jurys, dont le jury des prix de poésie. Rien de plus accablant que la lecture désabusée de multiples plaquettes écrites par de plats versificateurs, lecture poursuivie avec l'espoir, parfois récompensé, de rencontrer un vrai poète.

Les Académies provinciales et étrangères

Je suis aussi membre de plusieurs Académies provinciales (Bordeaux, Metz, Montpellier) et étrangères (Belgique, Hongrie, Serbie, Amérique latine). De ces Académies étrangères, la plus lointaine est l'Australian Academy of Science, la plus remarquable est l'Académie du Royaume du Maroc.

L'Australian Academy of Science (dont j'étais le premier membre ne venant pas d'un pays anglophone), m'a accueilli, il y a deux ans, avec une extrême chaleur en pleine crise du Rainbow Warrior. L'Académie du Royaume du Maroc compte 30 membres marocains et 30 membres non marocains. Membres extrêmement divers, Henry Kissinger, Armstrong, qui, le premier, marcha sur la lune, le romancier noir Haley, l'archiduc Otto de Habsbourg, le président Senghor, un communiste chinois, le directeur du Musée de l'Ermitage à Leningrad, Lord Chalfont, ancien ministre britannique. Les trois premiers membres français furent Maurice Druon, Edgar Faure, le doyen Vedel. Deux ou trois sessions par an, à Rabat, à Fez, à Marrakech, à Agadir, à Casablanca, à Tanger, une fois à Paris. Les thèmes, très divers aussi, sont proposés par le Roi : « L'eau en Afrique », « Durée souhaitable du mandat présidentiel dans les Républiques », « Les nouvelles énergies et leurs conséquences », « La piraterie », « Déontologie de l'espace » (Armstrong était le principal rapporteur), « Procréations artificielles ». Lorsque ce dernier thème fut proposé, l'excellent Secrétaire Perpétuel de l'Académie, le professeur Berbiche, me demanda conseil. Je suggérai un plan en quatre parties. Biologie, Morale, Droit, Religion. « Non, me dit-il, en terre d'Islam, la religion gouverne tout. Il n'y a pas de biologie, de morale, de droit indépendants de la religion. » La réunion fut cependant un modèle de tolérance. Côte à côte intervenaient les religieux musulmans, le cardinal Gantin venu du Togo, noir et rouge, un grand rabbin américain, une grande dame anglicane.

VI

LES VOYAGES

Les voyages

En 1948, la traversée de l'Atlantique en avion n'était pas encore entrée dans les habitudes. Le voyageur était à la fois admiré et plaint. On le louait. On tremblait un peu pour lui. Mon premier départ attire ma concierge émue sur le pas de sa porte, les amis fraternels à la gare des Invalides. La première escale est Shannon. Nous sommes accueillis par de charmantes Irlandaises tout de vert vêtues. Je remonte dans l'avion. Je somnole vaguement. Je m'endors. L'hôtesse me touche l'épaule. « Pardonnez-moi, monsieur, de vous éveiller, nous arrivons au Bourget. » Et j'apprends qu'un incident mécanique a contraint le pilote à revenir sur Paris. Il faut repasser, la tête basse, devant la concierge stupéfaite et narquoise. Le second départ, le lendemain, sera le bon.

J'avais reçu le baptême de l'air au temps de mon service militaire quand j'étais médecin du camp de Villacoublay.

J'avais plusieurs fois convoyé de grands blessés en appareil sanitaire pendant les dernières semaines de la guerre, mais je n'ai vraiment voyagé en avion qu'après 1948.

Voyager? On ne voyage plus. On est transporté disait à peu près Paul Morand. Pourtant, même ainsi transportés, comme le héros de la mythologie antique, nous rencontrons les éléments, l'eau, la terre, l'air, et je garde des souvenirs merveilleux de la mer violette du golfe du Mexique, des îles grecques survolées à basse altitude, de la montagne glacée se jetant dans l'océan à Marrakech ou à Santiago du Chili. Ces voyages doivent vous fatiguer, me dit-on souvent. Comment les supportez-vous? Mais non, le voyage est pour moi repos. Avec la disparition de la responsabilité. Point de décision à prendre, point d'appel téléphonique. Le programme est fixé par les organisateurs. Il suffit d'obéir.

Roméo Boucher et le Canada

1950 – Je vais pour la deuxième fois au Canada. Escale au Labrador. De jeunes Québécoises, entourées de fourrures et avec un accent vieux normand côtoient les Esquimaux aux yeux bridés. Puis Montréal, où je retrouve Roméo Boucher. Roméo Boucher, dont les aïeux sont venus du Perche au Québec à la fin du XVIIe siècle, est professeur de clinique médicale à l'université de Montréal, médecin chef de service à l'hôpital Saint-Luc. Il aime la France comme on aime une femme. Quand il est à Paris, il va toujours prendre son petit déjeuner sur le zinc d'un bistrot voisin de son hôtel pour être entouré de Parisiens trempant comme lui leur croissant dans leur café au lait. Il ne prend

178

ni autobus, ni taxi, ni métro. Il marche, heureux de vivre à Paris, de mieux connaître Paris.

Depuis 1948, il invite chaque année un jeune agrégé parisien à assurer pendant deux mois, à sa place, ses fonctions d'enseignement, ses fonctions de chef d'un service hospitalier.

Les plus illustres maîtres de la médecine française sont ses amis. Il pourrait aisément les consulter avant de choisir son invité de l'année. Sa méthode est différente. Il se mêle aux étudiants en médecine, les écoute quand ils comparent les vertus, les défauts de leurs maîtres. Ces informations, les opinions ainsi recueillies vont le guider.

Donc, pendant deux mois, je prendrai chaque matin le vieux tram qui suit tout au long la rue Sainte Catherine. J'entendrai le receveur, réglementairement bilingue, crier dans les deux langues, le nom des stations : « Pie neuf, pie nine. » Je passerai devant les deux boutiques proches de l'hôpital, le cordonnier avec la pancarte : « Tout acheteur d'une paire de chaussures aura droit à une paire de claques », le boucher avec la pancarte : « Nos steaks sont si tendres qu'on se demande comment la vache pouvait bien tenir ensemble. » Puis vient la visite que je fais, entouré par les internes, les étudiants. Roméo Boucher m'a solennellement remis sa blouse, mais au fond de la salle, en civil, il veille et s'assure que tout se passe bien.

J'apprends à connaître, à aimer ces ouvriers, ces paysans canadiens, couchés dans les lits de l'hôpital Saint-Luc. Avec parfois des difficultés linguistiques. Telle celle rencontrée par mon prédécesseur Paul Milliez. « Madame, tirez-moi la langue », demande-t-il à une brave personne qu'il examine. « Non, docteur, je n'oserai pas. » Il insiste.

Elle résiste puis cède et de sa main droite saisit et tire la langue de Paul Milliez. Le soir nous dînons chez Roméo Boucher ou chez ses amis. Je me trouve un jour entre deux dames d'une quarantaine d'années, l'une parle de son douzième enfant, l'autre de son quatorzième enfant. Il est très important, m'expliquent-elles, que les premiers enfants soient des filles. Elles pouponneront plus tard les derniers nés. Les clubs divers de Montréal organisent souvent des conférences données juste après le repas. Le président d'un de ces clubs nous accueille, nous conduit au vestiaire : « Madame, voulez-vous ôter votre linge ? » Ma femme, d'abord surprise, comprend qu'il s'agit de son manteau. Un peu plus tard, le même président me donne la parole : « Maintenant, chers amis, le docteur Bernard de Paris va nous faire son boniment. »

Un matin je reçois une invitation de l'université Mac Gill, la grande université anglophone. J'informe mes collègues et eux de répondre : « Vous allez chez ces gens-là ? »

Entre les semaines de travail, Roméo Boucher glisse parfois quelques jours de repos. Il nous montre sa province, les érables rouges comme un drapeau en cette fin d'octobre, les lacs innombrables, la Gaspésie dont nous faisons le tour, admirant les pionniers héroïques qui, défrichant les terres sauvages, créent des champs, les cultivent.

Ainsi, en deux mois se tissent des liens très forts entre les Québécois, entre les médecins du Québec surtout, et moi. Presque chaque année ensuite, un chercheur, un interne de Montréal, de Québec, viendra travailler à l'hôpital Saint-Louis dans un laboratoire, auprès des malades. Quand je retourne moi-même à Montréal ou à Québec, je suis frappé par la qualité, par la rapidité des progrès accomplis. En plusieurs domaines, la médecine du Québec est maintenant au premier rang. Placée au confluent de trois cultures, française, américaine, anglaise, elle a su tout à la fois les unir et conserver son originalité.

Ignazio Gonzales Guzman et le Mexique

En 1956, j'appartiens pendant six semaines au Mexique à un cirque hématologique. La troupe comprend deux Allemands, deux Brésiliens, deux Italiens, deux Japonais et deux Français, Jean Dausset et moi. Chaque semaine nous nous arrêtons dans une ville différente. Nous donnons chacun une conférence. Pendant les six jours suivants nous visitons la province. Puis nous repartons pour la capitale de la province voisine. Le chef de la troupe est Ignazio Gonzales Guzman. Ignazio Gonzales Guzman, 50 ans, descend d'une illustre famille du Michoacan, de la région de Chinchunza et appartient à ce peuple glorieux des Tarrascans qu'au temps de l'arrivée de Cortez, les Aztèques eux-mêmes n'avaient pas soumis. Son arbre généalogique, m'a-t-il dit un jour, commence par le mariage d'un ancien évêque défroqué, compagnon de Cortez et d'une princesse indienne. L'évêque excepté, tous les ascendants sont, depuis quatre siècles, indiens. Il s'est marié sept fois. J'ai assisté au septième mariage. Pendant le défilé qui suit, je suis derrière un de ses amis qui l'embrasse largement, à la mexicaine et lui glisse à l'oreille : « Espérons que c'est la dernière. »

Ignazio Gonzales Guzman est encore, à 50 ans, champion au Mexique de pelote basque. Il est un savant de haute réputation internationale; un des maîtres de la cellule sanguine, un de ces maîtres qui nous ont permis de mieux connaître l'anatomie, la physiologie des cellules du sang. Son Institut de recherches est construit dans le cadre de la plus belle Université du monde, celle de Mexico qui allie l'art indien le plus noble, le plus classique aux lignes exaltantes de l'architecture moderne.

Cette alliance est bien celle qui définit Ignazio Gonzales Guzman. Il a comme ses amis, Ignazio Chavez, Torres Bodet, la même connaissance profonde, affective autant qu'intellectuelle de la France et de son génie. Il est le familier de nos poètes, de nos essayistes, de nos romanciers et lors des soirées amicales où son éblouissante culture apparaît malgré sa modestie, il se laisse parfois aller à citer telle strophe, telle page de l'un d'entre eux.

J'avais déjà, pendant de précédents voyages, vécu dans le musée de Mexico, rêvé dans les cours presque grecques d'Uxmal. J'avais, accablé par le vertige et la terreur, descendu en tremblant les redoutables marches de la pyramide de Chichen Iza cependant que mon jeune guide, insouciant, sautait loin devant moi.

Avec Ignazio Gonzales Guzman, je découvrais d'autres Mexique. Dans une auberge de campagne, au bord de l'âtre, dorment dans leurs longues jupes les servantes indiennes pareilles à leurs aïeules du musée de Mexico.

Sur le mur de l'église du village, édifiée peu après la conquête espagnole, l'artiste mexicain, juste converti, à côté du Christ et des saints, a peint un soleil et une lune. On ne sait jamais. Deux sûretés valent mieux qu'une.

Un milliardaire ami de Gonzales Guzman nous reçoit dans son palais. L'eau de la piscine est cachée par les pétales des gardénias blancs. Nous plongeons sous les fleurs et remontons, pauvres toujours, mais cœurs contents.

Près de Guadalajara une chapelle dans la campagne. Agenouillé sur le sol près de la chapelle, un sculpteur paysan taille dans la pierre une tête de Vierge. Son modèle est une image sulpicienne de première communion placée près de lui sur le sol. La tête de Vierge, presque terminée, est un chef-d'œuvre.

La Chine

En 1958, six médecins français invités par l'université de Pékin visitent la Chine. La Chine continentale comme disait alors le Quai d'Orsay. Après Moscou, la première escale est Omsk. Une aimable hôtesse nous fait traverser la salle principale, nous conduit dans un salon sans fenêtre, nous parle de Balzac. Elle va consacrer sa thèse de doctorat à César Birotteau, compare l'admirable début, les soucis de madame Birotteau, aux textes de Desjardins, de Joyce, pense que Balzac a inventé le monologue intérieur, discute ensuite les relations de Balzac avec la médecine, nous émerveille pendant une heure à l'escale.

Nous repartons et apercevons un très important « combinat » industriel avec ses flammes, ses lumières, ses fumées, tout près de l'aéroport. L'aimable balzacienne, dans le salon sans fenêtre, avait probablement pour mission de nous occuper pendant l'arrêt, de nous éviter toute tentation de sortir, de regarder de trop près le combinat.

A Irkoutsk, l'ombre de Michel Strogoff, le souvenir de la Prose du Transsibérien : « Dis, Blaise, sommes-nous bien loin de Montmartre? »

J'ai eu la chance d'aller plusieurs fois en Chine. En 1973 c'était le temps de la révolution culturelle, les relations n'étaient pas faciles. Mais en 1958, c'est une étonnante Chine associant des éléments divers, un grand mouvement populaire, la persistance de traditions anciennes, les rigueurs des dogmes et leurs contraintes. Le ministre de la Santé, madame Li invite les Français à dîner. Cuisine raffinée. Baguettes. L'un de nous, après quelques minutes, laisse maladroitement tomber sa baguette. Un serviteur rapporte d'autres baguettes. Quelques minutes. Le même convive français laisse à nouveau tomber ses baguettes. Même arrivée de nouvelles baguettes, mais la délégation française se sent vaguement déshonorée. Pas pour très longtemps. Un peu plus tard la dame ministre laisse tomber ses baguettes.

Nous visitons les hôpitaux. A Pékin un grand hôpital s'appelle hôpital de l'Amitié sino-soviétique (quand je reviendrai en 1973, le nom aura été abrégé et sera devenu hôpital de l'Amitié).

Chaque médecin de cet hôpital (le chef de service comme le jeune assistant) a une double fonction, sa fonction hospitalière d'une part, sa fonction de médecin de ville d'autre part. A ce titre il est responsable d'un certain nombre de familles de la circonscription. Quand un membre d'une de ces familles est sérieusement malade, il retrouvera à l'hôpital son médecin habituel.

Dès 1958, le très grand effort fait pour améliorer la santé des enfants a obtenu des résultats heureux. Les enfants chinois reçoivent les mêmes vaccinations que les enfants français. Ils sont vifs, alertes, bien nourris. En revanche, le gouvernement chinois ne s'intéresse guère alors à la santé des adultes, encore moins à celle des vieillards. Des vieillards au surplus fort peu nombreux. Je demande « Où sont les vieillards ? » « A l'intérieur », me répond-on. Réponse ambiguë. Sont-ils à l'intérieur de la Chine, à l'intérieur des maisons, à l'intérieur de la terre ? Un vieil homme pourtant n'est pas à l'intérieur. Il tient un magasin d'objets d'art. Ou plutôt de copies car le nouveau régime a formellement interdit toute exportation d'objets d'art original. J'achète une petite statuette en jade et je demande au vieil homme qui parle un excellent français : « Est-ce vraiment une copie ? » « Je vous aurais menti autrefois, en assurant qu'une statuette était originale. Je vous mens aujourd'hui en affirmant que c'est une copie. » Quelques jours plus tard, nous allons de Tsin Tsin à Canton en chemin de fer. Voyage interminable. La vitesse est de 40 kilomètres à l'heure, mais nous voyons les champs, les paysans, les enfants. Mais vingt-quatre heures sur vingt-quatre nous sommes assourdis par les recommandations, les consignes, hurlées en chinois par les haut-parleurs placés dans chaque compartiment. L'un de nous monte sur la banquette, détache un fil, rend le haut-parleur silencieux. Cinq minutes de bonheur. Mais voici qu'arrive un des contrôleurs, furieux. Il s'apaise en voyant la couleur de notre peau, répare le haut-parleur, repart. Pendant les douze heures suivantes du voyage, nous entendons sans interruption *la Madelon, la Marseillaise,* alternant l'une avec l'autre. Nous en venons à regretter les consignes chinoises qu'au moins nous ne comprenions pas.

Notre voyage dure un mois. Pendant ce mois, nous ne voyons pas de mouches, pas de moustiques non plus. Nous dormons fenêtres ouvertes au bord de la Rivière des Perles à Canton, au bord des eaux historiques et assoupies des lacs d'Hong-tchou sans entendre un seul moustique. Pas de rats non plus. Les grandes maladies infectieuses qui, récemment encore, dévastaient la Chine (choléra, plusieurs dizaines de milliers de morts jusqu'à la révolution, peste, variole) ont disparu et le paludisme, presque obligatoire jadis dans certaines régions, est devenu rare. En neuf ans, entre 1949 et 1958, l'hygiène chinoise a corrigé ce retard de plusieurs siècles. Cette prodigieuse transformation n'est pas la conséquence d'un progrès technique particulier mais d'un effort très considérable d'instruction du peuple chinois. Ainsi les insectes et les rongeurs n'ont pas été détruits par les agents chimiques dont la Chine des années 50 est totalement dépourvue. Les mouches et les moustiques sont tués à la main par des tapettes, les rats assommés ou pris au piège. 650 millions de personnes tuant chaque jour 5 mouches et 5 moustiques, chaque année 2 rats, cela fait un joli total en un an. En 1957, 60 millions de kilos de mouches, un milliard de rats.

Saint-John Perse me racontera un jour ses aventures chinoises assez différentes des nôtres. Il a 30 ans, il est troisième secrétaire à la légation de France à Pékin. Il va souvent en randonnée, à cheval, vers l'Asie centrale. Un jour, il est dans le désert de Gobi. Les quatre cavaliers mongols qui l'escortent, ont deviné au loin la présence d'un chameau mort et se précipitent vers le cadavre pour y découper leur nourriture. Il reste seul. Fatigué, il s'allonge sur le sol et machinalement pose sur sa poitrine un crâne de cheval qui se trouvait là. Entre ses yeux est un petit kyste latéral. Les cavaliers mongols reviennent, le trouvent endormi avec le crâne de cheval. C'est la situation même que décrivent les textes religieux quand ils parlent de

186

Bouddha et des futurs Bouddhas. Ce petit kyste marque le Bouddha, s'il est médian, les futurs Bouddhas s'il est latéral. Les cavaliers mongols désormais le vénèrent et pendant tout le voyage le respecteront sans l'approcher.

Le Japon

Deuxième Dieu, ou plutôt ancien Dieu, l'empereur Hirohito. En 1970 je participe, à Tokyo, aux travaux du conseil de l'Université des Nations unies. Les membres du conseil sont reçus par l'empereur. Non sans précaution. Le chef du protocole nous fait venir la veille pour une répétition. « Vous vous placerez entre ces deux lignes marquées sur le sol. Sa Majesté entrera par la porte de gauche, etc. » Le lendemain en effet, Sa majesté entre par la porte de gauche. Hirohito a été Dieu toute sa vie, et même auparavant. Il a dû renoncer à sa divinité au moment de la défaite du Japon et du traité imposé par le général MacArthur. L'empereur est un très vieil homme, très las, très courtois. Il nous parle pendant un quart d'heure de sa discipline, la biologie marine, d'étoiles de mer, d'oursins, de crevettes.

Pendant le séjour japonais, je suis un soir le voisin à table du professeur Maeda. Il m'explique qu'il est mon collègue, étant professeur associé de l'université de Paris. Il a consacré une partie de sa vie à traduire Pascal en japonais. Il a, en déchiffrant le manuscrit des Pensées, proposé des interprétations neuves qui ont ensuite été adoptées. « Combien d'exemplaires de ma traduction de Pascal ont-ils été vendus ? » me demande-t-il. Je propose par courtoisie un chiffre élevé. Il est très inférieur à la réalité. Par

187

milliers, les Japonais ont lu les Pensées. Combien de Français chaque année lisent-ils Pascal?

En 1987, l'Académie française décernera une de ses plus hautes récompenses, le Grand Prix de la Francophonie, au professeur Maeda, qui, malheureusement, meurt deux semaines plus tard.

En septembre 1966, nous revenons d'Australie. Au-dessus de l'Inde, l'avion est pris dans une tornade. Il monte, il descend, il monte encore plus haut, redescend plus bas. Plusieurs sauts d'amplitude croissante se succèdent ainsi. C'était l'heure du dîner. Les assiettes sont projetées en l'air et retombent sur la tête, sur les épaules des passagers. Un enfant, mal attaché a, lui aussi, été projeté et tout contus, gémit.

Il est clair que l'appareil ne résistera pas longtemps à de telles secousses, mais les sauts se font moins amples. Le calme revient. L'avion poursuit sa route.

Ma voisine est une vieille demoiselle anglaise, chercheur éminent à l'Institut du Cancer de Londres. Elle se penche vers moi et me dit : « It was very unpleasant. »

*
* *

L'hématologie géographique

J'ai toujours aimé la géographie. Tout enfant, j'étais, comme quelques autres, amoureux de cartes et d'estampes. Je rêvais de voyages lointains, d'explorations.

J'ai depuis longtemps considéré que la recherche des causes était, dans l'étude des maladies, une voie royale. Ma discipline, l'hématologie, si forte du côté de la physiologie, du côté de la biologie moléculaire, n'est pas très avancée du côté des causes. Lorsqu'en 1942, reclus dans une chambre de campagne, j'écrivais un Traité des maladies du sang, j'avais proposé un plan étiologique, un plan fondé sur la connaissance des causes. J'espérais que les recherches ultérieures viendraient justifier ma présomption (dans tous les sens de ce mot). Tel ne fut pas le cas. Un deuxième Traité écrit vers 1975 reprenait le plan traditionnel.

Quelques voyages devaient, autour de 1960, conduire à de nouveaux concepts.

Sur un mur de la grotte d'Altamira à Sentillana del Mar, un mammouth dessiné par un Aurignacien des temps paléolithiques meurt d'hémorragie, meurt parce que son sang l'a quitté. Pour la première fois (tout au moins pour la première fois nous en avons la preuve), l'homme comprend que le sang est nécessaire à la vie, que la perte de sang entraîne la mort. C'est le début de l'hématologie.

Pour le deuxième voyage, nous accompagnons une équipe anglo-canadienne qui étudie au Caire la momie du tisserand Nakcht. Nakcht vivait au temps de la vingtième dynastie, 1 150 ans avant notre ère. L'étude de la momie permet :

1) De reconnaître tardivement certes (après trente et un

siècles), mais exactement, la maladie qui a tué Nakcht : une bilharziose, parasitose encore fréquente aujourd'hui dans le delta du Nil.

2) De voir au microscope électronique les globules rouges de Nakcht gardant après trente et un siècles leur forme de disques biconcaves.

3) De constater que Nakcht appartenait au groupe sanguin B.

Pour le troisième voyage, nous allons, avec Jean Dausset, examiner les groupes sanguins des habitants de l'île de Pâques, puis ceux des Polynésiens, des Péruviens. Cette étude montre que dans le lointain des âges, les migrations se sont faites, dans le Pacifique, d'ouest en est, d'Océanie vers l'Amérique du Sud, et non pas d'est en ouest, d'Amérique du Sud vers l'Océanie, comme le voulaient les héroïques navigateurs du Kontiki. L'aventure du Kontiki est un admirable exploit sportif mais probablement une erreur scientifique. Ces voyages, les miens, ceux des autres nourrissaient mes réflexions. Ainsi fut proposé en 1963 le concept d'hématologie géographique.

Les caractères du sang d'un homme dépendent du lieu où cet homme vit et plus encore peut-être du lieu où ont vécu ses ancêtres. L'hématologie géographique est la science qui étudie les relations de la géographie avec le sang. Elle est fondée sur deux privilèges de l'hématologue :

1) A tout moment, en prélevant une goutte de sang, il peut connaître l'état du tissu dont il a charge d'étudier les variations.

2) Il peut, pour ses observations, utiliser les méthodes, le langage de la plus précise des chimies, puisque c'est par

l'hémoglobine, par un élément du sang qu'a commencé la grande révolution de la pathologie moléculaire.

Ce premier texte paru, cette « Esquisse d'une hématologie géographique » me valut quelques mois plus tard la visite de Jacques Ruffié. Il est alors directeur du Centre de Transfusion sanguine de Toulouse. Il commence à jeter les premiers jalons d'une science neuve, l'hémotypologie. Les anthropologues ont longtemps défini les hommes par la couleur de la peau, la forme de leur visage, de leur nez, la consistance de leurs cheveux. Avec J. Ruffié, avec l'étude des hémoglobines, des groupes sanguins, des enzymes, nous assistons à la naissance d'une nouvelle anthropologie, plus pénétrante, si je puis dire, plus proche de la réalité.

Dès 1965, nous associons nos efforts. L'hématologie géographique est le concept, l'hémotypologie un admirable instrument de travail. Jacques Ruffié va sur le terrain, installe des équipes sur les hauts plateaux de Bolivie, vers les îles du Cap-Vert, au Népal. Nous voyageons ensemble en Chine, au Maroc, en Nouvelle-Zélande. Quelques années plus tard, nous écrivons ensemble les deux volumes d'une Hématologie géographique.

Ainsi nous sommes devenus géographes, explorateurs différents de nos prédécesseurs, alliant aux portulans, aux cartographies anciennes et modernes les rigueurs de la biologie moléculaire. Et glissant le long des latitudes, des longitudes, des parallèles, des méridiens, nous avons souvent rencontré l'histoire.

J'ai été plusieurs fois au Cambodge au temps où l'on pouvait travailler dans ce pays si malheureux aujourd'hui. Les hématologues ont reconnu l'originalité des populations cambodgiennes, en démontrant l'existence dans le sang de nombreux Cambodgiens d'une hémoglobine spéciale, l'hémoglobine E, l'hémoglobine des populations khmères. L'histoire des Khmers est, au long des siècles, très animée, avec les victoires et les défaites, avec l'alternance des périodes de servitude et des époques glorieuses des XIIᵉ et XIIIᵉ siècles. Les souverains khmers se veulent alors monarques universels. Leur royaume, leur empire est très étendu. Il englobe la basse plaine et le delta du Mekong, le Laos jusqu'à Vientiane, les provinces orientales de la Thaïlande, une partie de la Malaisie et le Vietnam actuel. Les archéologues de l'école française d'Extrême-Orient, étudiant dans toute l'Asie du sud-est les monuments du temps d'Angkor, ont pu fixer les limites du grand empire disparu. Les hématologues étudiant la répartition de l'hémoglobine dans le même Sud-Est asiatique ont eux aussi reconnu les limites de l'empire khmer.

J'ai reçu il y a quelques années la visite de M. Groslier, dernier conservateur français d'Angkor. Nous avons comparé nos deux cartes, la carte des archéologues, la carte des hématologues. M. Groslier, très précis, signalait quelques différences, un kilomètre ici, deux kilomètres là. Je me permis de faire remarquer qu'après sept siècles, ces divergences étaient vraiment modestes et, qu'au contraire, la quasi-identité de nos deux cartes témoignait de la valeur des deux méthodes pourtant bien différentes, celle des archéologues, celle des hématologues.

J'ai eu le grand privilège, étudiant les relations du sang avec l'histoire, avec la géographie, de rencontrer longuement les maîtres de disciplines apparemment et au moins initialement fort éloignées de la mienne.

Fernand Braudel, le cher et tant regretté Fernand Braudel, me rappelait que longtemps les chroniques, les textes passés, souvent partiaux, ont été les seules sources d'informations utilisées par les historiens. Puis sont venues les données précises fournies par l'archéologie, la sémantique. L'hématologie, dernière venue, apporte elle aussi des faits précis. Fernand Braudel en faisait grand cas. « Vous devriez, disait-il à Jacques Ruffié et à moi-même, écrire un Traité de mille pages sur les relations du sang avec l'histoire. » Nous avons demandé un délai.

En 1952, j'ai le bonheur, pendant quelques jours, de visiter Rio de Janeiro avec Paul Rivet. Paul Rivet est alors âgé de 76 ans. Il a créé le Musée de l'Homme. Il a aussi créé l'anthropologie de l'Amérique indienne. Nous marchons au bord de la plus belle rade du monde. Nous allons par les chemins du jardin zoologique. Sur une pelouse, un jaguar assez terrible, saute, court en toute liberté. En liberté apparente. Une très longue longe, probablement solide, le tient attaché, comme une chèvre, à un piquet central, probablement solide aussi. Paul Rivet évoque son premier voyage en Amérique du Sud comme médecin du groupe de membres de l'Académie des Sciences, qui vont vérifier l'exactitude de la mesure du mètre à l'Équateur. Paul Rivet se prend d'amour pour l'Amérique indienne. Il se prend d'amour aussi pour la nièce du Président de la République de l'Équateur qu'il enlèvera et épousera. Il retournera souvent en Amérique du Sud, en Amérique centrale, au Mexique.

On croit alors, et on croira longtemps, que les Indiens d'Amérique, les Peaux Rouges, sont la quatrième race, sont nés sur place. Paul Rivet, le premier, pressent la vérité et qu'ils sont venus d'ailleurs, les uns, les plus nombreux d'Asie, les autres d'Océanie. Paul Rivet, devenu grand anthropologue, s'est éloigné de la médecine, mais est resté médecin. Il m'interroge sur les progrès de l'hématologie. Cependant, à l'ombre des arbres centenaires j'apprends l'histoire lointaine de l'Amérique du Sud, les données incertaines, les données assurées, l'importance de l'étude comparée des caractères physiques, des langues et des coutumes. Quelques années plus tard, les travaux des hématologues confirment avec éclat la haute valeur de la plupart des hypothèses de Paul Rivet. Les Amérindiens, les Peaux Rouges sont des Mongols venus voici quelque 50 000 ans, probablement à pied en traversant non pas le détroit, mais ce qui était alors l'isthme de Behring, la Behringie.

Nos travaux d'hématologie avaient fortement établi cette origine asiatique des Indiens d'Amérique. Le professeur Dumézil, le plus grand linguiste de son temps (il était mon voisin, habitant rue Notre-Dame-des-Champs), me montre un jour un travail concernant les mots qui désignent les cinq premiers nombres, un, deux, trois, quatre, cinq, dans la langue mongole d'une part; dans la langue des Indiens du Pérou d'autre part. Les mots sont les mêmes. La linguistique vient ici confirmer les données établies par une science toute différente, l'hématologie, la science du sang.

Quelles sont, me demande-t-on parfois, les conséquences de l'hématologie géographique? Ne risque-t-on pas de réveiller le vieux démon du racisme qui évoque les divers mythes dont le sang est le motif et qui ont fait tant de mal? C'est tout le contraire qui s'est produit. L'hématologie géographique a la fierté d'avoir été la première science démontrant l'absurdité biologique des théories racistes. Ceci par l'étude des maladies de l'hémoglobine et particulièrement de l'anémie à globules rouges en forme de faucille ou hémoglobinose S.

Cette maladie, qui altère les os, peut être reconnue sur des squelettes anciens. Elle existe en Afrique depuis des milliers d'années. Compte tenu de sa gravité et de la sélection naturelle, elle aurait dû depuis longtemps disparaître. La permanence d'une si grave anomalie a longtemps été un mystère. L'explication a été apportée par un médecin anglais, Allison. L'anomalie de l'hémoglobine, si désavantageuse d'un côté, est avantageuse d'un autre côté. Elle protège contre le paludisme qui lui aussi existe en Afrique depuis des milliers d'années. Trois sortes de populations ont ainsi coexisté en Afrique. Les personnes qui héritaient de leurs deux parents l'hémoglobine anormale S et qui mouraient d'anémie. Les personnes qui héritaient de leurs deux parents l'hémoglobine normale A et qui, non protégés, mouraient de paludisme. Les personnes qui héritaient de l'un de leurs parents l'hémoglobine normale A, de l'autre parent l'hémoglobine anormale S, les métis en quelque sorte. Ils ne souffrent pas d'anémie. Ils sont protégés contre le paludisme. J'ai bien souvent songé à ces importantes constatations qui inspirent deux réflexions : 1) Entre les hommes, il n'y a pas inégalité mais différence. Tel caractère, l'hémoglobine S, défavorable en dehors des zones d'endémie palustre, est favorable dans les zones d'endémie palustre. 2) Le métissage est avantageux. Ainsi les Galibi, Amérindiens de la côte guyanaise, discrètement métissés à la suite de la déportation des esclaves noirs, résistent mieux

195

au paludisme que les Indiens non métissés de la forêt qui vivent loin de la côte.

Ces données objectives, récemment établies, pourraient être utilement méditées par les tenants des théories racistes, classiques ou renouvelées.

« L'Afrique, continent très considérable », disait Strabon, et Pline le Jeune estimait que « d'Afrique nous vient toujours quelque chose de nouveau ». Déjà, l'étude des maladies africaines de l'hémoglobine était, on vient de le voir, riche d'enseignements. Et dans le même temps progressait notre connaissance des causes des cancers et des leucémies par les travaux poursuivis en Ouganda par le chirurgien anglais Denis Burkitt. J'ai eu la chance d'aller entre 1960 et 1965, travailler près de Burkitt à Kampala, capitale de l'Ouganda. L'Ouganda est le pays des sources du Nil et du Lac Victoria. C'est un pays étrange de lions, de girafes, d'hippopotames, de bougainvillées, de luttes tribales aussi. Denis Burkitt, chirurgien des troupes coloniales britanniques, est affecté à Kampala au lendemain de la Deuxième Guerre mondiale. Il reconnaît la fréquence particulière d'une tumeur de la mâchoire de l'enfant ougandais, proche des leucémies par son anatomie. Roulant à travers l'Afrique au volant d'une Ford assez antique, il établit que la tumeur ne s'observe que dans des conditions de température et d'humidité bien précises. Cette tumeur dépend de la géographie. C'est le premier cancer géographique. Lorsque sont connus les premiers résultats des voyages de Burkitt, de véritables commandos de chercheurs s'abattent sur l'Ouganda. J'ai fait partie du premier d'entre eux. Nous roulions à travers les savanes, visitant les tribus, admirant les animaux sauvages. Très vite la découverte de Burkitt inspire deux autres découvertes : 1) La mise en évidence d'un virus jouant un rôle à l'origine de la maladie. 2) La notion capitale du pluralisme des causes. Le virus ne suffit pas. Quatre facteurs associés interviennent : le virus, le parasite du paludisme, une anomalie des chromosomes, la pauvreté. Cette notion neuve éclaire aujourd'hui toutes les recherches qui ont les cancers et les leucémies pour objet. Une nouvelle épidémiologie est née, qui associe à la virologie, à la génétique la plus raffinée, l'observation attentive du milieu, des coutumes, des mœurs. Ainsi, pendant mon séjour en Ouganda, Burkitt me montre les enfants de deux tribus vivant dans des conditions de température, d'humidité absolument identiques. La tumeur existait dans l'une des tribus, pas dans l'autre. Il ne comprend pas. Une observation attentive montra que les mères de la première tribu ne couvraient pas d'un voile le berceau des enfants, les mères de la seconde les protégeaient par un voile. Les moustiques piquaient les premiers, leur transmettaient virus et parasites mais, arrêtés par le voile, les moustiques ne pouvaient piquer les seconds.

Denis Burkitt est un homme modeste, très modeste. Il ressemble à ces jardiniers que vous voyez taillant leurs arbres fruitiers dans un verger du Kent. Vous apprenez un peu plus tard que ce jardinier a été vice-roi des Indes ou qu'il a commandé la flotte en Méditerranée.

Un jour, je félicitais Burkitt. Je lui disais combien nous admirions ses travaux poursuivis avec tant d'intelligence et de rigueur dans des conditions bien difficiles, presque sans microscope, sans appareil de radiographie. « Ne me félicitez pas, dit-il, je ne suis pas un biologiste, je suis un médecin. »

Puis il réfléchit et ajoute : « Pas même un médecin, un chirurgien. »

*
* *

Les consultations

La consultation de Cracovie

« Nous sommes chargés de vous demander de venir demain en consultation en Pologne auprès d'un grand malade. – Dans quelle ville ? – Nous ne le savons pas. – On vous le dira à Prague. »

Tel fut l'étrange dialogue téléphonique échangé avec l'ambassade de Pologne un matin du printemps de 1948. Mes amis informés me pressent de refuser. Il s'agira d'un homme politique important. Tu ne pourras pas le guérir. On t'interdira le retour en France. En dépit des avis amicaux, j'accepte. Quelques heures plus tard me parviennent billet d'avion et visa.

La situation en Tchécoslovaquie était très troublée. Je suis seul dans l'avion de Paris à Prague. A Prague une aimable dame de l'ambassade de Pologne me mène à l'avion spécial qui doit me conduire à Cracovie. Avion de Chef d'État avec bureau et chambre à coucher et équipage militaire.

A Cracovie je suis accueilli par diverses autorités officielles et par deux médecins éminents, les professeurs Tadeus Tempka et Julian Alexandrowicz.

Tempka est un vieil homme. Un homme d'ancien régime.

Alexandrowicz son élève qui est à peu près mon contemporain est un des meilleurs hématologues polonais.

Nous allons aussitôt voir le malade. Je m'attendais à quelque château, à une clinique dorée pour hauts personnages de la nomenclatura. Point du tout. Nous pénétrons dans la salle commune d'un hôpital vieillot. Cinquante, soixante malades peut-être sont allongés côte à côte. On m'arrête auprès d'un lit. C'est mon patient.

Cet homme, jeune encore, est le héros du travail de Pologne, le Stakhanoviste numéro un, le mineur qui a extrait une quantité record de charbon. Il est atteint d'une très grave maladie sanguine. D'où deux craintes. La crainte gouvernementale de l'opinion de la population : voilà donc le résultat d'un labeur excessif. La crainte des médecins d'ancien régime de se voir accusés de laisser mourir un homme du peuple, choyé par le pouvoir. A cette époque, le seul traitement des leucémies aiguës est l'exsanguino-transfusion, le grand échange du sang que nous avions, Marcel Bessis et moi-même, proposé en 1947.

Ces deux craintes et cet espoir thérapeutique ont inspiré l'appel de l'ambassade et ma venue à Cracovie.

Après examen prolongé du malade, l'exsanguino-transfusion est décidée. Les 50 donneurs de sang nécessaires sont rapidement réunis, volontaires désignés parmi les camarades du héros du travail. Le vénérable et illustre professeur Hirszfeld qui, au début du siècle, découvrit l'hérédité des groupes sanguins, vient tout exprès de Vroclaw procéder aux analyses nécessaires.

L'exsanguino-transfusion se passe bien. Les jours suivants, le malade est transformé. Il a retrouvé ses couleurs, sa force, son appétit. Le sang et la moelle osseuse s'améliorent, redeviennent normaux. En 1948, cette amélioration malheureusement ne pouvait être qu'éphémère. Le malade est intelligent et courageux. Il a longtemps travaillé comme mineur dans le nord de la France. Nous parlons longuement lui et moi de la France, de la Pologne, de ses exploits.

Exploits qui font de lui un héros populaire. Dans la rue, à l'hôtel je suis interrogé. Les nouvelles de sa santé, les progrès sont affectueusement, longuement commentés. Le recteur de l'université de Cracovie donne un grand dîner en mon honneur. Je suis le seul en tenue de ville. Tous les hommes portent la cravate noire. Toutes les dames sont en robes longues, les bras nus. Sur l'épaule de ma voisine de droite la marque, le matricule d'Auschwitz. A ma gauche la place est vide. Un quart d'heure après le début du repas, arrive tout essoufflé un petit homme. C'est le professeur d'histologie de la faculté de Médecine. Il me demande de l'excuser. « Je suis toujours en retard, dit-il. Une fois ce retard m'a sauvé la vie. Quand le gouverneur allemand Franck est arrivé à Cracovie, il a convoqué tous les membres de l'université pour leur donner, disait-il, ses instructions. Quand je suis arrivé, en retard comme d'habitude, des camions allemands emportaient mes collègues. Ils ne sont pas revenus. »

Les jours suivants, tantôt je vais revoir mon malade, tantôt je visite Cracovie. Les fidèles agenouillés sur le sol emplissent les églises. La ville miraculeusement épargnée n'a presque pas souffert de la guerre. Au détour d'une rue, un portail entrouvert laisse voir une demeure aux lignes pures, construite au temps de la Renaissance par l'un des architectes italiens qui édifièrent Cracovie.

Le jour du départ, le ministre de la Santé et le professeur

Tempka m'accompagnent à l'aéroport. « Dites bien au ministre, que le malade va quand même mourir », me dit à mi-voix le professeur Tempka.

La consultation de Moscou

L'homme dans son lit est pâle, émacié. Il maîtrise sa douleur. Il ébauche un sourire de bienvenue à mon arrivée. On devine une énergie lucide et discrète, un courage peu commun. Autour de lui une sollicitude affectueuse peu commune aussi.

Dans la chambre vaste et nue se trouvent, avec moi, six médecins, plusieurs infirmières, deux interprètes, trois secrétaires notant chaque phrase, chaque parole.

La pièce voisine est un laboratoire. Le seul microscope est un appareil monoculaire. Je dois apprendre à nouveau à regarder les lames avec un seul œil comme au temps lointain de mes études.

Après la consultation, je suis conduit dans une immense salle de banquet. Sur les tables sont disposés des mets somptueux, saumons, caviars, des boissons, vodka, alcools divers. Avides comme les seigneurs de Boris Godounov, tous, médecins, infirmiers, interprètes, secrétaires se jettent sur les nourritures somptueuses.

Je reste trois jours à Moscou, admirant à chaque visite le calme, la vertu du malade. A l'hôtel, à chaque étage, des dames très grosses veillent sur les mœurs et les pensées des voyageurs. Je découvre le Kremlin, les tombeaux, les églises. J'écoute un vieil opéra, Ivan Soussaline, très bien chanté, très ennuyeux.

Le ministre de la Santé m'accompagne le jour de mon départ. D'où dans le salon d'honneur de l'aéroport ce dialogue. « Monsieur le ministre, en France, nous respectons scrupuleusement le secret médical. Vous souhaitez sans doute que je ne parle pas de cette consultation à Moscou. – Mais non, monsieur le professeur, nous sommes un pays libre. Dites à votre retour ce que vous voulez. – Quel est alors le nom du malade, monsieur le ministre? – Je ne peux vous le dire. »

Le voyage de retour sera malaisé. Plus épais que tous les rideaux, un brouillard dort sur la Bohême. L'avion qui devait faire escale à Prague rebrousse chemin et va se poser à Berlin-Est. Nous sommes deux Français, deux Français seulement, une physicienne venue participer à un colloque à Moscou et moi. Les autorités locales ne sont pas pressées, nous devons engager de patientes négociations. Après trente-six heures, elles aboutissent. C'est en taxi que nous traversons le rideau de fer. Berlin-Est est gris, morne, silencieux. Berlin-Ouest resplendit de lumières et d'agitation. Quelques jours plus tard à Paris, je reçois cette lettre écrite par le professeur S. de Cologne, très illustre hématologue allemand. « Cher collègue, j'apprends par les journaux que vous avez été appelé en consultation à Moscou tel jour le matin. J'ai été appelé à Moscou le même jour, l'après-midi pour le même malade. » Ainsi les autorités soviétiques prudentes avaient consulté successivement un Français le matin, un Allemand l'après-midi.

Peu après mon retour, je dois prononcer l'allocution ouvrant la campagne annuelle de la Ligue nationale française contre le cancer. J'étais alors préoccupé, inquiet, les espérances conçues pendant le court passage au pouvoir de Pierre Mendès France avaient disparu avec son départ. Je suis, en parlant, anxieux et véhément. Le voyage en Russie avait attiré les journalistes venus plus nombreux que de coutume.

Le lendemain, Lazurick, directeur de l'*Aurore,* sans me demander mon avis, mais fort généreusement, ouvre dans les colonnes de son journal une souscription publique en faveur de notre recherche. En quelques jours 600 000 francs sont souscrits. Ainsi pourra, quelques mois plus tard, être édifié dans une des cours de l'hôpital Saint-Louis, un bâtiment préfabriqué abritant plusieurs laboratoires de recherche hématologique.

Jean Dausset appartenait alors au cabinet du ministre de l'Éducation nationale, M. Billières. Il est appelé par son ministre. Il confirme mon jugement et souligne la gravité de la situation. Le ministre est ému. Peut-être songe-t-il aussi à son budget qu'il doit présenter la semaine suivante au Parlement, aux interpellations possibles.

Le surlendemain, Jean Dausset et moi, sommes reçus au ministère par un haut fonctionnaire, une dame fort éminente, directeur des Constructions. « Le ministre, dit-elle, désire aider la recherche sur les leucémies. Quels sont vos besoins? » Fort heureusement elle n'attend pas notre réponse qui aurait été modeste et elle annonce que le ministre a décidé la construction d'un Institut de Recherches sur les leucémies et les maladies du sang et accorde les très importants crédits nécessaires. Des crédits de l'ordre de 10 millions de francs, un milliard de centimes. Les plans sont bientôt faits. Les travaux seront conduits rapidement.

Dès 1960 nous commencerons à travailler dans le nouvel Institut.

J'ai bien souvent pensé au malade soviétique, si pâle, si courageux, si lucide. Il se trouvait en fait à l'origine de la cascade imprévue d'événements qui avaient permis la construction de cet Institut de Recherches. Ces recherches qui quinze ans plus tard allaient permettre la guérison d'hommes, de femmes atteints de la même maladie que lui. De la maladie qui pour lui avait été fatale.

VII

MAI 68

« Camarades, je reviens des barricades de la rue Gay-Lussac ! » – « Ne fais pas l'ancien combattant. » Entendu un soir de mai 1968, dans la salle de cours de l'hôpital Saint-Louis où se tenaient des réunions fort animées, ce court dialogue révèle assez bien l'alliance de l'affirmation héroïque (ou supposée héroïque) et de la lucidité ironique, souvent rencontrée pendant cette période troublée.

Période troublée et étrange, tantôt claire, tantôt obscure. Des femmes, des hommes, fort différents, voisinaient, s'affrontaient, s'éloignaient, se rapprochaient.

Les généreux d'abord. Ils sont révoltés par l'inégalité entre les hommes, le malheur des humbles, la puissance de l'argent. Ils sont prêts au sacrifice. L'un d'entre eux, Pierre, construit tout seul, un soir, une barricade fermant une petite rue près du boulevard Saint-Germain et résiste plusieurs heures aux policiers stupéfaits, lorsqu'ils détruisent la barricade, de trouver un homme seul.

Le révolutionnaire. Il veut avant tout, détruire, tout détruire. Il est parfois naïf. « Il faut que nous apprenions ce que nous avons à détruire », me dit un jour l'un d'entre eux. Il est souvent habile, persévérant. Lorsque l'agitation des étudiants s'épuise à la faculté, les révolutionnaires, pendant la seconde quinzaine de mai, transportent littéralement cette agitation dans les centres hospitaliers. Avec des succès et des échecs. Des succès lorsqu'au cours des interminables réunions tenues chaque soir, le révolutionnaire, tapi dans le fond de la salle, réveille l'auditoire qui s'assoupissait et fait voter quelque motion incendiaire. Des échecs. A l'hôpital Saint-Louis, les révolutionnaires décident un matin de prendre en main la direction, la gestion de l'hôpital. Les difficultés de l'entreprise leur sont signalées, la gestion malaisée, lourde de responsabilités, d'une ville de plusieurs milliers d'habitants, malades et membres du personnel. Ils rejettent ces objections, partent bravement un matin à la conquête du bureau directorial. Ils sont arrêtés par un barrage établi par les représentants des syndicats d'infirmiers, très hostiles, selon leur expression, à cette « agitation gauchiste de fils de bourgeois ».

Parfois, l'échec n'est pas immédiat, mais retardé. Ainsi, dans un important hôpital psychiatrique, les révolutionnaires écartent le chef de service et forment un comité de direction tripartite, représentants des médecins, représentants des infirmiers, représentants des malades, c'est-à-dire des aliénés. L'activité de ce singulier comité sera courte.

Le bourgeois conformiste. Il ne comprend rien à la situation. Il redoute avant tout que cette agitation porte atteinte à ses privilèges, les uns héréditaires, les autres acquis. Il défend farouchement ces privilèges. Rien de plus éloigné de lui qu'une nuit du 4 août. Tout au plus, comme Louis XVIII, est-il prêt à concéder une Charte concernant des sujets mineurs. Quand la période critique se termine, il passe de Louis XVIII à Charles X, procède par ordonnances, rêve d'une Terreur Blanche qui remettra tout ce monde au pas.

Le psychopathe. Il est brillant, intelligent, laborieux, un des espoirs de sa génération. Il conduit l'agitation avec la même intelligence. Il est au premier rang. Il suscite le mouvement, l'oriente dans le sens souhaité, il interprète ces mouvements quand ils ne sont pas aussi favorables qu'il le voudrait. Ainsi, il décide la destitution de son chef de service. Il est très vite désavoué. Il repart aussitôt dans une autre direction. Peu à peu, au fil des jours, son action est parfois bizarre. Tantôt il paraît mentalement atteint; tantôt il semble appliquer une technique d'agitation remarquablement au point.

Il en vient à l'auto-accusation, explique publiquement ses erreurs, repart à la charge contre ses maîtres, ses collègues, la société. La fin de l'aventure est tragique. Les troubles mentaux s'accentuant, l'internement en hôpital spécialisé est nécessaire. Rien de plus difficile, dit un psychiatre, que de distinguer la manie aiguë de l'agit-prop. Il sortira de l'hôpital engourdi par les médicaments, ne retrouvant plus cette vive intelligence, ce goût pour la recherche que nous admirions.

Les courageux. Ils sont sensibles à la noblesse des sentiments profonds qui animent les jeunes exaltés. Ils refusent les accusations injustes, les destitutions proposées de certains maîtres. Très minoritaires initialement, ils ont le courage de se lever au milieu d'une assemblée hostile, d'exprimer leur opinion. Ils sont assez souvent écoutés.

Les délégués exigeants. Deux mots magiques en mai et juin 1968 : le substantif « délégation » et le verbe « exiger ».

Alors que, fin mai, j'assumais les fonctions de Doyen de la faculté de Médecine Lariboisière-Saint-Louis, je reçois une délégation d'étudiants. Ils sont à peine courtois. « Nous exigeons : 1) La suppression des cours magistraux et leur remplacement par des enseignements par petits groupes. 2) La suppression des examens de fin d'année et l'institution du contrôle continu des connaissances. » Le ton était rude, mais les demandes étaient raisonnables. Je donne mon accord.

Trois ou quatre semaines s'écoulent. La même délégation est à nouveau reçue. C'est la même délégation, mais ce n'est plus le même ton. Il n'est plus question d'exigences. « Nous demandons le retour aux anciennes méthodes... » En effet, l'étudiant peut dormir pendant un cours magistral ; il doit être constamment présent, attentif s'il appartient à un petit groupe entourant un chef de clinique. Il peut se reposer toute l'année et travailler quinze jours avant les examens de juin. Il est, en cas de contrôle continu des connaissances, contraint à un travail permanent.

Les premières décisions ont été maintenues, le retour aux anciennes méthodes refusé.

Les sceptiques. Un homme âgé, un des maîtres de la médecine, me dit : « Je suis vieux. J'ai vu tour à tour, les noirs refuser l'autorité des blancs, les femmes refuser d'obéir à leurs époux, les enfants refuser d'obéir à leurs parents, et maintenant les étudiants contester leurs maîtres. Tout cela est dans l'ordre. »

Les jeunes. « La jeunesse éclatera comme la chaudière d'une machine à vapeur. La jeunesse n'a pas d'issue en

France. Elle y amasse une volonté de capacités méconnues, d'ambitions légitimes et inquiètes... Quel sera le bruit qui ébranlera ces masses, je ne sais, mais elles se précipiteront dans l'état des choses actuel et le bouleverseront. » Ainsi s'exprime Balzac dans *Z. Marcas*.

Les méchants. Je regarde cette jeune femme qui expose les revendications des chercheurs. Ses lèvres sont retroussées sur le côté comme celles d'un loup traqué. Son front est calme, mais toute la moitié inférieure du visage exprime une haine malheureuse. Cette saison voit surgir ceux qui ont échoué. Médiocrité et méchanceté sont souvent alliées. Dans ces troupes qui occupent les amphithéâtres, qui campent dans les cours, que de ratés à côté des généreux et des convaincus.

Les vice-mandarins. Ils sont toujours présents, souvent silencieux, toujours très attentifs : Ils ne veulent pas être solidaires du mandarin. Ils le font savoir. Ils guettent toutes les occasions. La chute du mandarin pourrait entraîner un changement de dynastie, les porter au premier rang. Ils ne veulent pas non plus se désolidariser trop ouvertement de leur maître. L'évolution des événements est encore incertaine. Il faut ménager l'avenir, tous les avenirs.

L'ambitieux. Ce qu'il ne vous pardonne pas, c'est de l'avoir aidé. L'avez-vous aidé de façon éphémère, il vous voue une petite haine. Lui avez-vous porté un secours réel, durable, lui avez-vous, à plusieurs reprises, parce que vous l'estimiez, tendu une main affectueuse et efficace, il vous hait d'une haine définitive. Tenace. Il voudrait vous détruire et parfois y parvient. Plus votre nullité éclate, plus son mérite passé était grand. Plusieurs s'y laissent prendre.

Il est intelligent, très intelligent. Il aurait pu faire de

grandes découvertes. Il aurait fallu ne pas placer l'ambition et le désir de parvenir avant la découverte. Il travaille encore, anime, inspire. Il sait qu'il faut une certaine quantité d'œuvre scientifique pour nourrir une escalade. Ainsi parfois, il retourne au laboratoire et lance un travail qui part bien, puis se noie dans les sables. Il court les ministères et les ministres, les journalistes et les journaux. Le voici qui arrive dans une administration. Il demande au concierge d'appeler un numéro qu'on lui passera au premier étage. Avant de prendre l'appareil, il dicte une courte lettre à une secrétaire venue tout exprès, répond au téléphone, entre dans la salle des séances, assiste au début de la réunion de la commission dont il est devenu membre après mille intrigues. Il écoute les politesses et le procès-verbal, intervient pour marquer sa présence. La séance de travail commence. On le cherche. Déjà il est parti vers quelque agence de télévision.

Sa morale est celle de son intérêt personnel, son instrument, sa volonté qui est forte, ignorante des obstacles, fondée sur une appréciation très favorable de sa propre personne, un mépris profond d'autrui, une croyance en la puissance efficace de cette volonté, que certaines expériences justifient, que d'autres expériences ne justifient pas.

Un jour, il est à l'hôpital, près d'un enfant mourant, avec un de ses patrons. Il est encore jeune assistant. « Si nous avions vraiment la volonté de le guérir, dit-il, nous le guéririons. » Mais l'enfant est mort peu après.

Le contestataire plein-temps. Trois caractères le définissent : 1) Il est névrosé, a souffert de troubles mentaux à diverses périodes de sa vie, en souffre et en souffrira. 2) Il a toujours été un homme dit « de gauche », a appartenu à plusieurs formations politiques définies. Il est passé de fraction en fraction jusqu'à la solitude. Il a des soucis personnels, des malheurs personnels qu'il masque pendant les crises pour les retrouver aggravés au-delà des crises. Pour lui, le paroxysme est permanent. Il n'est pas vraiment briquet ni allumette. Il n'est pas capable de créer un feu. Mais il est souffle, vent violent. Il va étendre, renforcer jusqu'à l'incendie la lueur presque éteinte de quelques braises. Ceci, de proche en proche, enflammant d'abord les autres contestataires, puis faisant flamber les raisonnables.

Dans un de nos laboratoires, un excellent chercheur s'efforce de redresser les déviations d'une souche pure de virus leucémique. Deux de ses assistantes, appartenant à l'espèce contestataire décrite ci-dessus, crient au fascisme, qu'il faut laisser le virus librement se développer, que le retour à l'ordre génétique est incompatible avec la liberté.

Les protestataires. Deux protestations qui, en 1968, emplissaient les journaux, celle des policiers, celle des révolutionnaires, me paraissaient également absurdes.

Les policiers sont rétribués par la collectivité pour maintenir l'ordre. Il est déraisonnable de tenir pour anormaux les crachats et les coups qu'ils reçoivent. Il est scandaleux d'évoquer ou d'appliquer vengeance et talion. Le médecin qui soigne des cholériques ou des pestiférés, le physicien exposé aux radiations, le pilote de ligne, prennent des risques plus grands que les policiers et ne gémissent pas.

Les émeutiers crient quand ils sont blessés, battus, emprisonnés, condamnés. Si la plainte est politique, elle est peut-être parfois efficace; elle est le plus souvent puérile. Si elle est sincère (en fait, elle est fréquemment sincère), elle est illogique. Tout insurgé de la Bastille à la Neva, de la

211

Commune à la Résistance, s'expose à des dangers et ne doit pas pleurer comme un enfant quand un ennui survient.

Au surplus, les dangers de mai et juin 1968 sont restés modérés grâce à un admirable préfet de police, Maurice Grimaud.

Professeurs et étudiants. Deux descriptions, l'une et l'autre contrastées, manichéennes – comme on disait volontiers en 68. Première description : D'un côté, les professeurs portés à leur chaire par un mélange habile d'hérédité, de fraude, de mariage *(tu felix nube)*, d'intrigue, connaissant à merveille le jeu, mais ne sachant rien d'autre, ignorant leur art et leur science, avides d'ordre et de puissance, tout à la fois flatteurs, trompeurs, et flattés, trompés, doux aux ministres, aux académiciens, durs aux pauvres, aux malades, aux étudiants, fantoches sans épaisseur sinon celle qu'ils se donnent, sénescents à 40 ans et séniles à 50.

D'un autre côté, les étudiants, purs et durs, riches de leur pauvreté, savants par ignorance, capables de tout connaître, de tout juger, de tout créer, sachant que la valeur assurée de leur cause, la vérité pourchassée sans nuance, sont les conditions du succès, ne pensant qu'aux fins et acceptant consciemment les méthodes, les moyens irréguliers, imparfaits qui y conduisent, héroïques, adroits, profonds, sincères, tantôt très contents d'eux-mêmes et tantôt désespérés, alertes, insomniaques, spirituels.

Deuxième description. D'un côté les professeurs sages défenseurs des traditions nécessaires et en même temps novateurs efficaces; représentants de cette bourgeoisie fortunée et prudente qui, depuis quatre siècles, est la force de la France, hommes d'expérience qui savent qu'un ordre, même quand il couvre quelque injustice, vaut mieux que

212

de généreux désordres, laborieux, travaillant pour la plupart douze à quinze heures par jour, sacrifiant leur bonheur propre et la vie de leur famille à la tâche qu'ils assument, connaissant la nécessité et le fardeau de l'autorité, de cette autorité dont, tout compte fait, ils tirent peu de joies, donnant à leurs élèves beaucoup plus qu'ils n'en reçoivent, un instant désemparés en mai et juin 1968 par les violences récentes, mais déjà remis, déjà prêts à reprendre les vieux chemins.

D'un autre côté, une troupe agitée où se mêlent étudiants et non-étudiants (beaucoup de non-étudiants) français et étrangers (beaucoup d'étrangers), apparemment incoordonnés, mais en vérité conduits par des meneurs eux-mêmes guidés. Ainsi se mêlent l'ingéniosité d'une stratégie commandée et le désordre, l'ivresse, l'ignorance de la jeunesse. Ces jeunes gens ne savent ni ce qu'ils veulent détruire, ni ce qu'ils veulent construire. Ils ne veulent pas connaître les changements préparés. Ils ont subi une sérieuse intoxication sociologico-psychanalytique. On les sent parfois victimes de leur jeu, victimes et profiteurs à la fois, trouvant plus agréables les longues controverses sur le contrôle des connaissances que l'acquisition des connaissances qui, après tout, est leur fonction essentielle. Violents et irréels, n'ayant peut-être pas pris conscience du caractère temporaire de leur état d'étudiants fragiles, malléables, aptes aux paroxysmes plus qu'à la continuité.

VIII

LA LITTÉRATURE

Critique littéraire

Les modestes lettres parues en 1939-1940 dans la *Gazette des Amis des Livres* n'étaient pas mes premiers écrits de journaliste. Sept ans auparavant, en 1932, j'avais, pendant quelques mois, été critique littéraire d'un quotidien du soir : *Le Soir*. Une de mes amies, plus âgée que moi, qui écrivait sous le nom de Claude Denny, était, dans ce journal, responsable de la critique littéraire. Elle est malade; elle doit, en sanatorium, se reposer complètement. Elle désire ne pas perdre sa place, la retrouver à son retour. Elle me demande d'assurer sous son nom son remplacement. Ainsi, chaque semaine et pendant près d'un an, je recevais de nombreux ouvrages. J'analysais deux ou trois d'entre eux dans le feuilleton hebdomadaire qui traditionnellement paraissait en bas de page. J'ai ainsi, je crois le premier en France, signalé la qualité, l'importance de *La Montagne magique* de Thomas Mann. « Si l'on cite l'astronomie, le phonographe, la biochimie, la psychanalyse, la franc-maçonnerie, l'amour, l'art d'écrire, le problème de l'existence de Dieu, l'anatomie pathologique, le droit des peuples à disposer d'eux-mêmes, on n'aura énuméré qu'une faible partie des sujets abordés par Thomas Mann dans *La Montagne magique*. Ce livre est une somme, une sorte de métaphysique romancée, un de ces ouvrages comme il en paraît un petit nombre chaque siècle où un homme de grande classe nous exprime sa vue de l'univers. »

Ainsi commençait le premier feuilleton. Un peu plus tard, je commentais *L'Analyse spectrale de l'Europe* de Keyserling, *La Princesse blanche* de Maurice Baring. J'avais alors 25 ans, j'étais interne de première année à l'hôpital Cochin, donc médecin toute la journée et critique littéraire le soir, heureux de pouvoir ainsi mieux comprendre la pensée, les méthodes de grands écrivains.

Je suis de nouveau journaliste et cette fois rédacteur en chef en octobre 1939. J'appartiens alors, comme médecin-lieutenant, à l'Ambulance Chirurgicale Lourde 428 cantonnée à Notre-Dame-de-Liesse. J'ai pour compagnon à l'ambulance François Aman-Jean, chirurgien et écrivain (Ariel chirurgien si l'on veut) qui avait pendant la Première Guerre participé aux côtés de Galtier-Boissière à la naissance du *Crapouillot*.

En 1939, c'est le temps de la drôle de guerre. Nous sommes inoccupés. Nous créons un journal qui s'appellera ambitieusement *Le Sang retrouvé*. Nous trouvons marchands de papier et imprimeurs. Nous avons quelques difficultés avec la censure qui parfois coupe un texte innocent. Le journal paraîtra presque mensuellement pendant l'hiver puis s'éteindra au printemps.

216

J'ai retrouvé récemment et les critiques du *Soir* de 1932 et les éditoriaux du *Sang retrouvé*. Les critiques du *Soir* peuvent encore être relues sans trop de honte. Les éditoriaux du *Sang retrouvé* tombent des mains. Ils sont le plus souvent moraux, didactiques, avec de-ci de-là quelques lignes émouvantes.

*
* *

Le concours des Annales

Je reviens à 1932. Pendant mon premier semestre d'internat à l'hôpital Cochin, j'alliais la médecine à la critique littéraire. Pendant le deuxième semestre à l'hôpital Saint-Louis, la médecine et la littérature étaient à nouveau associées. Plus exactement la littérature occupait activement une partie de mon temps.

« Florence qui dormait dans le Décaméron... » Quel poète a écrit ce vers? Depuis plusieurs semaines nous cherchons en vain. Émile Henriot, dans le fameux concours des *Annales,* « Paru depuis trente ans », a posé 63 questions, a demandé qu'on trouve les auteurs de 63 textes, courts ou longs, de prose ou de poésie. Nous avons trouvé les 62 autres noms, déjouant les pièges, le Mallarmé du *Journal des Demoiselles,* le Vigny exhumé en 1905. Nous avons demandé l'aide des amis compétents. Ainsi, Henri-Charles Puech, qui déjà ne vivait que pour les gnostiques, a reconnu, sauf « Florence » l'origine de tous les textes poétiques, en terminant souvent le poème. Mais Florence? Adrienne Monnier a ouvert généreusement sa librairie, nous a permis d'emporter par dizaines les recueils de poésies. Rien de plus difficile que de trouver un seul vers. De fait, nous ne trouvons pas. Les jours passent. Allons-nous échouer faute d'une réponse? Voici le dernier jour. Nous lisons, Michel Debré et moi, assis dans ma voiture en panne, les derniers volumes empruntés. Michel Debré prépare alors le Conseil d'État. Je viens de terminer ma contre-visite. La voiture est immobilisée dans une des cours du vieil hôpital. Soudain c'est le bonheur. J'ai trouvé. « Florence qui dormait dans le Décaméron » est de Jean-Louis Vaudoyer. Mais nous ne sommes pas seuls vainqueurs. Émile Henriot reçoit une douzaine de réponses exactes. Il organise, pour départager les vainqueurs, une deuxième épreuve. Il faut reconnaître l'origine de treize textes. Bien entendu, les textes sont choisis et les difficultés accrues. Deux groupes restent finalement en course, chacun aidé par un libraire de haut rang. Notre équipe est liée aux Amis des Livres. Adrienne Monnier, qui avait, à 20 ans, été secrétaire d'Yvonne Sarcey et qui n'aimait pas la rive droite, n'était pas très enthousiaste. Mais sa générosité l'a emporté et elle nous a beaucoup aidés. L'autre équipe, à l'ombre de Saint-Germain-des-Prés, était soutenue par le Divan et par Henri Martineau, libraire et stendhalien illustre, atteint lui-même d'une jaunisse congénitale et qui s'entourait de vitres jaunes, de papiers jaunes pour que tous les visiteurs fussent jaunes comme lui. Finalement, les deux équipes triomphent également. Émile Henriot partage le prix. Je vois encore Adrienne Monnier entourant de papier glacé les vingt volumes que le prix m'avait permis d'acquérir par son intermédiaire.

*
* *

Valéry, Proust, Daudet

Je dois beaucoup à Paul Valéry et Marcel Proust. Je les ai lus et relus tout au long de ma vie. Je n'ai pas vraiment connu Paul Valéry. Je l'ai rencontré une fois chez Robert Debré en Touraine vers 1933. Je l'avais auparavant aperçu aux côtés d'Adrienne Monnier vers 1923 sans oser lui parler. Mais, adolescent, je savais déjà par cœur la plupart des poèmes de Charmes; ils chantent encore dans ma mémoire. Et depuis quinze ans, depuis que le CNRS a édité les Cahiers, j'ouvre souvent au hasard un des volumes, heureux de retrouver une réflexion connue, plus heureux encore de découvrir tel rapprochement, telle remarque que j'ignorais.

Deux dames m'ont permis de mieux comprendre, de mieux aimer, de mieux admirer Paul Valéry. Agathe Rouart, seule fille de Valéry, a remarquablement organisé la publication des œuvres complètes en deux volumes de la Pléiade. Judith Robinson appartient à une grande famille universitaire australienne. Elle s'est entièrement consacrée à Paul Valéry, à son œuvre. Elle a acquis une compétence qui la place au tout premier rang. Venue en France pour étudier des documents inédits, elle a rencontré Claude Valéry, fils aîné du poète, l'a épousé, est maintenant Judith Robinson-Valéry. Elle a bien voulu m'associer, voici quelques années, à la préparation, à l'organisation d'un congrès à Montpellier consacré à Valéry et la science. Judith Robinson-Valéry est à la fois très savante et très généreuse. Elle a un caractère assez ferme. Elle me téléphonait parfois pendant cette préparation pour me donner des indications : « Professeur Jean Bernard, voulez-vous prendre un crayon » et docilement je sortais mon stylo. Lors d'une de mes interventions pendant le congrès de Montpellier, j'ai lu un texte attribué à Valéry, rendant compte d'un entretien avec un grand médecin lyonnais, Albert Policard. Après la séance, un éminent Valérien vint à moi et m'interrogea sur l'origine de ce texte, comment était-il venu entre mes mains. J'étais à la fois fier du succès de mon pastiche, un peu honteux (pas trop) d'avoir abusé cet illustre professeur.

Troisième dame. Après une cérémonie à la Sorbonne vers 1975, dans la demi-obscurité des couloirs, une ombre s'approche de moi : « Je sais que vous aimez Valéry, je suis Lust. » Et après cette allusion à *Mon Faust,* elle disparaît.

Pendant cette réunion de Montpellier, j'ai tenté de décrire les relations de Paul Valéry avec la chirurgie, avec la médecine, avec la biologie.

Aussi longtemps que la chirurgie existera, elle sera gouvernée par l'admirable Discours aux Chirurgiens sur la main « l'organe de la certitude positive ».

Comme de nombreux écrivains et comme la plupart des hommes, Valéry considère la médecine à la fois avec ironie, inquiétude, et respect. « Que de fois j'ai regretté de ne pas être médecin moi-même et de ne pouvoir l'être. »

Le médecin de la mère de Teste « l'a privée de sel pendant dix ans sous peine de mort... Puis il l'a remise au sel, et je suis sûr qu'il s'apprête à la dessaler encore dans quelque temps ». Ou encore comme le dit Érysimaque : « Si les choses doivent s'arranger, il sied que le médecin ne les trouble point, et qu'il arrive un tout petit moment avant la guérison, du même pas que les Dieux. »

Plus importantes sont les relations de Valéry avec la

biologie et plus particulièrement avec certaines questions, certains thèmes fondamentaux de la biologie moderne.

Le thème d'abord de la définition biologique de l'homme. L'homme a tour à tour été défini par le foie de Prométhée, le sang de l'antiquité grecque ou de la Bible, le cœur des héroïnes de Racine, les glandes endocrines au début de ce siècle. Il nous paraît aujourd'hui défini par son système nerveux et par son sang.

Système nerveux. Valéry l'avait bien vu. On connaît la célèbre remarque « Maître cerveau sur son homme perché », moins peut-être la deuxième ligne « tenait dans ses plis son mystère ». La rigueur valéryenne de l'analyse de l'esprit peut être ici rappelée. Elle seule peut être utilement confrontée à la rigueur neuro-biologique. « Ma spécialité c'est mon esprit. » Il se connaît comme vous connaissez, vous la famille des phénols, vous les anomalies des conjugaisons doriennes et vous la théorie des formes quadratiques.

Le thème ensuite de la relation unité-diversité pour chaque homme : « J'ai l'esprit unitaire en mille morceaux. Mais cette diversité est précisément moi. Je suis cette diversité possible. » Le cerveau de l'homme avec ses plis et son extrême complexité est venu d'un seul œuf, d'une seule semence, d'un seul ovule. Cet admirable pouvoir, cette aptitude latente à la différenciation a ému, surpris Valéry l'un des premiers. « Un spermatozoïde, un rien, emporte l'effigie morale et physique de son auteur. C'est confondant. Quelle monade, quel système de représentation impénétrable. » Et déjà du même coup, Valéry pose l'autre problème fondamental, celui du caractère unique de chaque homme, non sans débats. La question est d'abord posée :

« Cet enfant qui a deux jours et un enfant qui avait deux jours il y a mille ans, sont-ils différents in actu? »

L'originalité de chaque homme « unique et incomparable » est ensuite fortement reconnue. « La nature vivante semble tendre à créer l'individualité. »

Cet homme ainsi défini, comment a-t-il été formé? Quelles sont ses relations avec l'univers? Ici encore, Valéry avec prescience a énoncé les faits, les réflexions qui inspirent les recherches biologiques de notre temps. La logique du vivant, le concept de système est exprimé presque dans les mêmes termes par Valéry :

« L'être vivant est-il un système de corps non vivants et qu'est-ce qu'un corps non vivant? »

Et un système :

« Il faut songer à un système incessamment. »

Et par François Jacob :

« Tout objet que considère la biologie constitue un système de système. »

Le hasard et la nécessité sont discutés dès 1918.

« La merveille de la vie réside dans la combinaison de la *spontanéité* apparente et de *l'organisation.* »

Et rappelés en 1942 :

« La vie mélange de prévu et d'imprévu. »

Et une remarque de *moralité* illustre la prodigieuse transformation de notre temps :

« L'homme pense, donc je suis », dit l'univers.

Le sang brille aux lèvres qui se rendent, colore les joues, éclaire les réflexions dont le corps fournit le motif. La pensée de Valéry inspirée et inspirant est au confluent de deux courants. Un courant qui descend du sang des poètes, un courant qui remonte du sang du « troisième corps », le corps connu des médecins. Je me suis bien souvent laissé entraîner tour à tour par ces deux courants.

Tout naturellement, le premier courant naît dans la Jeune Parque, souvent tenu certes pour un poème philosophique. « L'esprit subtil de Paul Valéry, écrit Jean Guitton, a créé dans la Jeune Parque le poème immanent à la métaphysique de la pensée pure. » Mais pour moi, la Jeune Parque est aussi un poème tout ensanglanté, plus exactement tout nourri du sang qui circule par les strophes. Le sang est probablement un langage.

Suivons maintenant l'autre courant. Les hématologues ont de la chance. Valéry ne s'est guère préoccupé du foie, des reins, des poumons. Le sang, en revanche, l'a beaucoup retenu. Les grands rythmes, les cycles du sang, les relations avec le corps ont bien souvent inspiré sa réflexion. Tout est cycle pour les médecins du sang, les hématologues, le cycle du sang artériel, puis capillaire, puis veineux, rejeté soixante fois par minute, le cycle de la formation de la poïèse, du séjour dans les vaisseaux, de la destruction étendue sur cent jours.

Tout est cycle pour Valéry, les cycles du sang inspirent, nourrissent un grand courant de sa pensée. Après Pythagore et avant Borges, il a bien souvent médité sur ces retours cycliques, sur l'éternel retour de Narcisse, sur les éternels retours de la Jeune Parque, non pas seulement ceux de l'univers mais ceux de l'homme, ceux du sang, du sang toujours recommencé.

J'ai lu *Swann* et les *Jeunes Filles en fleurs* à 14 ans vers 1921. Je me rappelle avoir attendu avec impatience la parution des volumes suivants de la *Recherche*.

J'ai eu le privilège de rencontrer deux témoins directs, Robert Proust, frère de Marcel, Lucien Daudet, ami de Marcel.

En 1934, j'étais interne à l'hôpital Laennec. Robert Proust dirigeait l'un des services de chirurgie de l'hôpital. Parfois, après une longue intervention, il venait déjeuner en salle de garde. Aussitôt, Jean Delay, lui aussi interne à Laennec, et moi l'entourions, l'interrogions. D'où le récit suivant : Marcel Proust souffrait d'un asthme grave provoqué par les végétaux, les arbres, les fleurs, les plantes. Lorsqu'il doit quitter le boulevard Haussmann son frère Robert cherche dans tout Paris une rue sans végétaux, une rue éloignée de tout arbre, de toute plante. La rue Hamelin, à Passy, assez grise, répond à cette définition. Elle est choisie. Marcel Proust vient l'habiter. Mais dès le premier soir survient une violente et dangereuse crise d'asthme qui met ses jours en danger. Le papier couvrant les murs de la chambre représentait des roses.

Pendant le premier hiver de la guerre, ma femme, Amy, est médecin de campagne en Touraine. Elle est appelée à soigner au château de la Roche, à quelques kilomètres d'Amboise, sur la rive gauche de la Loire, madame Alphonse Daudet alors âgée de 93 ans. Auprès d'elle vit son fils Lucien Daudet, en quelque sorte spécialiste des nonagénaires puisqu'il avait été longtemps lecteur de l'impératrice Eugénie avant de se consacrer à sa mère.

Les deux fils d'Alphonse Daudet, Léon, le polémiste, Lucien, plus discret, avaient été les amis de Marcel Proust, avaient, les premiers, reconnu son génie, avaient écrit dans le Figaro, très seuls à l'époque, les premiers articles affirmant ce génie. Lorsque pendant cet hiver 1939-1940 je venais en permission, j'étais heureux de rencontrer Lucien Daudet, de l'entendre évoquer ses souvenirs de Marcel Proust. Il m'a même fait don de deux lettres de remerciements de Marcel Proust à Madame Alphonse Daudet, lettres merveilleusement compliquées.

Madame Alphonse Daudet, écrivain très remarquable, composait encore des poèmes à 90 ans. Elle triomphe d'une première pneumonie en février 1940. Elle est emportée en avril par une seconde pneumonie. Ces deux rudes combats menés contre la maladie pendant cette singulière période d'attente des premiers mois de 1940, rapprochent Amy et Lucien Daudet. Il lui fait confiance. Lorsque après la mort de sa mère et au début de l'offensive allemande, il quitte le château de la Roche, il lui remet le portrait d'Alphonse Daudet par Carrière et une malle de cuir qu'il souhaite placer à l'abri. A l'abri autant de sa belle-sœur, madame Léon Daudet, que des envahisseurs qui, en ce début de mai, sont encore loin.

Dès septembre 1939, Amy avait reçu en garde un autre portrait, celui de Ludovic Halévy par Degas. Madame Élie Halévy habitait Sucy-en-Brie tout près d'un fort. Le tableau était en grand danger. Amy place le portrait en face de son lit, et tout au long de l'hiver s'endort, s'éveille en admirant Degas.

Ludovic Halévy, appuyé sur une canne, et l'ami qui l'accompagne sont vêtus de noir. Tous deux portent le chapeau haut de forme. Autour d'eux le monde est vert. Quel monde? Peut-être les coulisses de l'Opéra avant une représentation.

Pendant quelques semaines, en mai, sur le mur de la chambre d'Amy, Ludovic Halévy et Alphonse Daudet voi-

225

sineront. Pour la première fois. On dit que les deux hommes ne s'aimaient pas et même qu'ils se détestèrent au temps où l'un et l'autre étaient rédacteurs parlementaires au Sénat. Vient le temps de la déroute. La Loire devient zone de combat. Amy et les enfants, tout jeunes encore, quittent Nazelles en n'emportant que le nécessaire. Avant de partir, Amy place au grenier le Degas, préalablement enveloppé dans un cadre de bois, et la malle de Lucien Daudet. Quelques jours plus tard, une centaine de combattants allemands occupent pendant une semaine notre maison, puis s'en vont.

En août, après ma démobilisation, nous revenons. Le désordre est grand. Certains meubles ont disparu. Des meubles inconnus, venant de maisons voisines, sont présents. Dans l'entrée, dans le salon, nous marchons sur des papiers, sur des cahiers ouverts. Je m'arrête. Je regarde ces cahiers. Le premier est le manuscrit de *Tartarin de Tarascon,* le deuxième le manuscrit de *Froment jeune et Risler aîné,* le troisième le manuscrit des *Lettres de mon Moulin.* Nous comprenons que la malle de Lucien Daudet contenait les manuscrits d'Alphonse Daudet. Les soldats allemands ont éventré la malle et en ont dispersé le contenu, les cahiers, à travers les chambres. Les cahiers sont intacts. Je les regarde plus attentivement. Partout la même disposition. Sur la page de gauche le plan, les canevas, et l'on reconnaît l'écriture ample et forte d'Alphonse Daudet. Sur la page de droite, le texte intégral et l'on reconnaît l'écriture fine de madame Alphonse Daudet. Cette juxtaposition permet plusieurs interprétations.

Au grenier, dans son cadre, à la place même où il avait été laissé, nous trouvons le Degas intact. Il passera les années de guerre sous le lit d'un fermier voisin, moins exposé que nous aux visites de la police allemande. Le Degas est aujourd'hui au Louvre. Avec la mention « Don de madame Élie Halévy ». Lors d'une inauguration, j'ai suggéré au Conservateur, qui nous accompagnait, de compléter cette mention par celle-ci « sauvé par madame Jean Bernard ».

Les relations avec la famille Halévy sont anciennes. Amy avait, en 1922, préparé le baccalauréat de philosophie en compagnie de Françoise Halévy dans le grand salon de la Haute Maison à Sucy-en-Brie. Autour d'elles le grand piano à queue et les bibliothèques, la musique et les livres. Par les portes-fenêtres laissées ouvertes arrivent les odeurs du jardin ou plutôt du bois de hêtres, de chênes, de frênes. Sucy-en-Brie est apparemment très près de Paris, mais en vérité alors très loin. Les automobiles sont rares. Les bruits de la ville ne parviennent pas jusqu'à Sucy.

Françoise Halévy est la fille de Daniel Halévy, la petite-fille de Ludovic Halévy et de madame Ludovic Halévy. Tante Louise accueille les deux jeunes filles et protège leur retraite studieuse. Tante Louise c'est madame Ludovic Halévy. Ludovic Halévy, auteur des *Petites Cardinal* et, avec Meilhac, de tant de livrets de la *Belle Hélène* à *Carmen,* est mort en 1908. Madame Ludovic Halévy a continué de gouverner la Haute Maison de Sucy. Avec unité et simplicité. Elle-même est née Bréguet; ses aïeux étaient horlogers, ses deux frères construisent des avions. De ses deux fils, l'aîné, Élie, écrit son admirable histoire de l'Angleterre du XIXᵉ siècle, le cadet, Daniel, essayiste, est l'ami de Péguy, le beau-frère de Jean-Louis Vaudoyer. Parmi les cousins proches, les Berthelot, les Langlois, Blaringhem. Parmi les amis, Degas, Bizet, Jacques-Émile Blanche. Ainsi se rencontrent souvent le dimanche le grand diplomate, le grand botaniste, le musicien, le philosophe. Ainsi se poursuivent entre hommes de haut talent, les échanges les plus spontanés, les plus dénués d'apparat et aussi les plus pénétrants, les plus profonds.

Les écrivains aiment tante Louise. Elle les reçoit, les héberge, les aide, comme faisaient jadis les seigneurs. En 1922, Julien Benda, qui écrit la *Trahison des Clercs,* vit à la Haute Maison, tout à la fois ami, factotum, quelque peu parasite. Excellent pianiste, il enchante tante Louise et les jeunes filles. Excellent pédagogue, il s'est fait le répétiteur des jeunes filles et les prépare au bachot. Les jeunes filles reçoivent de Julien Benda les thèmes de travail, les étudient, font vérifier tous les jours par leur maître les connaissances acquises. Le dimanche, elles écoutent les écrivains, les savants, les peintres, les financiers. Elles sont tantôt émues par la douceur de celui-ci, tantôt découragées par le pessimisme de celui-là, mais toujours sensibles à la chaleur, à l'absence d'affectation, à l'intelligence, à l'honnêteté. Julien Benda est un bon maître. Les deux jeunes filles quelques semaines plus tard sont aisément reçues.

Françoise Halévy en 1927 épouse Louis Joxe. C'est Louis Joxe, alors Secrétaire général du Gouvernement, qui viendra en 1945 chercher le Degas pour le rapporter à Sucy-en-Brie.

*
**

Trois grandes dames

Trois grandes dames ont inspiré, gouverné les lettres de notre temps. Adrienne Monnier dans la Maison des Amis des Livres, rue de l'Odéon, Victoria Ocampo à Buenos Aires, Marthe de Fels à Passy, à Varengeville.

Victoria Ocampo et Adrienne Monnier étaient liées par l'amitié, par la générosité, par la même passion pour les lettres françaises, naturelle pour Adrienne Monnier, plus remarquable pour Victoria Ocampo qui écrit une partie de son œuvre en français et célèbre avant tout les écrivains français, tel Valéry (elle parvient à correspondre avec lui pendant la guerre : « Je vous embrasse comme une sœur de mon esprit... » lui écrit Valéry en juin 1940) auquel elle consacre après sa mort un admirable numéro de *Sur*.

La même générosité donc. Adrienne Monnier loge Koestler et plusieurs autres écrivains en danger au moment de l'arrivée des Allemands. Victoria Ocampo, elle, assemble à la fin de 1944 trois tonnes de provisions et les fait parvenir à Adrienne Monnier qui les distribuera à cinq cents Parisiens affamés.

Dans le journal tenu par Adrienne Monnier pendant les années noires, je relève, mardi 4 juin 1940 : « A huit heures du matin arrive un télégramme de Victoria : " Dites si vous êtes sauve; je suis avec vous tous ", et un coupon pour la réponse. Mais que répondre, écrit Adrienne Monnier. Et néanmoins..., elle répond à Victoria : " Soyez avec nous. Vive la République argentine. " »

La sœur aînée de Victoria, Angelica Ocampo, protégeait en Argentine la recherche scientifique et plus particulièrement les recherches consacrées à l'hémophilie et aux leucémies. Angelica me présenta à sa sœur. Ainsi, depuis 1952, j'ai, à plusieurs reprises, été reçu par Victoria Ocampo à San Isidro dans sa belle maison des environs de Buenos Aires.

Les rencontres ont lieu le dimanche après-midi autour de la grande table de la salle à manger. Victoria Ocampo verse elle-même le thé dans les tasses qu'un valet va porter à chacun de nous. Par-delà les fenêtres, les fleurs, les arbres, les grands morceaux de ciel qu'aimait Saint-John Perse, les pelouses, les eaux du jardin. Nous sommes huit ou dix. Borges, dont la vue, comme celle de Joyce trente ans auparavant, baisse tragiquement de réunion en réunion, d'autres écrivains argentins, des dames bienveillantes de la bonne société. C'est là que Victoria Ocampo a accueilli et traduit Supervielle, Michaux, Caillois, Graham Greene et bien d'autres. Elle est certes très différente d'Adrienne Monnier. Elle appartient à l'oligarchie la plus fermée. Elle n'a jamais connu de problèmes financiers. Mais les deux dames de lettres, la Française, l'Argentine, ont des traits communs, le même amour pur, désintéressé de la littérature, les mêmes dons d'écrivain, la même abnégation sacrifiant l'œuvre personnelle pour défendre les œuvres des autres, la même aptitude à diriger les revues littéraires (*Sur* pour Victoria Ocampo), à les mettre au service de ceux qui écrivent et lisent, la même orientation vers l'universel, rapprochant les romanciers, les essayistes, les poètes des différents pays, les publiant côte à côte, les invitant ensemble, mêlant, alliant les courants les plus divers.

Marthe de Fels a consacré toute sa vie à l'illustration et à la défense des lettres françaises. L'illustration d'abord.

A 20 ans, elle publiait un alerte et profond *Claude Monet*. Elle écrit plus tard de nombreux ouvrages, articles, textes de conférences.

Je dois avouer ma préférence pour son livre le plus émouvant : *Quatre messieurs de France*. Un grand poète, son ami, a chanté les hommes d'aventure et les hommes de lubie. Marthe de Fels chante les hommes de projet : Olivier de Serres achète un domaine en très mauvais état et s'emploiera, avec artifice et diligence et avec une industrie appropriée, à le transformer en un domaine exemplaire. Vauban, ballotté dans sa chaise de poste, travaille comme un cartésien et poursuit avec lucidité sa construction sur un vaste plan d'ensemble. Poussin adolescent s'écrie : « Et moi aussi, je serai peintre. » Monsieur Vincent rêve d'une religion qui ne sera plus instituée sur la terreur mais sur l'amour. Il joint à cette perception intérieure, un programme d'action et devient bâtisseur, inspiré par Dieu qui appelle les âmes à édifier avec lui son immense demeure.

La mesure et la passion. Tel pourrait être le titre de ce beau livre, telle pouvait être aussi la définition de toute l'action de Marthe de Fels.

Les quatre messieurs, tous quatre, sont habités par de grandes passions, l'amour des pauvres, la passion de planter, la passion de construire, la passion de peindre. Mais tous quatre maîtrisent leur passion, en limitent les premiers effets, négocient, savent être prudents et habiles pour atteindre l'objet de leur passion.

Ils sont, comme Marthe de Fels, profondément liés à la terre de France, au peuple de France. Ici ce sont les sols rudes des Alpes, les plissements de terrains nus, sans être vivant ; là ce sont les vallées où se rejoignent l'abondance normande et la douceur de l'Ile-de-France. Plus loin, ce sont les sables cendreux des Landes qu'arpentent les échasses des bergers. Ailleurs, le miracle des eaux, le miracle des bois. Sur ces terres naissent les jardins, vergers du Morvan que taillait Vauban, jardins du Vivarais et d'Olivier de Serres.

Les sages conseils que reçoivent tous ceux qui cultivent leur jardin, de bon matin ou à la tombée du jour, on ne sait s'ils viennent du grand agronome ou de son biographe, tant s'entrelacent sur le lent calendrier des travaux et des jours les goûts profonds de l'un et de l'autre, les mauvaises herbes enlevées, les bordures savantes de lavande, de thym et d'absinthe, le bouquetier ou jardin du plaisir, la gamme glorieuse des arbustes de couleur.

Je revois Marthe de Fels dans son jardin de la Bétulie. Nous arrivions en fin de journée, quand la douceur du soir joint la mélancolie. Le lendemain matin, c'était l'enchantement. Certes, il est de beaux jardins à Varengeville. Mais le jardin de Marthe de Fels était, de tous, le plus personnel avec ses roses, avec son admirable allée de rhododendrons. « La civilisation des rhododendrons », disait un de ses amis...

Je revois Marthe de Fels dans son salon de Passy, entourée par les écrivains, par leurs images, par leurs présences. Sur le piano, les photographies d'André Maurois, de François Mauriac, de Paul Claudel (« Si je fais la grimace, écrit-il en dédicace, c'est que je pense à Thomas Eliot »). Autour d'elle autrefois, Fargue, Valéry, Giono; plus récemment, selon les jours, Roger Caillois, fidèle entre les fidèles; Paul Morand, alerte à 80 ans comme à 20 ans; Maurice Genevoix, Jacques de Lacretelle, Jean d'Ormesson, Robert Mallet et des savants comme Émilienne et Étienne Wolff. Et chaque semaine, sa lettre à Saint-John Perse qui lui dédia de très beaux poèmes.

Puis soudain, elle quitte son salon, ses amis et s'envole pour les montagnes Rocheuses, pour les jungles, pour les roses d'Ispahan.

Elle a, partout dans le monde, défendu par ses conférences les lettres françaises, les grands écrivains français.

Fidèle en amitié, se portant en avant et sacrifiant tout pour aider un ami, créatrice de beauté, grand écrivain elle-même, Marthe de Fels, dans ses entretiens, dans ses lettres, dans ses récits, est présente, proche de ses amis écrivains, proche de ses héros. Elle nous les restitue vigoureux et familiers, fermes et tendres, grands dans la vie et après la vie.

* *
*

Lasthénie de Ferjol

Lasthénie de Ferjol vit, à la fin du XVIIIe siècle, avec sa mère, la baronne de Ferjol, avec une vieille servante, Agathe, dans un château assez sinistre du Forez, au pied des Cévennes. Elle sort à peine de l'enfance. Elle est belle, secrète, ingénue. Elle est aussi somnambule. Une nuit un mauvais prêtre (qui finira bandit) abuse d'elle. Elle ne comprend ni sa grossesse, ni l'accouchement, ni l'enfant mort-né. Mais sa mère ne croit pas à son innocence, la méprise, l'accable. Lasthénie cependant s'affaiblit, languit, pâlit. Ses forces la quittent. Elle devient blême. Ses yeux égarés sont de la couleur des feuilles de saule. Son corps inerte s'affaisse, et se voûte. Elle n'est pas surveillée. Elle reste inerte la tête contre le mur de sa chambre que sa tranquille démence avait adoptée. C'est là que madame de Ferjol et Agathe « la retrouvèrent, comme elles l'avaient laissée », à la même place, la tête contre son mur, les yeux tout grands ouverts, quoiqu'elle fût morte et l'âme partie. Madame de Ferjol glissa sa main sous le sein de celle qu'elle avait appelée si longtemps de ce nom qui lui convenait tant « ma fillette » pour savoir si le faible cœur qui battait là, ne battait plus, et elle sentit quelque chose « du sang, Agathe » fit-elle d'une voix horriblement creuse. Elle en rapportait sur ses doigts quelques gouttes. Agathe s'arracha des genoux qu'elle embrassait et à elles deux, elles ouvrirent le corsage. L'horreur les prit. Lasthénie s'était tuée, lentement tuée, en détail et en combien de temps? Tous les jours, avec des épingles. « Elles en enlevèrent dix-huit fichées dans la région du cœur. »

Un soir de septembre au Cambodge. J'ai enseigné pendant une semaine à Phnom Penh. Puis je suis venu revoir les temples à Angkor. Comme je le fais habituellement pendant les voyages lointains, j'ai emporté avec moi quelques volumes de la Pléiade. Quand la nuit vient, dans la chambre du petit hôtel situé tout près d'Angkor, je lis Barbey d'Aurevilly. *Histoire sans nom* est le récit du malheur, de la lente agonie de Lasthénie de Ferjol. Avec la tombée du jour les oiseaux se sont tus, les singes cessent de crier. Les tigres sont loin. Je relis *Histoire sans nom*. Et soudain, une comparaison se fait; une ressemblance évidente apparaît. L'anémie qui emporte Lasthénie de Ferjol est pareille à l'anémie difficile à comprendre que nous observons depuis plusieurs années. Dans les deux cas, l'anémie est conséquence d'hémorragies clandestines, secrètement provoquées par les malades.

Ces malades sont toutes des femmes, presque toutes des femmes jeunes, le plus souvent des femmes célibataires, le plus souvent des femmes exerçant des professions proches de la médecine, infirmières laïques ou religieuses, laborantines.

La fatigue, l'essoufflement à l'effort sont les premiers troubles signalés qui vont s'accentuer. La peau est blanche ou blanc verdâtre. Cette pâleur tirant sur le vert inspira le nom ancien de la chlorose. Barbey d'Aurevilly lui-même décrit les yeux couleur des feuilles de saule. L'anémie est profonde. Elle est remarquablement bien tolérée. L'activité professionnelle est maintenue dans la majorité des cas. L'hémoglobine, le fer du sérum sont très diminués. L'anémie a ainsi tous les caractères des anémies qui succèdent aux hémorragies. Mais les hémorragies longtemps ne sont pas trouvées. Les séjours hospitaliers se répètent. Les explorations radiologiques, endoscopiques, isotopiques, sont faites et recommencées, en vain.

C'est seulement après de nombreux séjours hospitaliers que le diagnostic est fait. Rien de plus remarquable que la variété des hémorragies, l'ingéniosité dans la dissimulation, l'extrême difficulté de la preuve et l'on balance souvent entre la crainte de se tromper, de méconnaître une affection organique, et la crainte d'être abusé. Tantôt il s'agit de saignements répétés, provoqués sur une partie découverte du corps, par exemple au pli du coude, tantôt des saignées internes faites avec des instruments divers en des lieux divers (vessie, nez, gorge, tube digestif). Parfois les méthodes employées sont plus savantes. Une malade infirmière, après saignée au bras, recueille son sang dans un flacon d'eau distillée (l'eau distillée détruit les globules rouges) et réinjecte dans ses veines le sang altéré.

Cette imagination pathologique est notée dans de nombreuses observations. La capacité de dissimulation est très remarquable. Ces malades, qui savent dissimuler, sont intelligentes. Elles savent trouver des médecins qui entrent dans leur jeu. Elles savent fuir les médecins qui les devinent.

Tout à la fois, elles se veulent malades, prennent plaisir au vertige induit par l'épuisement et elles se veulent héroïques, actives, continuant malgré l'anémie, leur profession d'infirmière, refusant les repos réguliers, cherchant les tâches les plus rudes. Ainsi tout à la fois, elles créent et nient la maladie. Tantôt elles entretiennent avec le médecin un jeu subtil de provocation et de séduction, heureuses de maintenir sur le médecin une toute puissance magique aussi longtemps que possible. Très longtemps, elles se font aider par le médecin pour rester à l'hôpital, parfois pour mourir. Tantôt elles sont découvertes et elles s'en vont. L'analyse des psychologues reconnaît deux groupes : – Un premier groupe de malades perverses. Les spoliations sanguines s'accompagnent souvent de troubles psychopathiques, de toxicomanies diverses. Le plaisir pris est celui d'une véritable cérémonie secrète. – Un deuxième groupe de malades dissimulant une angoisse importante, un état dépressif, parfois sévère, qu'elles croient atténuer en s'affaiblissant. Ainsi sont ces femmes pâles, énigmatiques, apparemment dociles, ayant choisi une profession de dévouement.

L'évolution est longue, chronique, souvent grave. La mort peut être la conséquence d'une thérapeutique déraisonnable, d'un suicide, d'une toxicomanie, exceptionnellement d'hémorragies. D'autres désordres sont connus (fièvre simulée, anorexie). Parfois la vie, la santé redeviennent normales. Dans la moitié des cas les enquêtes, faites en s'aidant des mairies, demeurent vaines. Ces malades ont commencé mystérieuses. Elles finissent mystérieuses. Le mystère, le silence dominent toute leur histoire. Déjà Lasthénie de Ferjol « se mourait comme elle avait vécu, sans parler ».

Les maladies souvent inspirent les écrivains, maladies épidémiques comme la peste pour Daniel Defoe, pour Albert Camus, le choléra pour Giono, maladies individuelles comme le coma urémique qui emporte M. Thibault. Dans d'autres cas, l'écrivain (à la suite d'une observation sans défaut ? d'une intuition infaillible ?) compose le tableau d'un désordre rare que seuls quelques médecins connaissent. Ainsi, à la lecture d'un des derniers romans d'Henry de

Montherlant, *Un assassin est mon maître*, Jean Delay retrouva tous les signes d'une psychose connue de lui et traduisit en concept de psychiatrie le syndrome si bien décrit par Montherlant.

Plus rarement encore, le romancier est le premier, et avec une admirable prescience, isole une maladie que les médecins ne reconnaîtront qu'après lui, parfois longtemps après lui.

Ainsi, nous avons décrit sous le nom de syndrome de Lasthénie de Ferjol, les anémies secondaires à des hémorragies à la fois provoquées et dissimulées. Ainsi hommage est rendu à Barbey d'Aurevilly qui reconnut cette affection singulière un siècle avant les médecins; ainsi est rappelé le souvenir de son héroïne au destin funeste.

IX

LA MÉDECINE
LES CONNAISSANCES ACQUISES

Évolution de la médecine

Pour décrire l'évolution de la médecine, j'ai plusieurs fois déjà conté l'apologue des trois médecins endormis, un apologue qui, de récit en récit, se modifie avec les progrès de la médecine.

Un médecin de 1900, endormi par quelque sortilège, s'éveille en 1930. Les campagnes et les villes sont transformées avec les tracteurs dans les champs, le téléphone dans les maisons, les automobiles sur les routes et les avions dans le ciel. Les empires se sont écroulés, mais la médecine a peu changé. Comme trente ans auparavant, le médecin aide les cœurs fatigués, calme les toux rebelles, fluidifie les expectorations. Mais il ne modifie presque jamais le cours des maladies qui, bénignes, guérissent toutes seules, graves, tuent presque toujours et il assiste, impuissant, à l'évolution des septicémies, des méningites, des tuberculoses, des grandes insuffisances glandulaires.

239

Un deuxième médecin, assoupi en 1930, est tiré de sa léthargie en 1960. Il ne reconnaît plus rien. Les méningites aiguës, la méningite tuberculeuse, les tuberculoses aiguës, les infections générales, l'endocardite maligne, les broncho-pneumonies évoluent vers la guérison. La maladie d'Addison peut être équilibrée. L'anémie pernicieuse n'est plus pernicieuse. Les chirurgiens ouvrent les cœurs et les cerveaux. Les hématologues sauvent les nouveau-nés en changeant tout leur sang. Les psychiatres, devenus chimistes, corrigent les graves désordres de l'esprit. Les sondes, les lampes, les rayons, les microscopes explorent les viscères, les tissus, les cellules et les molécules mêmes.

Que trouvera en 1990 un troisième médecin endormi en 1960? A quelques mois du terme, il est facile de prévoir. La révolution précédente est une révolution empirique. De cet empirisme témoigne l'histoire de la découverte de la pénicilline due à l'heureuse alliance du hasard et du génie. Mais à la révolution empirique succède une révolution rationnelle, celle de la biologie moléculaire. Toute la médecine est dominée par la biologie moléculaire, par la pathologie moléculaire. Quand j'étais étudiant, on nous apprenait, lorsque nous palpions un abdomen, à nous représenter les lésions que trouverait, en ouvrant cet abdomen, un chirurgien. On nous apprenait, quand nous auscultions un thorax, à nous représenter les lésions du poumon expliquant les souffles, les râles que nous percevions. C'était la méthode anatomo-clinique de Laennec. L'étudiant de 1989, examinant un malade anémique, doit se représenter les changements de la molécule d'hémoglobine responsable de l'anémie.

240

On distingue quatre périodes dans la longue histoire de la médecine.

La première période est une interminable enfance qui s'étend sur plusieurs millénaires. Pour singulier que cela paraisse, il n'y a pas de grande différence entre le pouvoir (ou l'absence de pouvoir) d'un médecin du temps d'Hippocrate et le pouvoir (ou l'absence de pouvoir) d'un médecin du début de notre XIXᵉ siècle.

L'espérance de vie à la naissance était de 18 ans à la préhistoire. Elle est aujourd'hui, à Paris, de 70 ans pour les hommes, 79 ans pour les femmes. Elle était, vers 1820, de 25 à 30 ans à Paris.

La deuxième période est courte. 1857, Darwin publie *l'Origine des Espèces*. De 1857 à 1863, Pasteur réfute la génération spontanée et crée la science des microbes. 1863, le moine Gregor Mendel, croisant des pois dans son couvent de Moravie, découvre les lois de l'hérédité. 1863 aussi, Claude Bernard publie *L'Introduction à l'Étude de la Médecine expérimentale*. Ces six années, ces six glorieuses, ont plus changé le sort des hommes que les guerres, batailles, victoires, défaites, qui encombrent nos livres d'histoire. Elles ont permis à la chirurgie, à l'obstétrique d'exister; elles ont permis la naissance d'une véritable épidémiologie. Mais, par un paradoxe singulier, elles ont eu peu d'influence sur le traitement des maladies, sur la thérapeutique.

Les grandes découvertes n'ont pas toujours de conséquences immédiates. Karl Landsteiner découvre en 1900 les groupes sanguins; c'est seulement pendant la Première Guerre mondiale, soit quinze ans plus tard, que les transfusions sanguines sont couramment utilisées. De même, dix ans séparent la découverte de la pénicilline, par Fleming, des premières applications thérapeutiques. Dans les deux cas, une guerre mondiale a permis cette accélération de l'histoire de la thérapeutique.

Au temps, certes lointain, mais pas absolument préhistorique, où j'exerçais les fonctions d'interne des hôpitaux de Paris, le nombre des médicaments actifs était très petit. Je me rappelle un jeu qui nous occupa vers 1935. « Tu pars dans une île déserte; tu as le droit d'emporter cinq livres et cinq médicaments; que choisis-tu? » Pour les livres, le choix était très difficile, presque impossible. Mais pour les médicaments, quand on avait cité la morphine, la digitaline, l'aspirine, la quinine, on avait fait le tour.

Les troisième et quatrième périodes sont respectivement celle de la révolution thérapeutique, celle de la révolution moléculaire. Elles viennent d'être évoquées à propos de l'apologue des trois médecins au bois dormant.

Elles ont transformé le destin des hommes. Inégalement.

La femme, l'homme d'Europe occidentale, d'Amérique, du Japon, ont une vie longue et meurent de cancers, de maladies du cœur et des vaisseaux; l'enfant des mêmes régions ne meurt presque plus jamais de maladie.

La femme, l'homme, l'enfant d'Afrique, d'Asie du Sud-Est, d'Amérique du Sud, ont une vie brève, meurent de faim, sont victimes d'infections, de parasitoses. Les recherches consacrées aux parasitoses dans les laboratoires d'Europe, d'Amérique, devraient permettre dans un avenir proche la préparation de vaccins destinés à protéger les populations menacées. La solution, toutefois, des grands problèmes de santé du Tiers Monde, n'appartient pas seulement aux médecins. La gravité actuelle est la conséquence de l'égoïsme des populations, des gouvernements d'Europe, d'Amérique d'une part, du désordre et parfois de la corruption des sociétés du Tiers Monde d'autre part. En dépit de ces égoïsmes, de ces désordres, il est permis d'espérer.

La recherche biologique et médicale, on l'a souvent noté, se développe au long de deux voies : une voie qui descend du fondamental vers l'application clinique. Le génie génétique permet déjà la préparation de médicaments très importants, comme l'insuline. Il permettra bientôt la prévention des grandes maladies héréditaires de l'hémoglobine.

Une voie qui remonte de l'observation clinique vers le fondamental. Un accident de transfusion sanguine conduit Jean Dausset à la découverte du système HLA et à la définition biologique de l'homme. Une tumeur de la mâchoire de l'enfant d'Ouganda permet à Denis Burkitt d'orienter dans des chemins neufs les recherches consacrées à la genèse des cancers.

Ces deux courants ne cessent de parcourir les sciences qui ont pour objet le système nerveux, les neurosciences. Longtemps statiques, les neurosciences sont actuellement en plein essor.

La boisson trouble la cervelle faible et malheureuse des héros d'Othello. On sait depuis longtemps que quelques centigrammes d'extrait thyroïdien transforment une dame paisible en une mégère agitée. On a, plus récemment, reconnu la complexité, la diversité de l'action qu'exercent sur le système nerveux de nombreuses substances chimiques. Les pionniers ont ici été Bernard Halpern et Jean Delay. Jean Delay, créateur d'une science nouvelle, la psychopharmacologie. De grandes maladies de l'esprit, des psychoses qui rendaient la personne atteinte dangereuse pour elle-même et pour les siens, sont ainsi transformées par les agents chimiques. La Fontaine chantait la messagère des dieux venue apprivoiser le dragon : « Dragon, gentil dragon à la gorge pendante... » Les neurophysiologistes modernes ont fait connaître l'importance du rôle des messagers chimiques (neurotransmetteurs, médiateurs) qui transportent l'information tout au long du système nerveux et apprivoisent de nombreux dragons.

Ces deux grandes voies de la recherche chimique moderne ne cessent de s'allier avec une double espérance.

1) La préparation de médicaments, de molécules thérapeutiques plus spécifiques, d'action plus précise.

2) L'amélioration de notre connaissance des événements cellulaires et moléculaires témoins des transferts de signaux de nature, de durée variables.

Comme l'écrit France Quéré : « Longtemps la médecine n'a su qu'enchaîner ses déments ; aujourd'hui, elle les calme. Elle entrevoit déjà de les guérir. »

Comment ? Par quelles méthodes ? Très probablement par l'alliance de la neurobiologie, de la psychopharmacologie d'une part, de la psychosociologie d'autre part. De même que de très grandes précisions sont actuellement apportées à l'étude physique, chimique du système nerveux, de très grandes précisions peuvent être apportées à l'étude de l'environnement, à l'étude du milieu familial, sociologique, professionnel au sein duquel vivent les hommes.

L'état d'Œdipe pourrait théoriquement être expliqué soit par la chimie de son cerveau, soit par la connaissance des relations familiales, mais, mieux, par l'alliance des deux données.

244

Il serait peu charitable d'accabler la psychanalyse. Les chroniqueurs futurs écriront cette histoire, les débats, les guerres civiles, les mouvements des esprits, des écoles et de l'argent, les illusions thérapeutiques.

Il serait plus important d'apercevoir des orientations neuves dans le domaine des méthodes purement psychologiques.

L'alliance de la neurologie, de la psychopharmacologie et de la psychosociologie réglera peut-être la prévention et le traitement des maladies de l'esprit du XXIᵉ siècle. Mais le succès est loin d'être assuré. Comme on aimerait assister, dans un domaine aussi important, à l'arrivée de concepts neufs, à la naissance d'un nouvel abord psychologique des malades mentaux.

C'est ainsi que tout au long de ma vie de médecin et surtout pendant les dernières années, j'ai vu peu à peu s'esquisser les traits de la médecine de demain. Elle sera, après des millénaires d'impuissance, efficace, capable de diminuer le malheur des hommes. Elle est devenue rationnelle, gouvernée par la rigueur de la biologie moléculaire. La médecine du présent, trop souvent, n'est que destructrice, éliminant par la chirurgie, les radiations, la chimie, les tissus malades. Elle est parfois substitutive avec les heureux résultats des greffes d'organes. Mais cette médecine substitutive ne sera pas éternelle. Elle disparaîtra lorsque nous aurons progressé dans les deux voies royales, celle des traitements correcteurs, celle des traitements agissant sur les causes. Déjà, dans le traitement des leucémies, sont à l'étude des méthodes ne détruisant pas les cellules malignes, mais les redressant, les remettant dans le droit chemin.

Tout un grand courant de la médecine contemporaine a pour objet la recherche non pas de la cause, mais des causes des maladies. Cette recherche rencontre le temps et l'espace. Le temps avec la persistance des caractères héréditaires au long des millénaires. L'espace avec les migrations du passé, les voyages de notre temps. L'espace? La géographie surtout.

Cette médecine du futur peut subir des retards, affronter des problèmes neufs, inattendus, malaisés. L'exemple récent du sida en témoigne. L'aventure, la très préoccupante aventure du sida avait été, sinon exactement prédite, tout au moins prévue, voici plus d'un demi-siècle par Charles Nicolle dans son remarquable *Destin des maladies infectieuses*. Ce qui est nouveau, ce n'est pas la survenue d'une maladie antérieurement inconnue, c'est cette survenue, au sein d'un monde qui se croyait définitivement aseptisé, protégé, tranquille. Elle rappelle cependant un événement du passé, la grande épidémie de syphilis envahissant l'Europe, au temps de la Renaissance. Avec plusieurs points communs : le lien entre le sexe et la mort, la transmission fréquente par voie sexuelle, l'impuissance temporaire de la médecine, la très haute gravité, la fréquente fatalité.

L'humanité a connu, au cours des âges, des épidémies plus redoutables que l'épidémie actuelle du sida. La peste au XIVe siècle a tué un tiers des Français. Mais la peste, la variole, le choléra, le typhus frappent les hommes, les femmes indistinctement, quelle que soit leur activité. Pour le sida, une relation existe entre la maladie d'une part et l'activité de la personne concernée d'autre part, activité sexuelle, activité de drogués. Doivent être mis à part les enfants naissant de mères atteintes du sida, les malades contaminés par voie sanguine à l'époque (1981-1985) où la présence du virus dans le sang était ignorée. On sait que, depuis 1985, les précautions indispensables sont prises et ce danger a pratiquement disparu.

Une relation certaine existe entre la liberté des mœurs et l'épidémie de sida. J'ai reçu récemment cette confidence d'un aimable jeune homme : « Nous avons eu dix ans de tranquillité. » Cette tranquillité était liée à l'efficacité des traitements des maladies vénériennes, à l'efficacité des méthodes anticonceptionnelles. Les dangers du sida vont-ils modifier les mœurs? Il est permis de le souhaiter. Il est difficile de l'assurer. Une dramatique course de vitesse est engagée entre les progrès rapides de l'épidémie d'un côté, les efforts des équipes de recherche d'autre part.

Déjà d'importants résultats ont été obtenus. Le virus responsable a été isolé deux ans seulement après l'apparition des premiers cas. Selon toute vraisemblance, vers la fin de ce siècle, ou au début du prochain siècle, des méthodes efficaces de prévention, de traitement auront été mises au point. Mais pendant les quinze prochaines années, l'épidémie de sida aura continué, se sera étendue, aura fait de nombreuses victimes.

La situation actuelle du sida est ainsi définie par une très sérieuse inquiétude pour le présent, par une espérance solidement fondée pour le futur.

Cette médecine du futur sera individuelle. Nous a-t-on assez dit que la médecine du futur serait une médecine de troupeaux, une médecine grégaire, collective. C'est tout le contraire qui se produit. La médecine concerne l'homme, un homme, cet homme unique différent de tous les autres. Rien de plus absurde que l'opposition, parfois proposée, entre la médecine empirique, plus humaine, et la médecine scientifique glacée. C'est la connaissance qui donne à la médecine sa force affective. Tous les apitoiements sont dérisoires quand, par ignorance d'un progrès récent, on a laissé mourir un enfant. Cette médecine du futur sera préventive, annonciatrice, prévoyante, empêchant souvent les maladies.

Elle sera universelle, devra être universelle. Dès maintenant, nous l'avons dit, les vaccins d'Europe et d'Amérique du Nord diminuent la gravité, la fréquence des maladies de l'enfant africain. L'étude d'une tumeur de l'enfant africain vient aider la prévention, le traitement des cancers d'Europe et d'Amérique.

Cette médecine du futur sera, moins qu'aujourd'hui, une médecine d'hôpital, beaucoup plus qu'aujourd'hui, une médecine exercée dans la maison du malade. Le premier modèle mondial d'hôpital de jour a été créé à l'hôpital Saint-Louis en 1968. C'est une de mes fiertés d'être, avec Jacques Caen, responsable de cette création. Déjà se sont développés les hôpitaux de jour, les hospitalisations à domicile. Dans l'avenir, l'hôpital demeurera le centre des traitements, des réanimations, le centre des explorations biologiques, radiologiques complexes. Mais les séjours hospitaliers seront abrégés ou évités. Les thérapeutiques seront le plus souvent appliquées à la maison, la personne malade demeurant chez elle, entourée de ses proches, de ses amis, de ses livres, de ses objets familiers.

***

Les plaquettes sanguines

En 1948, à Buffalo, je rencontre l'illustre physiologiste américain Armand Quick, auteur de remarquables travaux sur la coagulation, les maladies hémorragiques. Je viens de donner au congrès la description d'une nouvelle maladie héréditaire des plaquettes sanguines; Quick me rappelle en souriant que, pendant ses études de médecine au début du siècle, un de ses maîtres, parlant dans son cours des plaquettes sanguines, avait dit aux étudiants : « Méfiez-vous messieurs, ce sont peut-être des poussières. »

Il est vrai que si les globules rouges et les globules blancs sont connus de tous, les plaquettes, troisièmes éléments du sang, sont longtemps restées ignorées ou même méprisées.

Pourtant la connaissance des plaquettes remonte au milieu du XIXᵉ siècle. Alfred Donné, médecin de l'Hôtel-Dieu de Paris, qui le premier les décrivit, décida de se nommer lui-même professeur. Cette méthode d'autodésignation est assurément, pour accéder à une chaire, le procédé le plus efficace. En quelques années, Alfred Donné justifia la haute opinion qu'il avait de lui-même par trois découvertes majeures, la première description des plaquettes sanguines, la première description des leucémies, les premières photographies faites au microscope. Après quoi, l'Université reconnut ses mérites et le nomma professeur. Il finit même recteur. Les fonctions, le rôle des plaquettes ont été découverts, compris plus tard en France par Georges Hayem, en Italie par Bizzozzero.

Je revois Georges Hayem assistant en 1931 aux premières séances de la Société française d'hématologie. Société juste fondée, dont j'étais le jeune secrétaire. Les séances ont lieu à l'Hôtel-Dieu de Paris dans le salon Saint-Christophe. Les meubles sont vieillots. On avance sur le parquet ciré par de petits carrés de tapis comme naguère chez nos tantes de province. Georges Hayem a 90 ans. Il est vêtu de noir, porte de fines lunettes d'or, et sur des cheveux de neige un chapeau dit Cronstadt, qui est une sorte de demi haut-de-forme. Il est le père vivant de l'hématologie. Son fameux livre, *Du sang et de ses altérations anatomiques,* paru en 1889, a été la bible de l'hématologie naissante. Le premier, il a compris et montré que les plaquettes n'étaient pas des poussières, qu'elles avaient des fonctions précises, qu'elles gouvernaient pour une large part l'équilibre entre insuffisance et excès de fluidité du sang. Le premier il a établi la relation entre hémorragie et insuffisance des plaquettes. Il écoute avec attention les rapports, les communications des jeunes hématologues. Il intervient dans les discussions, rappelant d'anciennes observations. « Mes enfants, dit-il, j'ai déjà fait cette constatation avant la guerre. » Et nous ne savons jamais de quelle guerre il s'agit : la guerre de Crimée, la campagne d'Italie, l'expédition du Mexique, la guerre de 1870...

On sait donc, depuis Georges Hayem, que la forte diminution du nombre des plaquettes entraîne de graves hémorragies. On apprend plus tard que les altérations de la qualité des plaquettes (dont le nombre reste normal), peuvent aussi être responsables d'hémorragies. Tel est le cas pour deux maladies familiales rares, l'une décrite en 1918 par Édouard Glanzmann pédiatre de Berne, l'autre qu'avec J.-P. Soulier, nous isolons à Paris en 1948. Ces maladies familiales rares réalisent de vraies dissections des fonctions plaquettaires. La maladie suisse est définie par la seule altération de la fonction d'agrégation des plaquettes entre elles, la maladie française par la seule altération de la fonction d'adhésion des plaquettes à la paroi des vaisseaux.

Ici interviennent les remarquables travaux de l'équipe d'hémostase de l'Institut de Recherches de l'hôpital Saint-Louis, travaux surtout dus à Jacques Caen, chef du département, à Nurden, à Laurent Degos. Sur la membrane extérieure des plaquettes sont disposés des éléments appelés glycoprotéines. Dans la maladie suisse manque électivement une glycoprotéine, dans la maladie française manque électivement une autre glycoprotéine. Ainsi l'absence de la fonction d'agrégation des plaquettes entre elles est due à l'absence de la glycoprotéine qui à l'état normal assure cette fonction d'agrégation. Ainsi encore l'absence de la fonction d'adhésion des plaquettes sur la paroi des vaisseaux est due à l'absence d'une autre glycoprotéine responsable, celle-ci, à l'état normal, de l'adhésion des plaquettes à la paroi des vaisseaux.

Depuis Claude Bernard, la plus haute ambition des physiologistes est d'établir un lien entre structure et fonction. Cet objectif a été atteint par l'équipe de Jacques Caen aujourd'hui émigrée à l'hôpital Lariboisière.

Les insuffisances d'agrégation, d'adhésion, sont causes d'hémorragies ; les excès d'agrégation, d'adhésion favorisent les ralentissements du sang, les obstructions, les thromboses. Les liens établis grâce à ces recherches, à ces découvertes, entre médecine du sang et médecine des vaisseaux, sont devenus très forts. De ces données très fondamentales commencent d'être tirées des applications utiles tant du côté de la prévention, que du côté des traitements des

thromboses. Ainsi, comme cela est souvent le cas en médecine et surtout en hématologie, nous sommes passés de
l'observation clinique attentive de maladies très rares à des
données très fondamentales concernant les molécules de la
surface des plaquettes, leur structure, leur fonction, pour
redescendre vers les applications thérapeutiques. Applications dont on mesurera l'importance en rappelant que les
maladies du cœur et des vaisseaux sont au premier rang
des causes de morts en France. Elles ont été l'an dernier
responsables de 220 000 morts en France métropolitaine.

*
* *

Charlatans, magiciens, tenants des médecines incertaines

J'ai souvent, tout au long de ma vie, rencontré, combattu
les charlatans, les magiciens, les tenants des médecines
incertaines.

Les charlatans

Divers classements des charlatans peuvent être proposés.
Selon l'importance de leur action, selon leurs prétentions,
deux grands embranchements, deux grands ordres peuvent
être distingués; l'ordre des charlatans mineurs d'une part,
l'ordre des charlatans majeurs, des requins charlatans d'autre
part.

Les charlatans mineurs, les petits charlatans sont très
nombreux, très variés, rebouteux de campagne qui tantôt

améliorent une entorse, tantôt aggravent une fracture méconnue, radiesthésistes de chef-lieu de canton soignant à distance sur photographie, voyantes devenant thérapeutes avec l'âge. Ils ne s'attaquent jamais aux maladies graves. Des rétributions modérées leur paraissent suffisantes.

Les charlatans majeurs sont définis par leur audace et par leur avidité. Les maladies mortelles sont leur domaine. L'angoisse qu'elles suscitent justifiera des honoraires très élevés. Une publicité agressive augmentera le nombre de leurs victimes et partant leur richesse.

Trois aventures, vécues personnellement, choisies entre cent, ont valeur de modèles.

Un petit garçon leucémique est soigné dans notre service à l'hôpital Saint-Louis. Sous l'influence des traitements prescrits, l'état de l'enfant non seulement ne s'améliore pas mais s'aggrave. Les parents ont appris qu'un homme du Nord, non médecin, exerçant en Corse, a mis au point un traitement efficace. L'enfant quitte l'hôpital Saint-Louis. Le traitement est appliqué. Un traitement peu compliqué. Une potion qui ressemble à de l'eau. Le résultat est admirable. Quelques jours plus tard, l'enfant, qui était mourant, a retrouvé la vie. Le sang et la moelle sont redevenus normaux.

L'explication très simple est la suivante. Le traitement prescrit à l'hôpital Saint-Louis fait disparaître les cellules leucémiques, mais l'enfant passe alors par une période inquiétante d'insuffisance de la moelle osseuse. D'où le désarroi des parents. A cette période d'insuffisance de la moelle osseuse succèdent tout naturellement la réparation, la rémission. L'amélioration heureuse de l'état de ce petit garçon n'était pas due à la potion de l'homme du Nord mais au traitement antérieurement prescrit. Une grande agitation est provoquée par l'interprétation erronée des faits. Des avions débarquent à Ajaccio, des enfants venus de tous les continents. Le directeur général de la Santé, le plus haut fonctionnaire du ministère, va diriger une enquête à Ajaccio. Les résultats de cette enquête sont clairs. La potion magique qui ressemblait à de l'eau est de l'eau additionnée de petites quantités de minéraux. Aucune amélioration vraie de l'état des enfants traités n'est constatée. Les parents accablés repartent vers leurs continents respectifs avec leurs enfants perdus dont l'état s'est aggravé avec la fatigue des voyages, l'arrêt des traitements antérieurs.

Un garçon de 4 ans est atteint d'une forme très grave de leucémie. Les traitements appliqués à l'hôpital Saint-Louis obtiennent une amélioration temporaire, mais une rechute survient, rebelle à tous nos efforts. Navrés, nous conseillons de reprendre l'enfant à la maison. Des médications simples lui assureront une fin de vie paisible. Intervient alors la mère d'une concierge voisine. Le traitement proposé par un chercheur habitant la Forêt-Noire obtient très souvent la guérison des leucémies. L'Allemand appelé arrive très vite dans la nuit. Il n'examine pas l'enfant. Il demande deux brebis pleines. Il n'est pas facile de se procurer deux brebis pleines à trois heures du matin dans le troisième arrondissement de Paris. Mais rien n'est impossible quand il faut sauver un enfant en danger. Du boucher réveillé au marchand de bestiaux, une chaîne de solidarité est établie. Quelques heures plus tard les brebis sont apportées. L'homme les ouvre, extrait les agneaux-fœtus, les broie, injecte sous la peau de l'enfant la bouillie ainsi préparée. L'homme demande alors des honoraires substantiels, extrêmement substantiels, se lave les mains, et s'en retourne en Forêt-Noire. L'enfant va souffrir cruellement pendant deux jours, puis mourir. Les parents restent accablés, plus malheureux encore d'avoir un moment espéré. Ils sont ruinés et, avec eux, ruinée toute la famille qui les a aidés.

Une jeune fille de 18 ans est admise à l'hôpital Saint-Louis avec tous les signes d'une grave insuffisance de la moelle osseuse, d'une forme d'insuffisance généralement provoquée par des substances chimiques. Elle a noté quelques mois auparavant une petite masse dans son sein droit. Le traitement du médecin de famille reste inefficace. Très inquiets, les parents de la jeune fille, guidés par une tante très active, vont consulter un illustre homme de science dont la tante vante les mérites. L'homme de science les reçoit dans un magnifique bureau-laboratoire encombré par des appareils mystérieux. Il prescrit une thérapeutique qui malheureusement ne modifie pas la tumeur du sein. Il prescrit ensuite une deuxième thérapeutique, demande des honoraires extrêmement élevés. Non seulement la tumeur ne se modifie pas, mais l'état de la jeune fille s'aggrave. Anémie, hémorragies apparaissent.

La jeune fille est alors admise à l'hôpital Saint-Louis. Nous faisons les constatations suivantes :

1) La tumeur, que nous prélevons, n'est pas un cancer mais une tumeur tout à fait bénigne.

2) L'analyse des médicaments apparemment identiques prescrits par l'homme de science montre que le premier était, sous un nom savant, de l'eau, que le second était une solution dans l'eau d'un produit chimique très puissant employé dans le traitement de certains cancers. Ce produit est responsable de l'insuffisance de la moelle de la jeune fille.

Ainsi se trouvaient réunies plusieurs des conditions habituelles de l'activité des charlatans expliquant certains succès apparents, l'erreur de diagnostic, la prescription dissimulée d'un produit anticancéreux connu.

Les raisons des succès des charlatans ne sont pas mystérieuses. En premier lieu l'erreur de diagnostic; il n'est pas trop difficile de guérir un cancer qui n'existe pas. En deuxième lieu, l'existence de rémissions spontanées de certains cancers. En troisième lieu, l'effet d'un traitement antérieur comme pour notre premier enfant. Enfin la présence clandestine de vrais médicaments anticancéreux dans le produit du charlatan. Les magistrats, qui ont longtemps considéré avec indulgence les charlatans, sont maintenant beaucoup plus sévères fort heureusement. Vers 1950, constatant avec tristesse cette indulgence, je demande à être reçu et suis reçu effectivement par le plus haut magistrat français, ami de ma famille. Après m'avoir écouté, il répond : « Mais cher docteur vous savez bien que la justice n'est jamais que l'expression de l'opinion publique. »

Est-ce le changement de l'opinion publique, ou la formule du haut magistrat n'est-elle pas tout à fait exacte, une évolution favorable se dessine. Il y a quelques années j'ai été appelé à témoigner devant les magistrats pendant le procès d'un célèbre charlatan. Le procès s'est terminé par un jugement sévère, par une lourde condamnation.

Les magiciens

Les explications sont simples, presque évidentes. Pourtant les charlatans continuent et prospèrent. C'est qu'une étrange alliance unit le malheur des grands malades, de leurs familles, l'avidité financière du charlatan, la puissance de la magie dans l'opinion.

La médecine au temps des sorciers et des chamans a longtemps été magie. Elle s'est peu à peu écartée de la magie en devenant ou en tentant de devenir rigueur. Mais l'homme aime la magie. Il continue de croire à l'astrologie. De sérieux journaux consacrent des rubriques à l'astrologie. Des femmes, des hommes, sérieux par ailleurs, évoquent sans rire leur Verseau ou leur Bélier.

La science progresse lentement ou rapidement. La magie est merveilleusement stable, toujours pareille à elle-même à travers les siècles et les continents. Elle utilise les mêmes troupes de solitaires indiens, de vieillards caucasiens, de déments inspirés, le même matériel de tables tournantes, de messages télépathiques glissant le long des latitudes et des longitudes, de baguettes trouvant aisément les sources déjà repérées. C'est le domaine des « hommes de lubie, sectateurs et Mesmériens, Adamites et spirites, ophiolâtres et sourciers » magnifiquement chantés par Saint-John Perse.

Mais depuis quelques années la magie cherche à revêtir une robe scientifique. Elle ne se satisfait plus de pythies balkaniques ou de gourous du Népal. Elle rend en quelque sorte hommage à la science en lui demandant le secours de sa machinerie. De sa machinerie et non de ses méthodes. C'est ainsi que sont préparés d'horribles mélanges où se trouvent associés la sagesse hindoue, la caverne de Platon, William Blake, l'électroencéphalogramme, les réflexes conditionnés, les champs magnétiques, les rythmes circadiens.

Les tenants des médecines incertaines

Un ministre très éminent fait l'éloge des médecines douces et propose la création d'un Institut subventionné par l'État, chargé d'en favoriser les progrès.

Un doyen très éminent aussi organise des enseignements parallèles, devant apporter sur des médecines également parallèles toutes les informations nécessaires aux futurs médecins.

Des personnes également éminentes recommandent le recours aux tisanes et font fortune soit en vendant les végétaux concernés soit en vendant les livres où sont assemblées ces recommandations.

Les médecines dites douces, alternatives, parallèles connaissent en ces dernières années une grande faveur. Et deux questions ainsi sont posées :

1) Le recours aux méthodes ainsi vantées est-il scientifiquement justifié?

2) Comment expliquer le mouvement d'opinion qui favorise ces médecines douces, alternatives, parallèles?

Le vrai est ce qui est vérifiable. Cette règle que nous avons déjà rappelée, mais la répétition est utile, permettrait de répondre à la première question si on l'appliquait. Mais on ne l'applique pas. Pendant mes voyages en Chine, j'ai souvent demandé à mes collègues de Pékin ou de Shanghaï de soumettre l'acupuncture à des essais comparatifs. La découverte de Guillemin, la sécrétion d'endorphine par le cerveau humain pouvant apporter l'explication de succès éventuels. Mais, mes demandes chinoises sont restées sans

258

réponse et, à ma connaissance, une telle étude comparative n'a jamais été conduite avec la rigueur nécessaire.

La situation de l'homéopathie est tout aussi singulière. L'homéopathie est connue depuis deux siècles. Depuis plusieurs dizaines d'années tous les médicaments prescrits aux malades sont soumis à une très attentive étude préalable avec essais comparatifs, etc. Tous les médicaments sauf les médicaments homéopathiques. Exception étonnante et qui justifie les réserves (pour ne pas dire plus) des observateurs objectifs.

Tout récemment et pour la première fois, un essai comparatif a été organisé avec le concours de médecins homéopathes. L'absence totale d'efficacité du traitement homéopathique dans le cas considéré a été établie.

Les personnes qui vont consulter un médecin non spécialisé, un généraliste comme on dit actuellement, peuvent être classées sous trois chefs.

1) Celles qui sont atteintes d'une maladie sérieuse et dont le pronostic dépend pour une large part de la qualité des soins du médecin.

2) Celles qui sont atteintes d'une maladie bénigne spontanément curable.

3) Les malades imaginaires déjà si bien décrits par Molière.

Un médecin attentif consacrant à ses patients tout le temps nécessaire, prescrivant des médicaments non agressifs obtiendra d'excellents résultats dans les catégories 2 et 3. Il n'est pas trop difficile de guérir une personne qui n'est pas malade ou une personne atteinte d'une maladie spontanément curable.

L'importance des essais comparatifs permettant de juger

l'action d'un médicament a été maintes fois confirmée. Je me bornerai à deux exemples.

Lorsque la streptomycine, premier antibiotique actif contre la tuberculose arrive en France, la quantité reçue ne permet pas de traiter tous les malades. Un médecin parisien, chef d'un service de phtisiologie, partage ses patients en deux catégories : La première reçoit la streptomycine vraie aux doses voulues, la deuxième reçoit sous le nom de streptomycine des injections d'eau salée. Aux deux groupes les injections sont faites avec solennité par le médecin-chef qui seul est dans le secret. Dans les deux groupes on observe la reprise de l'appétit, la remontée du poids, la chute de la fièvre. Mais les lésions pulmonaires révélées par les radiographies, la présence de bacilles tuberculeux dans l'expectoration ne sont amendées que dans le premier groupe et demeurent inchangées dans le groupe ne recevant pas de streptomycine. Cette comparaison illustre de façon éclatante les conséquences heureuses de la croyance en les effets d'un médicament et les limites de cette croyance. L'étendue des lésions pulmonaires, le nombre de bacilles tuberculeux, les seuls critères essentiels ne sont modifiés que par la vraie streptomycine.

Deuxième exemple. De nombreuses personnes recevant comme traitement de l'anémie un sel de fer se plaignent de troubles digestifs provoqués par le fer. De confidence en confidence toute une légende se crée qui attribue au fer tous les maux. Quatre groupes de personnes sont formés. Le premier A reçoit du fer sous son nom de fer, le deuxième B du sucre sous le nom de fer, le troisième C du fer sous le nom de sucre, le quatrième D du sucre sous son nom de sucre. Seules se plaignent de troubles digestifs les personnes des groupes A et B. Ce qui crée ces troubles digestifs, ce n'est pas recevoir le fer, c'est croire qu'on le reçoit, ce n'est pas la marchandise, c'est l'étiquette.

Seuls des essais comparatifs sérieux, conduits par des personnes à la fois compétentes et impartiales appliquant des méthodes rigoureuses, permettent d'affirmer ou de refuser l'efficacité des médecines dites douces, parallèles, intermittentes.

En l'état actuel, aucune preuve n'a été apportée. Le vrai proclamé demande à être vérifié avant d'être reconnu pour vrai.

Comment dès lors expliquer le succès de ces médecines non vérifiées?

Par une foi et deux refus, me semble-t-il.

La foi en la magie d'abord, liée en partie aux progrès de la science. Tant d'objectifs qui paraissaient hors de portée sont aujourd'hui atteints. Aucune hypothèse, aucune voie thérapeutique ne peuvent être écartées. Tout est possible.

Deux refus ensuite. Le refus en premier lieu des souffrances liées à certaines thérapeutiques efficaces mais lourdes. L'évolution se fait presque toujours en quatre étapes. 1) La maladie est incurable. 2) La guérison est obtenue par des traitements très éprouvants. 3) La même guérison est obtenue par des traitements bien tolérés. 4) La prévention diminue la fréquence de la maladie. Pour de nombreuses maladies nous sommes parvenus à la deuxième période. D'où les réticences, les craintes, parfois le refus.

Le second refus est tout différent. La femme, l'homme de notre temps refuse les malaises légers, n'accepte ni les vapeurs, ni la fatigue légère, ni la douleur très temporaire. Il faut chaque fois un médicament. Or la médecine a d'abord dû combattre de rudes maladies, celles qui menaçaient la vie, celles qui causaient de cruelles souffrances. Elle n'a pas encore abordé (ou commence tout juste d'aborder) les troubles mineurs. On peut raisonnablement espérer qu'une interprétation correcte des causes, des mécanismes de ces désordres mineurs permettra de les traiter efficacement. Actuellement il y a une sorte de vacance. D'où le recours aux méthodes non éprouvées, non vérifiées. Ces explications ne sont ni excuses ni acceptations. Il n'est pas plusieurs sortes de médecine. L'une dure, l'autre douce, l'une vérifiée, l'autre approximative. La médecine est une et doit être gouvernée par la règle rappelée déjà : « Le vrai est ce qui est vérifiable. »

Le recours aux méthodes médicales non vérifiées peut être anodin si la maladie traitée est bénigne, si les médications proposées ne sont pas agressives. Il peut être dangereux s'il conclut à empêcher ou à retarder le traitement utile d'une maladie grave. Témoin, l'observation suivante que j'ai recueillie vers 1975. Un médecin très vigilant reconnaît à son extrême début le cancer du rectum d'un homme de 45 ans. Le traitement chirurgical a toutes chances d'obtenir la guérison. Rendez-vous est pris avec le chirurgien.

Mais, écoutant d'autres conseillers, le malade rejette l'intervention chirurgicale. Il est soumis pendant quatre mois à un traitement homéopathique; le cancer cependant progresse. Le malade constatant l'échec du traitement homéopathique retourne voir le premier médecin. Le cancer s'est étendu localement. Une métastase dans le foie est apparue. Il n'est plus question d'intervention. La mort survient trois mois plus tard.

*
* *

Évolution de la bio-éthique

Mes relations avec la morale sont anciennes. A l'école communale de Couëron, entre 1914 et 1917, l'emploi du temps accordait chaque semaine deux heures à l'enseignement de la morale. Vers 1960, j'ai participé à deux Congrès de morale médicale sous la présidence du cher et très respecté professeur de Vernejoul. Mais, en ces dernières années, est survenue une curieuse évolution, à la fois sociale et sémantique, une double mutation. D'une part la morale; le mot qui la désigne apparaissait désuet, poussiéreux. D'autre part l'éthique, venue du grec par un détour américain, inspire rapports, colloques, entretiens. Son audience ne cesse de progresser. L'éthique fait désormais partie de notre vocabulaire usuel.

Qu'est donc l'éthique? Madame le Recteur Hélène Ahrweiler, doublement compétente, hellène et hellénisante, a bien voulu m'informer. Deux origines étymologiques pour le mot éthique. Le terme « itos » signifie la « tenue de l'âme », le style dans le sens de ce terme dans la France classique, « le style, c'est l'homme ». Le terme « étos » complémentaire du précédent peut désigner l'ensemble des normes (habitudes communes, coutumes, mœurs) lié au respect de la mesure.

L'éthique est la discipline qui prend en considération l'itos et l'étos. Elle garantit l'harmonie qui résulte de la bonne tenue de tout acte, de l'accord, en somme, entre l'âme et l'environnement. Elle suppose une action rationnelle. Elle est propre à l'homme.

La morale médicale s'est longtemps limitée, depuis Hippocrate, à quelques règles simples, généralement encore qu'inconstamment respectées : dévouement, compassion, désintéressement. Mais la médecine a plus changé pendant les cinquante dernières années que pendant les cinquante siècles précédents et tout a été transformé par deux révolutions successives, la révolution thérapeutique et la révolution biologique. La révolution thérapeutique, qui commence en 1937 avec les sulfamides, a donné aux médecins, après des millénaires d'impuissance, le pouvoir de guérir de redoutables maladies, la tuberculose, la syphilis, les septicémies, les grandes maladies des glandes, les désordres de la chimie des humeurs, près de la moitié des cancers.

La révolution biologique, plus récente, ne concerne plus seulement les malades, mais les sociétés humaines tout entières. Elle donne, ou va donner à l'homme, une triple maîtrise, maîtrise de la reproduction, maîtrise de l'hérédité, maîtrise du système nerveux.

La décision, initialement, a été laissée aux seuls médecins. Affrontant une situation difficile, souvent dramatique, le médecin doit assumer sa responsabilité, à condition (ce qui n'est pas toujours le cas actuellement) qu'il ait reçu la formation nécessaire. Mais lorsqu'il s'agit, comme dans le cas des trois maîtrises, de questions générales, le médecin ne peut, ni ne souhaite, régler seul les problèmes.

Lorsque la question éthique est posée par la prescription éventuelle d'un traitement nouveau à un malade donné, le consentement éclairé de ce malade est nécessaire selon les

264

philosophes, les moralistes, les juristes. Les médecins savent que des situations très diverses ne permettent pas de réponses univoques.

Ce jeune adulte diabétique connaît tous les détails de sa maladie, toutes les évolutions possibles. Si un nouveau traitement est proposé, son consentement, ici très éclairé, est absolument indispensable. Il en fut ainsi lors d'un essai récent de traitement du diabète, par un nouveau médicament, la Cyclosporine.

Mais voici un adolescent que frappe une leucémie d'une très haute gravité. Son jugement peut être altéré par la souffrance, le malheur. Son état peut être rendu plus précaire encore par telle brutale révélation préalable au consentement éclairé.

Il paraît sage, en pareil cas, de solliciter l'opinion de la famille du malade. Opinion presque toujours généreuse, utile. Presque toujours, mais non toujours, l'opinion pouvant dépendre des intrigues de la comédie bourgeoise.

Un octogénaire, industriel très fortuné, est atteint depuis deux ans d'une leucémie lymphoïde chronique. Survient un accident cardiaque. La pose d'un stimulateur, d'un pace-maker est envisagée. Les deux fils du vieillard viennent trouver l'hématologue responsable du traitement de la leu-cémie, lui rappellent ses positions bien connues, son hostilité à l'acharnement thérapeutique, lui demandent de s'opposer à la pose de ce stimulateur.

Une rapide enquête apprend au médecin que la demande des deux beaux messieurs n'est pas inspirée par le désir d'éviter à leur père des souffrances inutiles, mais par l'existence d'un testament très particulier. La petite-fille du vieillard, âgée de 16 ans, fille d'une fille décédée, devait être seule héritière si elle atteignait sa majorité avant la mort du vieillard. Le stimulateur fut posé, le vieillard vécut quelques années. La jeune fille hérita.

Dans d'autres cas, on se réfère à des principes écrits, soit sous forme de déclarations, qui, de Genève à Helsinki, de Tokyo à Hawaï, à Sydney, ont le triple caractère d'être généreuses, vagues, irrégulièrement appliquées; soit sous forme de lois fortes et fermes que les progrès de la biologie rendent caduques dans l'année, dans les années qui suivent leur promulgation. Ainsi la nouvelle molécule récemment découverte par Étienne Baulieu interrompt la grossesse une semaine après le moment de la conception. Certes, une période de vérification, de contrôle est nécessaire. Mais tout permet de penser que, dans un avenir peu éloigné, cette molécule va créer des situations difficilement compatibles avec la stricte application de la loi sur l'interruption volontaire de grossesse.

C'est en raison de ces difficultés, de ces incertitudes, que d'autres méthodes ont paru nécessaires. C'est ainsi qu'ont été conçus les comités d'éthique qui connaissent actuellement une grande faveur.

Je ne sais si l'on devient sage en vieillissant, ou si, à tort ou à raison, on est considéré comme sage quand on prend de l'âge. Cette sagesse supposée m'a porté depuis vingt ans à la présidence de plusieurs comités d'éthique. Leur liste donne une bonne idée de la diversité des comités d'éthique.

De mon premier comité d'éthique, je ne suis pas trop fier. Un chercheur de l'Institut de Recherches sur les leucémies de l'hôpital Saint-Louis, que je dirigeais alors, fait une découverte. Un article relatant la découverte est envoyé à une grande revue scientifique américaine. Après quelques semaines, la rédaction de la revue nous transmet l'avis favorable de son comité de lecture, mais demande avant publication, l'accord de notre comité d'éthique. En une demi-heure, le comité d'éthique est formé par les deux sous-directeurs de l'Institut de Recherches et moi-même. Consulté, il rend un avis favorable, aussitôt transmis à la revue américaine. J'évoque ce souvenir avec une honte modérée. Mais il existe de par le monde d'assez nombreux comités de complaisance dont l'activité n'est pas constamment pure et morale.

Mon deuxième comité d'éthique appartenait à la catégorie des comités « ad hoc ». Le génie génétique permet de modifier le patrimoine héréditaire d'un être vivant. Le monde scientifique est ému. A Asilomar, petite ville des États-Unis, un colloque assemble les personnes compétentes. Un moratoire est décidé. Pour la première fois, le mot « moratoire » quitte le langage des financiers et des hommes de loi et est employé par les hommes de science. Le gouvernement français nomme un comité « ad hoc » chargé d'examiner les conséquences de la découverte et du moratoire. Après un an de travail, après avoir formulé les recommandations nécessaires, le comité, temporaire par définition, cesse son activité.

Troisième comité, un comité doté de pouvoirs très forts, le Comité d'Éthique de l'Institut national de la Santé et de la Recherche médicale ou INSERM. Les démarches sont les suivantes :

1) Le chercheur propose un programme de recherches et sollicite une subvention. 2) La commission scientifique compétente examine le projet, le trouve satisfaisant, donne son accord mais signale qu'une question d'éthique est posée.

3) Le comité d'éthique intervient alors avec un grand pouvoir. Si son avis est défavorable, le chercheur ne recevra pas la subvention demandée. Très vite il apparut que l'action du comité d'éthique était avant tout pédagogique. Après un an d'activité, les conseils donnés étaient compris et rares étaient les projets méritant d'être sanctionnés.

Tout différent est le Comité national consultatif d'éthique pour les sciences de la vie et de la santé (c'est le titre) que j'ai l'honneur de présider depuis 1983. Il est national, comprend des membres provinciaux et des membres parisiens. Il est mixte, associant aux médecins, aux biologistes les représentants de diverses familles spirituelles et philosophiques, des moralistes, des sociologues, des juristes, des membres du Parlement. Il est consultatif. Il n'a aucun pouvoir, ou plutôt son seul pouvoir est celui que peut lui donner la sagesse éventuelle de ses avis.

Il a pour objet, non pas la morale de l'exercice de la profession médicale qui appartient à l'Ordre des Médecins, mais l'examen des questions éthiques posées par les progrès de la recherche biologique et médicale, en somme l'examen des conséquences éthiques de la révolution thérapeutique d'une part, de la révolution biologique d'autre part.

« C'est notre inquiétude qui gâte tout, et la plupart des hommes meurent de leurs remèdes et non de leurs maladies. » Excessive au temps des modestes médicaments de Diafoirus, la formule malicieuse de Molière ne peut être entièrement éludée aujourd'hui. Les molécules qui guérissent ne sont pas toutes inoffensives. Leur efficacité, leur éventuelle nocivité doivent être comparées à l'efficacité, à la nocivité d'autres molécules. Ainsi la révolution thérapeutique a suscité les essais médicamenteux avec tirage au sort. Moralement nécessaires (on ne peut diffuser un médicament sans avoir attentivement étudié ses effets) et nécessairement immoraux (la prescription du médicament n'a pas pour seul objet l'amélioration du malade, mais aussi les informations utiles à d'autres malades). J'ai gardé le souvenir très précis de l'indignation des membres non-médecins du Comité national d'Éthique lorsque ces méthodes leur ont été révélées. Indignation justifiée du côté des principes, moins justifiée du côté de la pratique. Comme en témoigne l'histoire de deux vaccinations.

La vaccination par le BCG, admirable découverte de Calmette et Guérin, a été lancée sans essais préalables très prolongés. Un grand désordre a suivi. Un temps très long a été nécessaire avant que soit reconnue la haute valeur du BCG.

La vaccination contre la poliomyélite, découverte aux États-Unis, a fait l'objet d'une étude comparative très rigoureuse portant sur 400 000 enfants; 200 000 enfants désignés par le tirage au sort reçoivent le vaccin, les 200 000 autres enfants reçoivent, sous le nom de vaccin, un placebo, une injection d'eau salée. C'était une très grave décision. Des poliomyélites graves, qu'on aurait pu éviter, ont frappé certains des enfants témoins, mais après deux ans, le résultat de l'essai comparatif était éclatant. Et la poliomyélite va progressivement disparaître.

De même que la découverte des groupes sanguins par Landsteiner en 1900 a permis l'essor de la transfusion sanguine, de même la découverte par Jean Dausset des groupes de globules blancs et du système d'histocompatibilité dit HLA a permis le développement de greffes d'organes. Les recherches qui ont permis ce développement, ces applications, nous ont posé, à l'hôpital Saint-Louis, vers 1960, de singuliers problèmes de responsabilité. Lorsqu'on greffe la peau de Pierre à Paul, Paul rejette le fragment de peau de Pierre, mais si l'on greffe à Paul, non seulement la peau de Pierre, mais la peau d'André, de Jean, de Jacques, on constate que ces fragments de peau de Pierre, d'André, de Jean, de Jacques ne sont pas rejetés dans les mêmes délais; tel sera rejeté en quelques jours, tel en quelques semaines. Jean Dausset a postulé que la rapidité du rejet était fonction du degré d'incompatibilité entre les groupes de tissus du donneur et du receveur. Cette hypothèse de travail, qui allait susciter les grands développements indiqués plus haut, demandait à être vérifiée. Elle ne pouvait l'être que chez l'homme. Il n'était pas question, bien entendu, d'utiliser des malades et seuls pouvaient initialement servir les médecins et chercheurs de l'équipe qui poursuivaient ces travaux. De la même façon, on peut le rappeler, c'est l'héroïsme d'un jeune Allemand, étudiant en médecine, Forsmann, qui, introduisant une sonde dans une veine du bras et la portant jusqu'aux cavités de son propre cœur, a permis les heureux progrès de la chirurgie cardiaque.

Très vite les membres de l'équipe de recherches utilisés n'ont pas suffi. Des essais beaucoup plus nombreux étaient nécessaires. On se trouvait donc confronté aux problèmes de fond de l'expérimentation sur l'homme. D'un côté, le refus de toute tentative nouvelle, respectant les règles fondamentales, mais laissant sans thérapeutique efficace de graves maladies, de l'autre, des tentatives pour trouver une solution acceptable, respectant les règles de la morale et ne compromettant pas les progrès de recherches essentielles pour les malades. La solution fut trouvée dans la formation de héros instruits. Les donneurs volontaires de sang représentent en France un groupe très remarquable par leur dévouement, leur abnégation; tels d'entre eux ont donné plus de cinq cents fois leur sang. C'est parmi eux que Jean Dausset devait recruter les volontaires qui ont permis la poursuite de ses recherches. Une condition essentielle était l'instruction, l'information de ces volontaires. Dans une série de cours, de conférences, de colloques, ces volontaires furent informés des conditions dans lesquelles seraient faits ces essais, des inconvénients éventuels pour eux, des avantages considérables pour les progrès de la recherche. On sait qu'aujourd'hui plusieurs milliers d'hommes, de femmes, d'enfants ont été sauvés par les greffes de rein, de moelle osseuse. Leur survie est due tout à la fois au médecin qui a conçu cette remarquable hypothèse de travail et aux donneurs courageux qui ont permis d'en démontrer la vérité.

Les enseignements de cette aventure scientifique et héroïque que j'avais vécue près de Jean Dausset à l'hôpital Saint-Louis ont été fort utiles lorsque, vingt ans plus tard, la question de volontaires sains a été examinée par le Comité national d'Éthique. De nombreux abus étaient connus, en particulier le recours à des « volontaires désignés » : étudiants en mal d'examen, captifs espérant leur libération, et même « volontaires fonctionnarisés », rétribués mensuellement par certaines firmes pharmaceutiques à l'étranger qui les tiennent ainsi à leur disposition. Certaines règles doivent gouverner le recours à des volontaires sains pour les essais de nouvelles thérapeutiques : authentique volontariat, information très complète des volontaires, risques minimes couverts par une assurance, désintéressement.

271

Les transplantations, les greffes d'organes, actuellement en plein essor, posent de délicates questions. Un éminent chercheur lyonnais traite avec succès certaines maladies graves de l'enfance par la greffe de foie de fœtus mort. Il est attaqué, traduit en justice par des personnes craignant une augmentation des interruptions volontaires de grossesse. Embarrassés, les magistrats consultent le Comité national consultatif d'Éthique. Son avis, soulignant l'importance du progrès thérapeutique et les vies d'enfants sauvés, est suivi par le tribunal. Le chercheur lyonnais est relaxé.

Voici un autre exemple. Un enfant de 10 ans est atteint d'une maladie sanguine mortelle. La greffe de la moelle osseuse de son frère, âgé de 8 ans, peut le sauver. Est-il licite moralement de prélever la moelle de cet enfant de 8 ans qui ne peut donner son accord? Le risque pour lui est très petit, celui d'une anesthésie générale. Pas tout à fait nul cependant.

Ces questions concernaient les donneurs. D'autres concernent les receveurs. Ils sont devenus des chimères. Se posent parfois pour eux des problèmes apparents ou réels d'identité. Ainsi, une jeune fille, sauvée par la greffe de moelle osseuse de son frère, me dit un jour : « En somme, mon cœur envoie dans mes vaisseaux le sang de mon frère. » Ce qui était vrai.

Plus importantes encore, plus générales, sont les questions posées par la révolution biologique, par les trois maîtrises.

Et d'abord par la maîtrise de la reproduction. Un médecin du temps de l'empereur Hadrien, recommandait aux dames romaines d'éternuer au moment décisif pour éviter d'être fécondées. Depuis, les méthodes anticonceptionnelles ont été améliorées. Il ne saurait être question de les décrire ici. Il faut cependant évoquer la mise au point prochaine d'une vaccination contre la grossesse et ses conséquences. Les premiers vaccins étudiés en Inde et qui devaient agir contre les antigènes du sperme limitaient leur action aux antigènes du sperme du mari. Tout enfant était nécessairement adultérin. La méthode a été abandonnée. Plus efficace paraît la technique associant une hormone féminine, l'hormone gonadotrope à un vaccin connu, l'anatoxine tétanique. Après les hauts et les bas habituels, la recherche progresse. On peut espérer disposer dans quelques années d'un vaccin efficace. Avec de grands avantages quand on protégera pendant deux ou trois ans une jeune femme, malade, tuberculeuse par exemple, qui une fois guérie, pourra concevoir sans danger. Avec de grands soucis lorsqu'une autorité politique, se fondant sur des données scientifiques erronées ou justes, prétendra interdire la grossesse à telle ou telle catégorie de jeunes femmes.

L'insémination artificielle rend de grands services dans des cas bien définis. Elle suppose – ce fut le cas en France grâce au professeur David – une grande rigueur morale et technique des centres responsables. Deux questions importantes sont posées :

1) Celle de l'anonymat lorsqu'on reçoit du sperme de donneurs volontaires. L'anonymat est de règle en France. Il a été abandonné en Suède avec l'espoir d'avoir des informations utiles concernant le patrimoine génétique de l'enfant à naître. Conséquence : forte diminution du nombre des donneurs.

2) La question aussi de la légitimité des conservations de convenance. Les jeunes hommes portent leur semence à la banque de sperme. Ils font lier les canaux déférents

qui transportent le sperme, ont toute leur vie des relations sexuelles variées, trois fois souhaitent un enfant et vont chercher leur sperme à la banque. Il y a là une dissociation quasi caricaturale entre l'amour et la fonction de reproduction.

Les mères porteuses, dont l'histoire a longuement été examinée par le Comité national d'Éthique, sont de vraies mères. Il vaudrait mieux parler de mères donneuses ou vendeuses, ou, selon l'expression d'un membre de notre comité, le professeur Jost, « d'abandon d'enfant avec préméditation ». De solution plus malaisée sont les problèmes posés par les fécondations in vitro, particulièrement par la persistance, après succès, de ces embryons « surnuméraires » qui auraient servi en cas d'échec. Faut-il les garder pour une autre grossesse du même couple, pour la grossesse adoptive d'un autre couple, pour la recherche? Faut-il les tuer? L'embarras est grand. La solution viendra d'un progrès de la recherche, permettant de congeler les ovules prélevés. Point ne sera besoin alors de préparer à l'avance les embryons et la grande difficulté actuelle disparaîtra.

Les deux histoires suivantes illustrent la diversité des situations ainsi créées et les difficultés rencontrées.

Une dame américaine, très fortunée, est stérile. Un contrat est signé avec une mère « vendeuse » qui sera ensemencée avec le sperme du mari de la dame stérile. 15 000 dollars. Neuf mois plus tard, naissance d'un enfant malformé. « Nous n'en voulons pas », disent les milliardaires, « Donnez-moi mes 15 000 dollars » dit la mère vendeuse. Procès. Experts. L'enfant malformé n'est pas le fils du milliardaire, mais le fils du mari de la mère vendeuse qui n'avait pas observé, en temps voulu, une chasteté suffisante.

La deuxième histoire, dont il existe plusieurs versions, concerne aussi des milliardaires américains stériles. Les équipes australiennes sont au premier rang dans le domaine de la fécondation in vitro. Les Américains vont à Sydney. Des embryons sont préparés après fécondation des ovules de l'épouse par le sperme du mari. Ils vont être introduits dans l'utérus de la dame. Une obligation impérieuse rappelle les milliardaires en Amérique. Ils reviendront dans quelques jours. Mais leur avion tombe dans le Pacifique. Leur neveu américain, héritier présomptif, télégraphie au Gouvernement australien et demande la destruction des embryons qui sont, eux, les vrais héritiers. Refus des biologistes australiens. Polémiques furieuses pro et contra des deux côtés de l'océan Pacifique. Jusqu'au jour où le journaliste qui avait conté l'histoire, avoue qu'il l'a inventée. Il n'y a pas eu de milliardaires, ni d'Australie, ni d'avion dans le Pacifique. Il avait souhaité connaître les réactions, les opinions, provoquer les débats.

La deuxième maîtrise est la maîtrise génétique. Avec, d'abord, la possibilité de faire in utero le diagnostic de diverses maladies héréditaires. Sur les rivages de la Méditerranée, dans les îles, est observée avec une grande fréquence une anomalie congénitale de l'hémoglobine connue sous le nom de thalassanémie ou par une fâcheuse contraction sémantique de thalassémie. La maladie est bénigne lorsqu'elle est héritée d'un seul des deux parents. Elle peut être très grave lorsqu'elle est héritée des deux parents. Ces enfants mènent une vie misérable pendant huit ans, dix ans, douze ans et meurent au début de l'adolescence après de nombreux séjours hospitaliers, de nombreuses transfusions, de nombreux traitements palliatifs qui ont lourdement obéré le budget de santé publique des sociétés concernées. Si lourdement que, dans deux grandes îles méditerranéennes Chypre et Sardaigne le traitement des thalassémies fatales ne permet plus le traitement des autres maladies de l'enfance, curables celles-ci. Or le diagnostic de ces thalassémies majeures, de celles qui seront mortelles est actuellement possible in utero dès le deuxième, troisième mois de la grossesse. En conséquence les autorités médicales et médico-administratives de ces deux îles ont recommandé l'extension de la méthode de diagnostic prénatal et conseillé l'interruption de la grossesse dans le cas où le diagnostic d'une forme grave de la maladie est posé. Recommandations, conseils d'autant plus remarquables qu'il s'agit de populations très religieuses, catholique l'une, grecque orthodoxe l'autre. La situation est plus poignante encore car un traitement institué à la naissance, la greffe de moelle osseuse peut souvent guérir ces enfants. Mais la greffe de moelle osseuse coûte 600 000 francs, soixante millions de centimes. De tels coûts interdisent bien entendu l'extension de la méthode salvatrice. Ainsi s'entrelacent, dans un tragique échange, données médicales, données religieuses et morales, données économiques et financières. Avec la mort programmée de ces enfants.

Donc d'une façon plus générale, pouvoir du diagnostic in utero de nombreuses maladies, les unes très graves, les autres moins graves, les unes précoces, les autres apparaissant plus tardivement. Pouvoir qu'il faut envisager sans hypocrisie. La seule application de la méthode, la seule révélation aux parents des résultats engagent fortement la responsabilité du médecin.

Pouvoir aussi de prédiction grâce aux découvertes de Jean Dausset sur le système HLA, avec d'un côté, la prévention améliorée de nombreuses maladies, d'un autre côté le refus, plus tard, d'embauche et probablement les délations biologiques sournoises.

Pouvoir prochain de transformer le patrimoine génétique de mammifères. Ce pouvoir existait déjà pour le colibacille. Nous sommes en train de passer du colibacille à l'éléphant, puis de l'éléphant à l'homme. Pourra-t-on, comme on l'espère déjà pour certaines maladies (y compris la thalassémie évoquée plus haut), limiter les tares sans altérer la constitution génétique, ou faudra-t-il redouter (espérer) je ne sais quel Meilleur des mondes? Il est difficile de le discerner.

Il faut ajouter que les études concernant la paternité n'ont longtemps conduit qu'à l'exclusion. Elles permettent souvent aujourd'hui une reconnaissance positive. Progrès singulièrement important si l'on songe au taux de 16 % de naissances adultérines admis pour l'Europe occidentale par les démographes. Progrès qui peut demander la mise en place d'une réglementation prudente.

Maîtrise du système nerveux enfin et peut-être surtout du *cogito* de Descartes, du « maître cerveau sur son homme perché » de Paul Valéry, aux accomplissements actuels des neurosciences, l'accord est général, l'importance du système nerveux de l'homme est acceptée par tous.

La psychopharmacologie moderne commence avec les travaux de pionniers de Bernard Halpern, de Jean Delay. Elle a connu des périodes de progrès, de stagnation, de nouvelles périodes de progrès. De nombreuses maladies de l'esprit sont déjà ou seront bientôt utilement traitées par des médicaments très spécifiques agissant électivement sur telle ou telle fonction de l'esprit.

D'autres conséquences de ces remarquables progrès sont moins heureuses. Voici un dictateur, qui pour les besoins de sa politique, souhaite transformer son peuple en soixante millions de tigres ou soixante millions de moutons. En ajoutant discrètement aux aliments quelques gouttes de tel médicament, il obtiendra le résultat souhaité.

Et que l'on ne dise pas que c'est impossible. C'est déjà fait. L'un des gouvernements les plus démocratiques du monde, le gouvernement helvétique souhaite combattre le goitre fréquent dans certaines hautes vallées de Suisse. Sans le dire (ou presque sans le dire) il a ajouté l'iode au sel de cuisine. Le goitre a disparu.

On peut modifier le système nerveux par les médicaments de la psychopharmacologie ou par la greffe de cellules nerveuses. Depuis quelques années, les expérimentateurs réussissent, chez l'animal, la greffe de cellules nerveuses embryonnaires. Des troubles moteurs, des troubles de la mémoire provoqués par la destruction ou par l'altération de certains neurones peuvent être corrigés par la greffe de neurones analogues. Dès maintenant, et en tout cas dans un avenir proche, dans le traitement de certaines maladies nerveuses, la greffe de quelques centaines de cellules nerveuses venant d'une personne saine peut être envisagée. De quelques centaines on passera à quelques milliers, d'un territoire limité à un territoire étendu.

Ainsi se trouveront renouvelées les données de l'apologue des amours de Pierre et de Jeanne. Pierre aime Jeanne.

Jeanne, après un accident, perd un bras. Un bras étranger est greffé à la place du bras amputé. Pierre est encore amoureux de Jeanne, mais Jeanne, un peu plus tard, souffre d'une grave maladie rénale. Une transplantation rénale est tentée et réussie. Pierre est toujours amoureux de Jeanne. Nouvel accident, brûlures étendues. De larges greffes de peau sont nécessaires. Plus tard encore de graves altérations du cœur de Jeanne sont constatées. Une greffe de cœur est décidée. Pierre est-il toujours amoureux de Jeanne? La pauvre Jeanne avec un bras étranger, un rein étranger, une peau étrangère, un cœur étranger, est-elle toujours la Jeanne qu'il a aimée? Combien d'organes, combien de tissus, combien de kilogrammes, combien de mètres carrés Jeanne peut-elle échanger, remplacer et rester elle-même? La réponse habituelle est inspirée par l'importance attachée au système nerveux central. Tant que le cerveau est intact, Jeanne reste elle-même et reste aimée. Les greffes envisagées de cellules nerveuses ne permettent plus de réponse aussi simple. Quel est le nombre maximal de cellules nerveuses greffées (et en quel territoire), compatible avec la permanence de la personne de Jeanne? Un de mes amis, poète, écoute attentivement l'apologue et sourit : « Pierre est amoureux de l'image de Jeanne qu'il s'est formée et toutes vos complications biologiques ne changent pas cet amour. »

L'activité du Comité national d'Éthique est pour une bonne part pragmatique, fonction des questions posées; mais elle est inspirée, par-delà le pragmatisme par quelques principes très forts.

C'est d'abord le respect de la personne, unique, irremplaçable. Mais où finit, sur cette terre, cette personne?

Avec la mort du cerveau? Avec la mort d'une partie du cerveau, comme certains, assez scandaleusement, l'ont avancé? Où commence-t-elle? Avec le spermatozoïde, l'ovule? Avec l'œuf juste fécondé, après quelques jours ou quelques semaines de vie embryonnaire? Avec l'apparition des premières cellules nerveuses? L'adjectif « potentiel » proposé par certains théologiens du Moyen Age et repris par la bio-éthique moderne est commode mais ambigu. De très attentives réflexions sont ici nécessaires.

Deuxième principe, le respect de la connaissance. Longtemps, il a paru dangereux d'arrêter ou même de ralentir les progrès de la connaissance. Telle analyse, qui paraissait contestable, des cellules embryonnaires fait soudain progresser notre connaissance du cancer. Mais les voies nouvelles récemment ouvertes ont suscité des interrogations émouvantes, personnelles et collectives. Ici encore de sérieuses réflexions sont indispensables.

Troisième principe, le refus du lucre, le refus d'accepter la vente, le commerce de tissus humains. La France s'est honorée, voici plus de quarante ans en refusant la vente du sang, en organisant, en encourageant le don du sang, et plus tard le don d'organes, de tissus.

On sait que cette position morale très forte n'est pas universelle. Dans un journal du soir d'Amérique latine, on trouvait, l'an dernier, aux petites annonces, cette proposition : « Fernando Lopez, 23 ans, bonne santé, vend son rein droit. Prix à débattre. » Et de scandaleuses compétitions voient, autour d'un cadavre, s'affronter à coups de surenchères les hommes d'affaires représentant telle ou telle riche personne malade souhaitant se procurer à prix d'or, le rein ou le cœur du défunt. Dominique Lapierre, dans son dernier livre sur l'Inde a conté l'histoire d'un homme très pauvre qui vend à l'avance son squelette pour payer la dot de sa fille.

Dernier principe, il concerne la responsabilité des chercheurs eux-mêmes, la conscience qu'ils doivent prendre de leurs responsabilités. Longtemps les chercheurs se sont, sur ce point, partagés en deux camps. D'un côté les indifférents, les Ponce Pilate. « J'ai fait une découverte. Je me lave les mains des conséquences, que les sociétés se débrouillent. » D'un autre côté, les malheureux, accablés par les conséquences de leur découverte et qui parfois envisagent d'interrompre leurs recherches.

Mais voici qu'apparaît, fort heureusement, une troisième classe, celle des chercheurs qui, prenant conscience de leur responsabilité, s'efforcent par de nouvelles recherches de limiter les difficultés éthiques provoquées par leurs premières recherches.

Déjà les recherches évoquées ci-dessus concernant la congélation des ovules limiteront bientôt les graves questions posées par les embryons surnuméraires. L'histoire du paludisme de la population noire de Californie a ici valeur exemplaire. Elle se déroule comme la tragédie classique en cinq actes. Premier acte : Le paludisme fait des ravages parmi la population noire de Californie. Deuxième acte : Un nouveau médicament est proposé, la primaquine, capable de prévenir le paludisme. Troisième acte : Les premiers essais sont encourageants. Le paludisme recule. Quatrième acte : Des anémies très graves, parfois mortelles, provoquées par la primaquine, sont observées chez 8 à 10 % des personnes saines qu'on voulait protéger. Le dilemme est grave, et, comme de nombreux problèmes d'éthique, se présente sous forme de tension entre des devoirs contradictoires. A-t-on le droit, pour protéger 90 % des membres d'une population, de mettre en danger 10 % des membres de la même population? La question paraît alors sans issue. Cinquième et dernier acte : Un chimiste américain découvre les raisons de la fragilité de certaines personnes. Il s'agit de l'absence, dans leurs globules rouges, d'une enzyme protectrice. Un test simple reconnaît cette absence. Les personnes fragiles sont dépistées, mises de côté, les autres (90 %) sont, efficacement et sans risque, protégées contre le paludisme.

Un progrès de la recherche a permis de résoudre le problème moral qu'un progrès antérieur de la recherche avait posé. Il est donc des principes qui ont (ou devraient avoir) valeur universelle. Mais il est aussi une histoire et une géographie de la bio-éthique et je voudrais ici évoquer deux souvenirs personnels, l'un ancien, l'autre récent.

En 1936, je terminais mon internat et j'allais parfois assister aux séances de la Société médicale des hôpitaux de Paris, société de très haut rang où les médecins chefs de service des hôpitaux, venaient présenter leurs travaux. L'un d'entre eux, éminent pneumologue, propose d'introduire une sonde dans les veines du bras, de la porter jusqu'au cœur, d'analyser ainsi le contenu des oreillettes et des ventricules. Le bureau de la Société considère cette proposition comme dangereuse, contraire à la morale médicale (on ne disait pas encore éthique) et en refuse la publication. Quelques années plus tard, nous l'avons indiqué, l'étudiant allemand Forssmann faisait l'expérience sur lui-même en en montrant l'innocuité et l'utilité, ouvrant de larges domaines nouveaux, à la chirurgie du cœur.

Le deuxième souvenir est récent. Au printemps de 1987, se tient au Japon un important Congrès international de bio-éthique. Les organisateurs du Congrès m'ont fait l'honneur de me demander de prononcer la conférence d'ouverture consacrée à une relation des travaux du Comité national français. L'orateur qui me succède est un éminent prêtre bouddhiste : « J'ai écouté avec intérêt notre collègue français, a-t-il dit, mais je dois vous avouer que je ne connais pas les dates de ma première naissance, de ma deuxième naissance, de ma troisième naissance, ni les formes animales successives que j'ai revêtues. Les diverses questions posées par les procréations artificielles, le génie génétique, me paraissent assez éloignées de mes préoccupations. »

*
* *

Les Sages de la Sécurité sociale

Pendant le Congrès international de bio-éthique, j'habitais un hôtel à Fukui, ville universitaire du centre du Japon. Une nuit d'avril 1987, je dormais profondément. La sonnerie du téléphone m'éveilla. Une dame fort aimable m'explique qu'elle est conseiller de M. Chirac, que le Premier ministre a l'intention de me nommer membre d'un comité de six sages chargé de préparer la réforme de la Sécurité sociale. Les textes nommant ces sages sont prêts. Mon accord est nécessaire. Trois heures du matin. La nuit japonaise. L'esprit encore engourdi par le sommeil que je viens de quitter. La décision n'est pas simple, mais parfois un ange gardien, en telle occurrence, vient à votre secours.

Mon ange gardien me souffle la bonne réponse : « Quels sont les cinq autres sages ? » La liste est rassurante. Ce sont tous des personnalités fort compétentes, fort éminentes. J'accepte et tente de retrouver le sommeil.

Quelques semaines plus tard, nous voilà tous les six, assemblés dans un bureau du ministère du Travail. Devant nous, un beau jardin et plus loin les Invalides. Nos études sont grandement facilitées par la haute qualité des rapporteurs qui nous sont adjoints.

Longtemps on a distingué deux médecines, la médecine des riches fondée sur l'argent, la rétribution des services rendus par le médecin, la médecine des pauvres, gratuite, désintéressée, fondée sur la charité.

« Trois et deux font cinq et cinq font dix... » La scène fameuse qui ouvre le *Malade imaginaire* a dû maintes fois, hors du théâtre, se répéter. Les comptes trop certains de l'apothicaire et du médecin étant mis en balance avec les effets incertains de leurs interventions. Et comme est sévère (encore que la sévérité ne soit pas exprimée) la description par Proust du professeur Dieulafoy, venu donner ses soins à la grand-mère du narrateur et faisant disparaître les honoraires reçus avec une habileté instantanée, discrète, efficace.

La découverte la plus ingénieuse que ni Diafoirus ni Knock n'avaient prévue est celle des médecins psychanalystes assurant que les consultations non payées ne sont pas utiles, qu'une thérapeutique non échangée contre argent est vaine et allant – logique irréprochable – jusqu'à contraindre les futurs psychanalystes eux-mêmes à subir, pour entrer dans le corps savant, une analyse rétribuée.

Parallèlement se développe la médecine des pauvres,

illustrée en France par la haute figure de saint Vincent de Paul. La médecine des pauvres, fondée sur la charité, est parfois ambiguë. De cette ambiguïté témoignent les sens divers du mot « misérable ». Le misérable est tantôt un malheureux, tantôt un criminel, tantôt un malheureux criminel.

Ces deux médecines ont survécu jusqu'à une période récente. Et la première loi d'Assurances sociales, celle du chancelier de fer, de Bismarck, est, en 1883, inspirée avant tout par des préoccupations politiques, électorales.

Tout a changé avec la révolution de la médecine et d'abord avec la révolution thérapeutique qui commence en 1937 avec les sulfamides.

La loi de Sécurité sociale de 1945, due essentiellement à Pierre Laroque, a eu, pendant quarante ans, de très heureuses conséquences. Elle a limité les inégalités face à la souffrance, à la maladie, qui existaient entre les pauvres et les riches. Elle a permis à la société française d'accepter, d'absorber, la forte augmentation des dépenses de santé, liées aux progrès des techniques et des méthodes. Elle a maintenu une médecine libérale au sein d'un financement collectif. Elle a eu, pour la santé des Français de très fortes, de très heureuses conséquences.

Cette harmonie est, depuis quelques années, troublée, mise en péril. Le système français de Sécurité sociale est menacé. Il fonctionne moins bien. Ces menaces, ces difficultés, ont conduit le gouvernement français à convoquer les états généraux de la Sécurité sociale et à demander à six sages de préciser les orientations nécessaires. Les Sages ont, au début de leur travail, recommandé quelques mesures financières urgentes, puis ils se sont attaqués aux problèmes de fond. Ils ont beaucoup écouté, procédant à de nombreuses auditions, beaucoup réfléchi, beaucoup discuté. Ils ont tenté d'avoir, de donner, une vue d'ensemble du problème, non pas à court terme, mais à moyen terme, en songeant au début du XXIᵉ siècle.

Deux données fondamentales alors apparaissent.

1) De très importants progrès de la prévention des maladies peuvent être attendus vers les annécs 2010. Avec la diminution importante des dépenses qui accablent actuellement l'assurance maladie. Assurance maladie qui connaîtra alors des jours meilleurs après avoir affronté dans les toutes prochaines années de rudes difficultés.

2) Les progrès de la médecine vont augmenter le nombre des vieillards. L'assurance vieillesse, les retraites vont être de plus en plus coûteuses. Il devient dès lors indispensable de retarder l'âge de la retraite, mesure déjà appliquée dans de nombreux pays. De sérieuses difficultés vont néanmoins persister. Trois grandes hypothèses de travail, trois orientations peuvent être envisagées pour l'avenir.

La première solution est libérale. Le secours de la collectivité est limité à quelques très graves maladies. Pour le reste jouent la concurrence, le profit.

Ce système est proche de celui que connaissent les États-Unis. Il assure à 70 % de la population des traitements corrects mais laisse sans protection et dans le désarroi 30 % de la population.

Un de mes amis allant, pour poursuivre un travail de recherche, vivre quelques mois aux États-Unis, est devenu locataire d'un couple de jeunes employés. Un soir, ses hôtes lui demandent d'examiner leur fils, un petit garçon de 6 ans. Douleurs abdominales. Appendicite aiguë certaine.

Appelés d'urgence viennent le médecin de famille et un chirurgien. Le diagnostic est confirmé, l'intervention très urgente décidée. Mon ami retourne dans sa chambre. Une heure, deux heures se passent. L'enfant dans la pièce voisine gémit toujours. Mon ami va retrouver les parents, leur rappelle l'urgence, l'enfant va mourir s'il n'est pas opéré très vite. Réponse : le chirurgien exige d'être payé avant l'intervention, mais nous n'avons pas d'argent. Nous avions une assurance privée au début de notre mariage, mais voiture, télévision, d'autres dépenses nous ont empêchés de continuer le règlement de l'assurance. Mon ami est indigné et accablé. Il sent le temps passer. Fort heureusement un peu plus tard arrive une grand-tante alertée qui signe le chèque nécessaire. L'enfant sera sauvé. Mais peut-on accepter un système qui comporte de tels risques?

La deuxième solution, proche du système britannique, suppose un accroissement de l'intervention de l'État. Plusieurs variantes sont possibles et en premier lieu le financement des dépenses de santé assuré par l'impôt, après vote par le Parlement. Le système britannique a permis un remarquable essor de la recherche biologique et médicale, et a inspiré une médecine de soin généralement critiquée avec queues interminables à l'entrée des hôpitaux, retards des traitements, etc.

On doit cependant noter que le coût pour la collectivité des dépenses de santé est sensiblement moins élevé en Grande-Bretagne qu'en France, la morbidité et la mortalité étant à peu près les mêmes dans les deux pays.

Les dépenses supplémentaires du système français sont en quelque sorte le prix de la liberté. Il appartiendra aux citoyens de notre pays de décider s'ils sont prêts à payer ce prix de la liberté.

Car la troisième solution a pour objet le maintien du système français actuel. Des réformes de structure et de gestion peuvent être envisagées. Une meilleure éducation de la population pourrait (ce n'est qu'un espoir) limiter les absurdes abus de médicaments qui alourdissent nos dépenses de santé. On pourrait ainsi attendre le début du prochain siècle, les progrès des méthodes de prévention, leurs conséquences heureuses.

Ces diverses propositions ont inspiré les conclusions des Sages. Les gouvernements consultent souvent les experts mais tiennent rarement compte des conseils que leur donnent les experts. Parfois des recommandations du type de celles qu'ont formulées les Sages inspirent après quelques années d'utiles réformes. Il est permis d'espérer.

*
* *

Alcool et tabac

Cette lenteur, cette indifférence gouvernementales sont déplorables, dangereuses quand il s'agit de l'alcool et du tabac. Seuls, le général de Gaulle et Michel Debré, Pierre Mendès-France pour l'alcool, Simone Veil pour le tabac ont agi. Ils n'ont pas été suivis. Or, si l'on diminuait de 30 % la consommation en France d'alcool et de tabac, la Sécurité sociale dans sa branche « assurance maladie » ne connaîtrait plus de problèmes financiers. Point n'est besoin d'augmenter cotisations ou impôts. Il suffit de diminuer modérément la consommation d'alcool et de tabac. Pour l'alcool, les conséquences d'une telle diminution ne sont pas lointaines mais proches. Les Allemands, dès le début de l'occupation de 1940, boivent ou utilisent les alcools, les vins français. Les Français ne boivent plus. Dès 1943 les maladies dues à l'alcool disparaissent. Les chefs de clinique dans les hôpitaux ne trouvent plus de cas cliniques pour instruire les étudiants. Certains asiles réservés aux psychoses alcooliques sont vides et sont fermés. Arrive la Libération. Les Français boivent de nouveau. Dès 1948, les cirrhoses, les polynévrites, les psychoses dues à l'alcool encombrent hôpitaux et asiles. Tout s'est passé comme dans une expérience de laboratoire : le poison disparaît, ses conséquences disparaissent. Le poison revient, ses conséquences reviennent.

De loin en loin, les princes qui nous gouvernent sont émus par les progrès de l'alcoolisme. Ainsi en 1975, le président Giscard d'Estaing et madame Simone Veil alors ministre de la Santé me convoquent et me demandent de présider un groupe de travail sur l'alcoolisme. A mon objection : « Mais je ne suis pas compétent; je n'y connais rien », la réponse immédiate est : « C'est pour cela que vous êtes choisi. » Réponse d'abord surprenante mais finalement assez raisonnable. On choisit une personne indépendante, hors des milieux concernés. Inspecteurs des finances, spécialistes des questions agricoles, philosophes, sportifs, pédagogues, médecins composent le groupe. Nous travaillons beaucoup, nous recevons les grands producteurs d'alcool. La même question est posée. Quel serait votre programme de lutte contre l'alcoolisme? Et l'homme de Ricard de répondre : « Ah! si vous supprimiez le Cognac. » Et l'homme de Cognac : « Ah! si vous supprimiez le Ricard. »

Un rapport est rédigé. Des solutions sont proposées. Il apparaît, au terme de ce travail, qu'il est possible de réduire d'un tiers la consommation d'alcool. Quelques mesures insignifiantes sont prises. Le rapport rejoint la bibliothèque des bonnes intentions. Les Français continuent d'être ruinés par l'alcool, de mourir de l'alcool.

Les données concernant les dangers du tabac sont plus récentes. Vers 1950, les 50 000 médecins de Grande-Bretagne se partagent en deux groupes égaux, les fumeurs, les non-fumeurs. Les fumeurs continueront à fumer. Les non-fumeurs continueront à s'abstenir. Le bilan est fait vingt-cinq ans plus tard. On compte quatorze fois plus de cancer du poumon dans le groupe fumeurs que dans le groupe non-fumeurs.

On sait aujourd'hui que le tabac est responsable de 90 % des cancers du poumon, de 25 à 30 % de l'ensemble des cancers, de troubles artériels, cardiaques, de bronchites chroniques.

290

Et la consommation continue. Les jeunes filles fument et préparent leurs futurs cancers du poumon. Dès 13, 14 ans les enfants fument.

Plusieurs grands pays, États-Unis, Norvège, Grande-Bretagne, Australie ont, depuis vingt-cinq ans, commencé de lutter contre le tabagisme. Non pas par des prohibitions, mais d'une part en interdisant toute publicité, d'autre part en transformant l'image du fumeur. Le fumeur n'est plus le cow-boy héroïque de la télévision, c'est un pauvre diable, un intoxiqué incapable faute de volonté de mettre un terme à son autodestruction. La tolérance voire la sympathie dont il bénéficiait ont évolué depuis que l'on sait que le fumeur est dangereux non seulement pour lui mais pour son entourage.

Le coût financier des maladies dues au tabac (y compris leur coût social) est en France supérieur à 40 milliards.

Les États-Unis, la Norvège, la Grande-Bretagne, l'Australie, étant parvenus à diminuer d'un tiers la consommation de tabac, ont constaté vingt ans plus tard une diminution d'un tiers de la fréquence des cancers du poumon.

En France, à la suite des recommandations des Sages de la Sécurité sociale, une augmentation modérée du prix des cigarettes a été décidée. Mesure bien modeste, très insuffisante. On objecte qu'une augmentation plus importante altère le fameux indice des prix. Est-il moralement acceptable que l'indice des prix dépende du prix d'un poison?

Il est parfois permis de rêver. Rêvons. Deux lois sont promulguées. La première loi limite aux quantités raisonnables la quantité de boissons alcoolisées. La deuxième loi interdit la vente des cigarettes. Tout change. En peu de temps les cirrhoses, les névrites, les psychoses provoquées par l'alcool disparaissent comme elles avaient disparu avec la disparition des boissons alcoolisées pendant la cruelle période de l'occupation allemande. Plus tard la dramatique ascension du cancer du poumon se ralentit, s'arrête. Sa fréquence diminue. Tout un peuple de condamnés, de futurs infirmes, de futurs misérables mène une vie normale. Cependant que fortement soulagé (un homme sur trois dans les hôpitaux est victime directe ou indirecte de l'alcool) le budget de santé de la nation peut être orienté vers des tâches plus raisonnables. Ce ne sont que des songes d'autant plus amers qu'ils sont plus irréels. La pression des divers intérêts, les uns légitimes, les autres plus nombreux abusifs est si forte que les espoirs de solution juste sont petits... Les Républiques se suivent. Les gouvernements de droite, de gauche, de droite se succèdent. Rien n'est fait – souvent rien n'est même entrepris. On a cessé de s'en étonner. On continue à le déplorer.

L'exemple des pays qui plus courageux que nous sont en train de réussir, permet de ne pas désespérer, mais le temps est long.

X

IL NE FAUT PAS FAIRE
D'EXHIBITIONNISME AVEC SON CŒUR

Tout au long de ma vie j'ai beaucoup lu. Comme le suggère Marcel Proust dans *Sésame et les lys,* la lecture nous conduit au seuil de la vie spirituelle, mais ne la constitue pas.

Le médecin qui affronte constamment la mort ne cesse de nourrir ou de renouveler sa méditation religieuse ou métaphysique. Lorsque à 16 ans, j'ai décidé d'entrer en médecine, je savais bien que j'allais affronter le malheur. Au moins je croyais le savoir. Deux ans plus tard, j'allais à l'hôpital et j'affrontais le malheur. Non pas un malheur unique mais un malheur multiple. Non pas un malheur imaginé mais un malheur réel.

Dans un lit, un homme anhèle. Dans un autre lit, un homme se meurt, gonflé d'hydropisie. Un troisième geint doucement, et, parfois, la douleur s'exacerbant, ne maîtrise plus une plainte plus forte. Le jeune étudiant, mal à l'aise les premiers jours, devient plus fort. Les jours suivants, il s'endurcit. Il croit s'endurcir. En fait, il s'est composé un maintien. L'apparence peut devenir réalité intérieure. Certains étudiants, certains médecins cessent de souffrir du malheur des autres. Ce ne sont pas les meilleurs. Plus souvent, sous l'apparence, persiste une sensibilité très vive, la perception profonde du malheur d'autrui, la sympathie. Sensibilité, sympathie, croissent souvent avec les années.

Je n'ai jamais supporté, je supporte de plus en plus mal la mort d'un enfant leucémique. Ma propre mort, assurément prochaine maintenant, me laisse indifférent.

Entre 1940 et 1945 j'ai couru d'assez grands périls. Sans terreur ni panique si ma mémoire est fidèle. Une fois pourtant, j'ai eu très peur. Pendant la retraite, nous nous arrêtons au début de juin dans une ferme de Bourgogne. La tristesse, l'insomnie, la crasse nous accablaient. Le fermier, apitoyé, m'ouvre une petite remise : « Mon lieutenant, vous aurez de l'eau et du savon. Je ferme la porte à clé pour que vous soyez tranquille. » Je me déshabille, je sors mon rasoir. Un grognement interrompt mes préparatifs. Un énorme chien-loup se déplie, se redresse, montre les dents et me considère sans aménité. Je suis terrifié, impuissant. Je me rase en tremblant. Le chien-loup tourne autour de moi. Mon tremblement augmente. Mais le chien s'allonge à nouveau et s'endort. Je tremble un peu moins. Quand le fermier revient, il voit le chien. « Ah, il était là... » dit-il simplement.

Mon indifférence face à ma propre mort n'est pas motif de fierté. Je crois simplement être ici plus proche des hommes du passé que des hommes du présent. Les hommes du passé acceptaient la mort. Les hommes du présent refusent la mort. Ils se voudraient immortels.

Ils oublient que la mort, dans l'histoire des êtres vivants, a été un progrès. Les premières bactéries sont définies par trois caractères, l'uniformité, l'absence de sexe, et, dans un certain sens, l'immortalité. Indéfiniment reproductible, toujours pareille telle qu'en elle-même l'éternité ne la change pas, cette bactérie est, en quelque sorte, immortelle.

Puis surviennent, après quelques millions d'années, la reproduction sexuée, la différence, la diversité, la mort. Ayant engendré des êtres différents nouveaux, les parents leur laissent la place, leur permettent de progresser par leur diversité même, par le pouvoir de triompher de l'environnement que leur confère cette diversité. La mort est ainsi un avantage.

Un avantage pour l'espèce. Un grand malheur pour les parents, les amis de celui qui vient de mourir. Bien souvent, après avoir assisté, impuissant, à l'hôpital, à la mort d'un enfant, revenu dans mon bureau, je pensais à cet enfant, à son devenir.

Deux hypothèses m'ont toujours paru, me paraissent encore aujourd'hui hautement improbables. L'hypothèse matérialiste d'abord. Elle semblait la seule sérieuse au début de ce siècle, au temps du scientisme triomphant. Elle survit, non totalement acceptée, mais vigoureuse. Elle inspire des textes de haute valeur. Pourtant elle heurte ma raison et ma passion. Les biologistes modernes, rejoignant les théologiens et certains philosophes, ont reconnu que tout commençait par l'ordre. Ils ont reconnu les lois qui gouvernent la naissance de la vie. Le terme extraordinaire de « code génétique » a pu être proposé, puis accepté par tous. Ils ont défini les maladies avec la rigueur de la chimie des molécules. Ils ont écouté puis transcrit le langage moléculaire des cellules de notre corps se transmettant informations, médisances, calomnies. Cet ordre peut-il être expliqué par la seule alliance du hasard et de la nécessité? Ici intervient peut-être la passion. Et je ne peux admettre cette première hypothèse.

La deuxième hypothèse, qu'il n'est pas possible d'accepter, est celle du Dieu vêtu de longs voiles, entouré d'anges et de leurs lyres, qui, du haut de sa montagne, gouverne les hommes.

Ainsi, je me sens éloigné et des athées combattants ou conciliants, et des fidèles aisément convaincus. Éloigné aussi des hommes de compromis, ceux qui gouvernent au centre – un peu de religion par-ci, un peu de science par-là. Ils ont ainsi trouvé un équilibre superficiel, très superficiel. Les premiers pas sont incertains. Les démarches suivantes sont plus malaisées encore. Ici, la raison s'éloigne. La passion est seule. Elle inspire une spiritualité très forte – qui refuse le matériel – qui a longtemps hésité avant de trouver sa voie.

Les réflexions de Jean Guitton m'ont grandement aidé. Elles proposent une nouvelle voie. La voie, pourrait-on dire, de l'espérance évolutive. Trois étapes, dans cette voie, se succèdent, peut-être en se recouvrant partiellement. Première étape : l'homme fabrique des outils et des outils à faire des outils. Deuxième étape : l'homme pense, apprend, croit ou croit savoir. Troisième étape (et je cite ici Jean Guitton) : « *Le moi se manifeste par une expérience intérieure et supérieure qui, dans cette phase du temps, dans cet univers-ci, n'a pas encore atteint sa plénitude. Le moi profond ne peut être pleinement donné à lui-même dans l'économie actuelle, que par des voies rares ou des conjonctures improbables, à travers d'obscures palpations. C'est dans cette zone troisième que surgit l'intuition des grands artistes, des grands mystiques. »*

Tour à tour ainsi se suivent, homo faber, homo sapiens, homo mysticus. Le fœtus dans l'utérus maternel ne sait pas qu'il deviendra un homme adulte. L'homo faber ne sait pas qu'il deviendra homo sapiens. L'homo sapiens, notre contemporain, ne sait généralement pas qu'il deviendra homo mysticus.

Ainsi l'espérance et le mystère s'unissent. Jean Guitton, analysant ce mystère, a magnifiquement décrit cette situation, je suis heureux de le citer à nouveau. *« L'anastase projette une lumière sur le statut d'un être qui appartiendrait à l'éternité et qui serait toujours présent dans la biosphère après avoir traversé la mort. C'est, je le répète, un événement absolument improbable et qu'un esprit scientifique considère comme impossible. Mais l'évolution engendre de l'improbable. Notre histoire n'a pas encore commencé. Semblables à des embryons, nous avons des organes sans emploi. La symphonie est inachevée. »*

Cette espérance évolutive m'a souvent apporté la paix. Alors que je m'approche du peu profond ruisseau calomnié, un autre sentiment m'habite : la curiosité. Que va-t-il se passer? La comparaison avec le fœtus n'est peut-être pas tout à fait juste : le fœtus ne sait probablement pas que la période fœtale a un terme, qu'il va devenir un homme. Il n'est pas sûr qu'il se pose des questions, qu'il soit curieux. L'homme sait à l'avance qu'il va mourir. Il ignore son destin ultérieur. Il est indifférent ou curieux. Ma curiosité est très grande.

Adolescent vers 1922, je lisais, je relisais, j'apprenais les poèmes assemblés dans l'*Anthologie de la nouvelle poésie française* éditée par Kra sous une belle couverture rouge. D'Apollinaire à Valéry, de Lautréamont à Claudel, de Cendrars à Jouve, à Supervielle, à Ribemont-Dessaignes, les courants divers de la poésie contemporaine étaient représentés. Dans les *Variations sur quelques empereurs romains* de Mathias Lubeck, je trouvai : « *Un troisième empereur romain, le fils du précédent, avait, dit-on, coutume de faire le bien, mais avec trop peu de modestie. Et chaque fois qu'il ne le faisait pas, il disait : " J'ai perdu ma journée. " En latin :* diem perdidi. *Celui-là n'était qu'un imbécile, et, qui plus est, un sale poseur. Car c'est une très vilaine gloire que de faire de l'exhibitionnisme avec son cœur.* »

Mathias Lubeck avait raison. Il ne faut pas faire d'exhibitionnisme avec son cœur.

Table

Du même auteur

BUCHET-CHASTEL

Survivance
La Pénicilline
État de la médecine
Grandeur et Tentations de la médecine
L'Homme changé par l'Homme
Discours de réception à l'Académie française
(avec Étienne Wolff)
L'Espérance ou le Nouvel État de la médecine
Mon beau navire
Le Sang des hommes
Le Sang et l'Histoire
L'Enfant, le Sang et l'Espoir
Et l'âme ? demande Brigitte
De la biologie à l'éthique

MASSON

La Maladie de Hodgkin (avec P. Chevallier)
Hématologie clinique (avec M. Bessis)
Les Cytopénies médicamenteuses
(avec J. Dausset et C. Magis)
Hématologie géographique (avec J. Ruffié)
Abrégé d'hématologie (avec J.-P. Lévy et B. Varet)

FLAMMARION

Maladies du sang et des organes hématopoïétiques
Comment traiter les leucémies
Hématologie (avec J.-P. Lévy et B. Varet)
Discours de réception de Jean Hamburger
à l'Académie française

ALCAN

Les Adénopathies inguinales
(avec P. Chevallier)

SPRINGER

La Rubidomycine
(avec R. Paul, M. Boiron, C. Jacquillat, R. Maral)

HERMANN

La Création vagabonde
(avec M. Bessis et J.-L. Binet)

IMPRIMERIE BRODARD ET TAUPIN À LA FLÈCHE
DÉPÔT LÉGAL OCTOBRE 1990. Nº 12524 (1060D-5)

Aux Éditions Odile Jacob

Marc Abelès, *Jours tranquilles en 89*
Anatole Abragam, *De la physique avant toute chose*
« L'Age de la science » :
n° 1, *Éthique et Philosophie politique*
n° 2, *Épistémologie*
n° 3, *La Philosophie et son histoire*
Claude Allègre, *Fureurs de la terre*
Elisabeth Badinter, *L'un est l'autre*
Michel Baroin, *La Force de l'amour*
Jean-Claude Barreau, *Du bon gouvernement*
Michèle Barzach, *Le Paravent des égoïsmes*
Étienne-Émile Baulieu, *Génération pilule*
Jean Bergeret, *La Toxicomanie*
Jean Bernard, *C'est de l'homme qu'il s'agit*
Jean-Paul Binet, *L'Acte chirurgical*
Jacques Blamont, *Vénus dévoilée*
Ricardo Bofill / Jean-Louis André, *Espaces d'une vie*
Dr Catherine Bonnet, *Geste d'amour*
Jean-Marie Bourre, *La Diététique du cerveau*
A-G Cairns-Smith, *L'Énigme de la vie. Une enquête scientifique*
Marshall Carter-Tripp / Max J.Skidmore,
La Démocratie américaine
Jean-Pierre Changeux / Alain Connes, *Matière à pensée*
Laurent Cohen-Tanugi, *La Métamorphose de la démocratie*
Collectif, *Pierre Mendès France et l'Économie*
Colloque des prix Nobel,
Promesses et Menaces à l'aube du XXIᵉ siècle
Yves Coppens, *Pré-ambules*
Michelle Coquillat, *Romans d'amour*
Francis Crick, *Une vie à découvrir*
François Dagognet, *Corps réfléchis*
Robert Dantzer, *L'Illusion psychosomatique*
Régis Debray, *Que vive la République,*
Tous azimuts
Alain Devaquet, *L'Amibe et l'Étudiant*
Michel Drancourt, *L'Économie volontaire*
Jean-Claude Duplessy / Pierre Morel, *Gros Temps sur la planète*
Caroline Eliacheff / Ginette Raimbault, *Les Indomptables*
Didier Éribon / Claude Lévi-Strauss, *De près et de loin*

Collection Points

SÉRIE ODILE JACOB

Collection Points